P9-DZL-665

LARGE PRINT WORD-FIND™ SOLVER

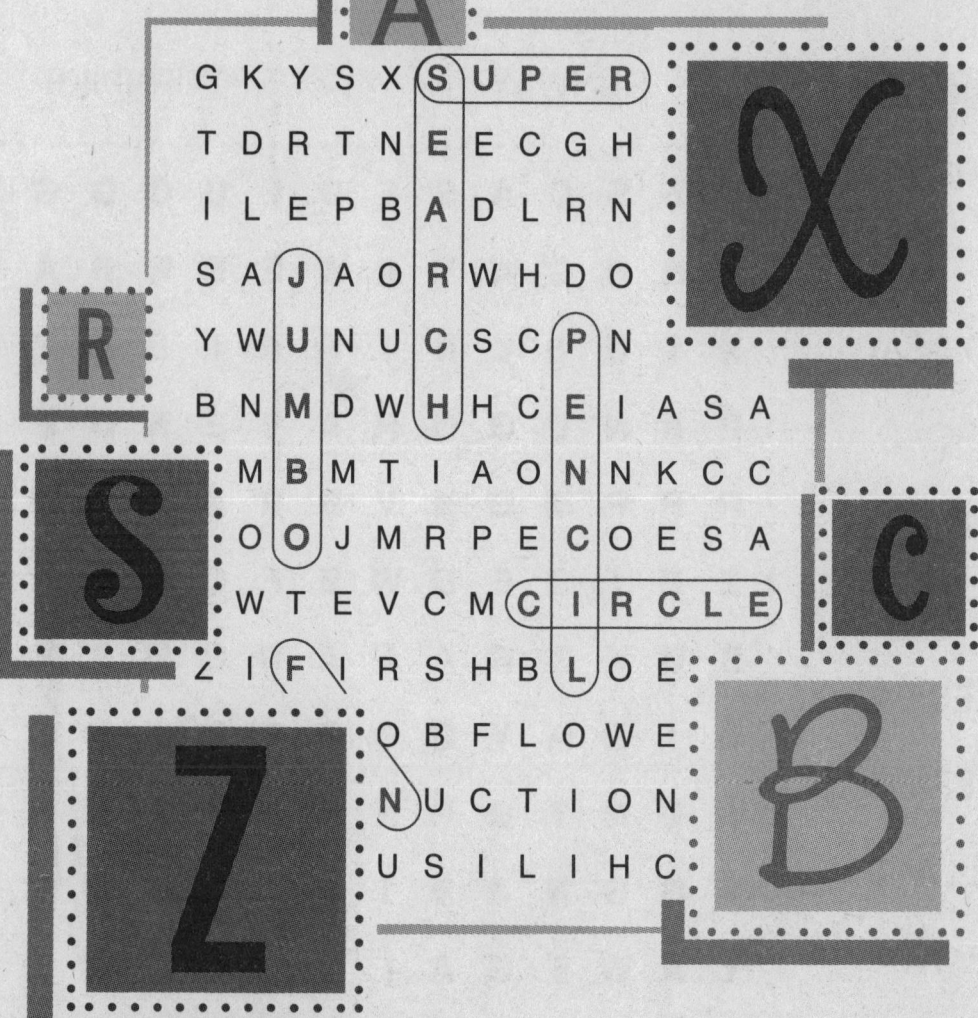

```
G K Y S X S U P E R
T D R T N E E C G H
I L E P B A D L R N
S A J A O R W H D O
Y W U N U C S C P N
B N M D W H H C E I A S A
M B M T I A O N N K C C
O O J M R P E C O E S A
W T E V C M C I R C L E
Z I F I R S H B L O E
  O B F L O W E
  N U C T I O N
  U S I L I H C
```

KAPPA Books

Visit us at www.kappapuzzles.com

R K Y Q J X Q N T S R R Z Y F E L

J **Puzzle #1: SHOW ME THE WAY** F

P C P G I L E Q U X D R R Q Q H D

AUTOSTRADA	HIGHWAY	SHUNPIKE
AVENUE	PARKWAY	SIDE STREET
BY-ROAD	ROUTE	TRAIL
CARREFOUR	RUNWAY	TURNPIKE
CLEARWAY		
CLOVERLEAF		
CUL-DE-SAC		
DIRT ROAD		
DRANG		
DRIVEWAY		
EXPRESSWAY		
FEEDER ROAD		
FOUR-LANE		
FREEWAY		
GATEWAY		
GLIDEPATH		
HAULAGEWAY		

```
C F S C A S E D L U C D G F
E H H C A Y A W E E R F A E
X T U I L R T R A I L A T E
P A N L G O R A V E N U E D
R P P M G H V E R S B T W E
E E I Q E D W E F O X O A R
S D K Z R A F A R O U S Y R
S I E A Y R O P Y L U T O O
W L N T U R N P I K E R E A
A G S N J D I R T R O A D D
Y A W E G A L U A H D D F S
D A O R Y B F O U R L A N E
Y L D B S I D E S T R E E T
C L E A R W A Y A W K R A P
```

Puzzle #2: ZAMBIA

AFRICA	CONGO	LAKE KARIBA
ANGOLA	CORN	LIVINGSTONE
BOTSWANA	HERDING	LUSAKA
CEREALS	IRON	MALAWI
CHROMIUM	KAFUE RIVER	MANGANESE

```
E C S L A K E K A R I B A A
S M O C E R E A L S E R N V
E A O R T D K P V N N A N S
N L S D N A L D O O W S A O
A A M O S A I T G S M I V U
G W R U T R S B T U N A A T
N I L I A G V O I A C C S H
A W N I N U B M Z M I E G C
M U M I G N O N N R A S N E
M E V N D R A O F I H N I N
S I O O H T P A G S C F D T
L M L C L A L O G N A K R R
K A F U E R I V E R O P E A
N I M H R E P U B L I C H L
```

MONGU

NAMIBIA

NDOLA

NICKEL

PLATINUM

REPUBLIC

SAVANNA

SEMIARID

SOUTH

CENTRAL

TANZANIA

WOODLANDS

Z H U C H U W Q F C F F A X V S H

E · · · · · · · · · · · · · · · P

T G W S B H S W I U M F Z C C Y P

ARTERIES

BEND

CALLUS

CAPITATE

COMPLEX

DORSAL

FLEXORS

HAMATE

HUMANS

KNUCKLES

LEFT

LINES

LUNATE

MUSCLES

NAILS

PALM

PHALANGES

PINKY

PISIFORM

RIGHT

SESAMOID

SOCKETS

TENDONS

THUMB

VEINS

WRIST

```
N N H P Y G B T E N D O N S
Z N A S E L C S U M O S E O
R L R K Z E E E S U L L A C
M B T E X C T M T I Q M F K
R A E P T P X A A S Z D C E
O Q R N H A D N T T I O Z T
P O I K D A N I H I M R Y S
T I E H N S L U O P P S W H
M H S R N U M A L M E A Y U
N J G I P B C E N S A L C M
F D E I F G X K K G E S A A
M V N S R O X E L F E N E N
F K O E A F R C T E Q S I S
Y Y O D E T A M A H S X C L
```

Puzzle #4: FAITHFUL FRIENDS

ACCEPT	BACK	CHALLENGE
ADVISE	BEAR	CHEER UP
ALLAY	BEFRIEND	CHERISH
APPROVE	BOLSTER	COMFORT
ASSIST	CALM	COMPLEMENT

CONSOLE

ENDURE

FAVOR

GUARD

HELP

INSPIRE

LOVE

PROTECT

PROVIDE FOR

REASSURE

SHIELD

SOLACE

STEADY

STRENGTHEN

TOLERATE

```
C A A U I D N E I R F E B E
H S S P T N E M E L P M O C
E I A S P X S A A P Y D F B
E L N C I R S P R D R L N O
R T O C C S O O I O V E Q L
U O A S U E T V F R H I C S
P L K R N E P E E T E H S T
M E E S C O D T G V A S R E
B R E T O I C N D L O O P R
L A X N V L E R L B F L A O
R T C O D R A E I M E L I V
S E R K T U N C O H L A N A
K P W S G G R C E A G J R F
H S I R E H C E Y D A E T S
```

Puzzle #5: POPES

AGATHO

ALEXANDER

ANACLETUS

BENEDICT

BONIFACE

CELESTINE

CHRISTOPHER

CONSTANTINE

CORNELIUS

DIONYSIUS

EVARISTUS

FRANCIS

GELASIUS

HILARY

HONORIUS

INNOCENT

LANDUS

LEO

LIBERIUS

LINUS

MARTIN

NICHOLAS

PETER

PIUS

SABINIAN

SILVERIUS

VALENTINE

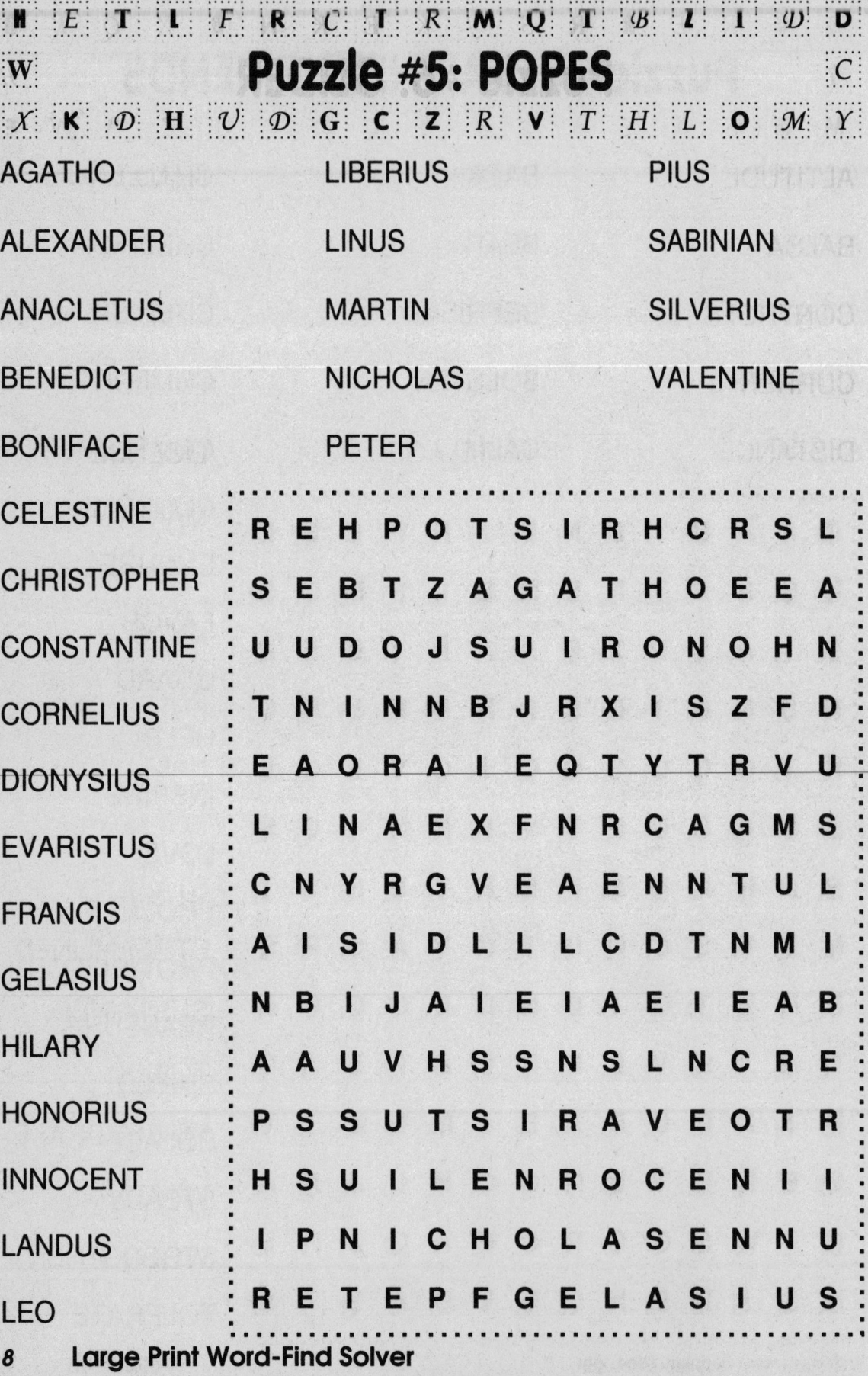

```
R E H P O T S I R H C R S L
S E B T Z A G A T H O E E A
U U D O J S U I R O N O H N
T N I N N B J R X I S Z F D
E A O R A I E Q T Y T R V U
L I N A E X F N R C A G M S
C N Y R G V E A E N N T U L
A I S I D L L L C D T N M I
N B I J A I E I A E I E A B
A A U V H S S N S L N C R E
P S S U T S I R A V E O T R
H S U I L E N R O C E N I I
I P N I C H O L A S E N N U
R E T E P F G E L A S I U S
```

Puzzle #6: GLIDER

ALTITUDE

BALSA

CONTROLS

CURRENT

DISTANCE

FABRIC

FIBERGLASS

FLEX

FLIGHT

FUSELAGE

HANG

LANDING

GEAR

LAUNCH

LICENSE

MANEUVER

MOTORLESS

PILOT

PULL

RECORDS

SOAR

STABILITY

STREAMLINED

SUSTAINED

TOWED

WHEEL BRAKE

WINGSPAN

WOOD

```
D L A N D I N G G E A R R U
E H F N E K A R B L E E H W
N B A L S A Z M T L C S F L
I X B N E N C I L O O U S M
L B F F G X T U R A S L A E
M D D I M U P D R E O N S S
A I E B D R S C L R E S T H
E S N E C I L A T U E A C Z
R T I R I S G N V L B N P T
T A A G R E O E R I U W T O
S N T L B C R O L A D O O W
G C S A A O T I L K L K D E
A E U S F O T F L I G H T D
A J S S M Y N A P S G N I W
```

Puzzle #7: WOOD TURNING

AILANTHUS

ASH

BOWL

BURL

CARVER

CHAIN SAW

CHERRY

CHESTNUT

CRACKS

CRAFT

GAUGE

HANDS

HEARTWOOD

HOLLOW

LATHE

LUSTER

MAPLE

OAK

SCULPTURE

SHALLOW

SHAVINGS

SPIN

TIMBER

VARNISH

VEINING

VESSEL

WALL

WALNUT

WOOD SHOP

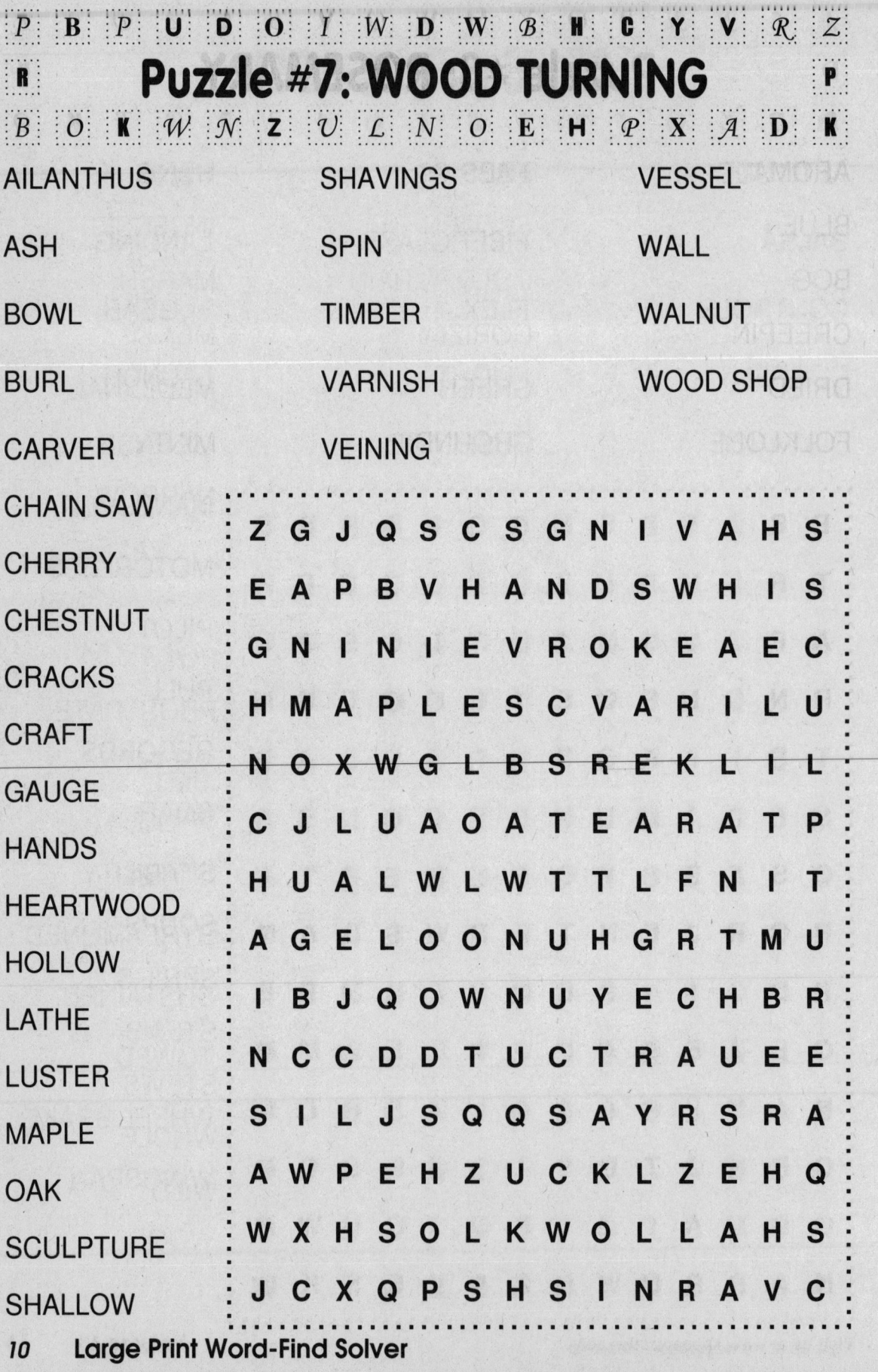

```
Z G J Q S C S G N I V A H S
E A P B V H A N D S W H I S
G N I N I E V R O K E A E C
H M A P L E S C V A R I L U
N O X W G L B S R E K L I L
C J L U A O A T E A R A T P
H U A L W L W T T L F N I T
A G E L O O N U H G R T M U
I B J Q O W N U Y E C H B R
N C C D D T U C T R A U E E
S I L J S Q Q S A Y R S R A
A W P E H Z U C K L Z E H Q
W X H S O L K W O L L A H S
J C X Q P S H S I N R A V C
```

Puzzle #8: ROSEMARY

AROMA

BLUE

BOG

CREEPING

DRIED

FOLKLORE

FRESH

FROZEN

GOLDEN RAIN

GORIZIA

GREEN

GROUND

HERB

INCENSE

MARSH

MEATS

MEDICINAL

MINTY

NARROW
   LEAVES

ORNAMENTAL

POTS

PROSTRATE

SALEM

SAUCES

SHRUB

SOUPS

SPRIGS

STEMS

STEWS

WHOLE

WILD

```
E B D T P S B S G I R P S S
T R L N P L F U I O G L T P
A P O U U M A R R O B E O E
R N O L E O S N E H M T L A
T S I L K G R T I S S O D L
S F A A Z L N G E C H L S A
O S F S R Y O I H W I P T T
R C R J E N T F P W S D A N
P D O I N C E N S E H M E E
Q E Z E B A U D I G E A M M
H I E P R A J A L M R R L A
O R N O T U S Z S O B S C N
G D M A I Z I R O G G H W R
N A R R O W L E A V E S K O
```

Puzzle #9: UKRAINE CITIES

Z

BABIN	SIN'KI	TURBOV
BONDURI	SKVIRA	UMAN
DASHEV	SMELA	UZIN
DONETS'K	SUMY	YAMPOL
DRANKA	TAL'NOYE	ZLYNKA
GUTA	TETIYEV	
GUYVA		
KHERSON		
KIEV		
LUHANS'K		
LUTS'K		
L'VIV		
MEDVIN		
NEMIROV		
OVRUCH		
OZERO		
PILIPCHA		
PLOT		
REPKI		
RIVNE		
SASHA		
SHOPLA		
SHOSTKA		

```
D A S H E V E Y I T E T S L
N T I B E O L R A U K A Y J
O A T I Z O E V M S S B J S
S L K E P P Y A M H T O S H
R N R M K U N E A Y E N H O
E O A I G S L E M G N D O S
H Y A T U A N U M A O U P T
K E H U X K S A T I D R L K
L O C R S N M U H S R I A A
A V P B K A G E T U K O P K
N R I O V R V O D N L J V N
M U L V I D L R I V N E J Y
B C I Y R P O S J K I O X L
J H P B A B I N U Z I N B Z
```

Puzzle #10: MATCH SAFE

BRASS	DESIGN	FLORAL
CHEMICAL	ENAMEL	FRICTION
COARSE	FIRE	HEAT
COPPER	FLAME	HOLDER
CURVE	FLICK	LOCOFOCO
		METAL
		POCKET
		POTTERY
		RECTANGLE
		ROOSTER
		SHAPES
		SQUARE
		STICK
		STRIKER
		SULFUR
		TIN
		WALKER
		MATCH
		WOOD

```
C H C T A M R E K L A W E R
H F R I C T I O N C A R E I
E R E D L O H C B G I K N C
M E C T M R U X F F I T O V
I C F E A R E L O R H S S T
C T T T V N I C T F K B E B
A A I E A C O S O M L B R D
L N E M K F Y S S Q U A R E
M G E C O C U R I E S H M C
B L B C O L O X E S P E L E
D E O I F P H P D T J A N I
D L M U E A P G E O T T H L
L A R O L F R E T S O O R S
I U Q S W C O A R S E W P O
```

Puzzle #11: WRITER AT WORK

COMEDY

DISCOURSE

DRAMA

ELEGY

EPIC

ESSAY

FABLE

LECTURE

LYRIC

MYSTERY

NEWS ITEM

NOTE

NOVEL

OUTLINE

PARABLE

PARODY

PLAY

POEM

REPORT

ROMANCE

SATIRE

SCRIPT

SERMON

SHOW

SKETCH

SKIT

SONNET

STORY

TALE

TEXT

THEME

TREATISE

WHODUNIT

```
M X Y X T F N P T E N N O S
Y R W A A I A G S C R I P T
S T E B S R N L U N M N X U
T H L P A S E U G A S E S J
E E P B O Y E C D M T K X D
R M L E S R P A R O D Y I N
Y E A L H O T B D R H S E T
S O Y E O T T A L E C W S L
P A T G W S Y N N O S K E P
N O T Y R D O I U I E C D C
N O E I E M L R T T T R I I
G I V M R T S E C U A P U R
O V O E U E M H R M E K W Y
R C S O L T R E A T I S E L
```

Puzzle #12: DESERT DELIGHT

ALOE

ANTS

ARID

BATS

BOAS

BOBCAT

BURROWS

CACTUS

CAMELS

CARAVAN

CHOLLA

DUST STORM

FOSSILS

IGUANA

JOSHUA TREE

LARKSPUR

LOCUST

MESA

MOLE

MOTH

NOMADS

OASIS

PYTHON

SAGEBRUSH

SAHARA

SALTBUSH

SAND

TARANTULA

THORN

TOADS

TORTOISE

TUNDRA

```
E S I O T R O T N T H C R O
C A M E L S Y A N O H T Y P
T S U C O L U E L O M O O M
J A T R Z B O T L O C A R M
O R M A U G U L C A E I D N
S A E R B P A R R A T Z H S
H H S B O A S A R A C S X A
U A M I U T V K C O U L D L
A S A E S A S B R R W I T T
T Z B S N D O T B A R S U B
R V F D E B A E S A L S N U
E I N A J M G O N U G O D S
E A I G U A N A T J D F R H
S T N A S A L U T N A R A T
```

Puzzle #13: WORLD OF MEDICINE

ANATOMY

BONES

CARE

CELLS

CULTURE

CURE

DIAGNOSIS

DIET

EXAMINE

FIRST AID

HEALTH

HELP

HOME

NATURAL

NURSE

OATH

OFFICE

PLASMA

PRESCRIP-

TION

PREVENT

SCREEN

SERUM

SOCIETY

STUDY

SURGERY

SYMPTOM

TEST

THERAPY

TISSUE

TREAT

VACCINE

X-RAYS

```
Y S N T E M O H S M U R E S
B T E O S S M D H T L A E H
D N E N F E R A I E U O F A
I O R I O F T U X E A D M N
A I C S C B I A N T T S Y Z
T T S U A O M C H H A S U E
S P N R A I S U E L Y E P R
R I A G N N C R P M X U R U
I R T E R C A E P N R S E T
F C U R D P C T L M A S V L
H S R Y Y A O U O L Y I E U
K E A H R M Q S C M S T N C
X R L E N I C C A V Y L T F
F P M P T D I A G N O S I S
```

Puzzle #14: EXECUTIVE ASSISTANT

ABLE	CHEERY	EXPERT
ALERT	CHORES	FILING
ASTUTE	CLEVER	FOLDER
BOSS	DISCREET	GRACIOUS
CALL	EXACT	HELPFUL

```
K G N S C H E D U L E R H S
O N B A Q N W K T P M O R P
N I L W P A T I E N T E D W
E L I T A S R E V S T D P T
T I L H T O O M S T I J C X
S F J C M W A M E S H A H F
B F F E H S O L C E T U R C
P O L I T E E R L T R E L A
Y B S U B X E P K R L E T F
A L T S P E F R Y Y V W C O
T E W E T U B V Y E D Q A L
T I R E L E S S R V T A X D
K T S H O R T H A N D V E E
G R A C I O U S E R O H C R
```

HURRY

LETTERS

PATIENT

POLITE

PROMPT

RAISE

READY

SCHEDULE

SHORTHAND

SMOOTH

STENO

TACT

TIRELESS

VERSATILE

WORK

Puzzle #15: A MEDIEVAL MÉLANGE

ANGLES

BARD

CASTLE

CHIVALRY

CRUSADES

FEUDALISM

FIEF

GAUL

HUMORS

JOUST

JUTES

KNAVE

KNIGHT

LADY

LANCE

LATIN

LORD

MAGNA CARTA

NORMANS

OTTO I

PAGE

PEASANT

SAXONS

SERF

STEED

TAPESTRY

TRIBES

VASSAL

VIKINGS

```
A K Z F P T Y Z L L U B Z K
L N E A J U F A S L A T I N
B I G O Z N N Y L R F D O I
F E U L H C B A D Y R F Y G
A S S T E U S U D N E F A H
T S E D A S U R C U S P Q T
R G C S A A O G D I E J L D
A N H V N L K A E A O U R S
C I I H N A L N S L A T T Y
A K V Q U I M A A G T E T O
N I A S S M N R X V E S M O
G V L M H T O O O D E D A F
A T R I B E S R N N H N L C
M H Y H Y Y R T S E P A T L
```

Puzzle #16: WHODUNIT?

CASE

CHARGE

CLUES

CONFESSION

CON MAN

COVER

CUSTODY

FELON

FENCE

FINES

FIRE

INFORMANT

INNOCENCE

LARCENY

LIES

MASK

NUMBERS

PERJURY

RACKETEER

RESIST

ROUTINE

RUSE

SEARCH

STEALING

SUSPECT

TRACE

WARRANT

WEAPON

WITNESS

```
E G R A H C G W A R R A N T
G C S R E E T E K C A R F C
R H A E E R D E R S E I S E
E Z K R U C S H F C R E L P
A P I S T L N R N E A O R S
A W E N S K C E E R L E P U
G Z E R F E F L C B V O C S
T N N A J O N H A O M O N E
S E I L P U R T C R N U A N
I H T L M O R M I M C N N I
S I U E A E N Y A W L E I F
E C O V S E B N U N Z E N X
R C R A K C T C U S T O D Y
F J C N O I S S E F N O C E
```

Puzzle #17: "C" NAMES

CAMILLE

CANDIDA

CARIE

CARLA

CARMELITA

CAROLE

CARRIE

CARYN

CATHERINE

CECIL

CELIA

CHANDLER

CHARLES

CHARLOTTE

CHERYL

CHLOE

CHRISTINE

CLARISSA

CLAUDINE

CLEMENTINE

CLORIS

COLLEEN

CONSTANCE

CORA

CORETTA

CYBILL

CYD

CYNTHIA

```
E I E T T O L R A H C C L C
C D I E N I R E H T A C H O
N Y R A C O V C A R O L E C
A G R C G M C S L L O M A R
T T A P O O C A E E C R L D
S O C C R L S H A L M O Y E
N F A E L S L E A E R C R A
O P T I I O A E L N A A E A
C T B R L C R I E L D M H H
A Y A I A E T I H N I L C C
C L C R I A C P S T D M E F
C E I B C L A U D I N E A R
C E N I T S I R H C A Y G C
C L E M E N T I N E C W C C
```

Puzzle #18: BASEBALL HALL OF FAME

ANSON

BAKER

BARROW

BERRA

BROWN

COBB

COMBS

CONNOR

DEAN

DUFFY

EVANS

EVERS

EWING

FELLER

FLICK

FOXX

GOMEZ

GROVE

HARRIS

HOOPER

IRVIN

JOSS

KELLY

KINER

KLEM

LEMON

MUSIAL

PENNOCK

RICE

RUTH

SPAHN

SPEAKER

TINKER

WALSH

WARD

WEISS

YOUNG

```
N H A P S N G H A R R I S E
K L E M B R O W N F I S V W
C E Q N O R I C E R I A M A
O W M V O K K L V E N U T L
N I E M E S L I W S S O J S
N N O L C E N D N I B F K H
E G L C R O E A A E A L S T
P Y O G J A B L H T R I P U
B F R M N D A B B O R C E R
A F O N E U R C B S O K A Y
R U N X O Z O A J R W P K E
R D N S X M K Y W E Z I E W
E B O J B E E N R V J U R R
B F C S R V T L R E K N I T
```

Puzzle #19: STATIONERY STORE

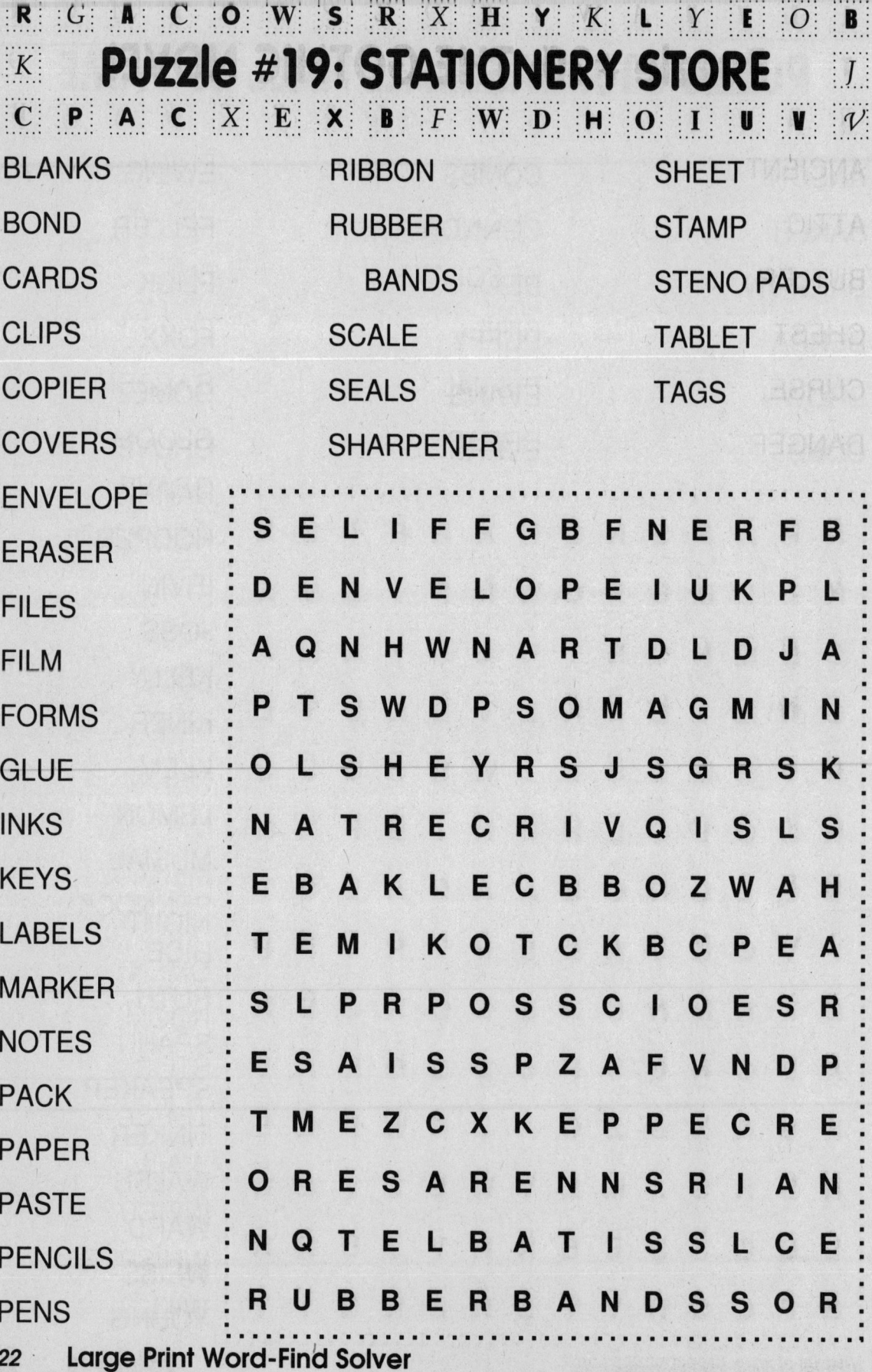

BLANKS

BOND

CARDS

CLIPS

COPIER

COVERS

ENVELOPE

ERASER

FILES

FILM

FORMS

GLUE

INKS

KEYS

LABELS

MARKER

NOTES

PACK

PAPER

PASTE

PENCILS

PENS

RIBBON

RUBBER
BANDS

SCALE

SEALS

SHARPENER

SHEET

STAMP

STENO PADS

TABLET

TAGS

R G A C O W S R X H Y K L Y E O B
K   J
C P A C X E X B F W D H O I U V V

S E L I F F G B F N E R F B
D E N V E L O P E I U K P L
A Q N H W N A R T D L D J A
P T S W D P S O M A G M I N
O L S H E Y R S J S G R S K
N A T R E C R I V Q I S L S
E B A K L E C B B O Z W A H
T E M I K O T C K B C P E A
S L P R P O S S C I O E S R
E S A I S S P Z A F V N D P
T M E Z C X K E P P E C R E
O R E S A R E N N S R I A N
N Q T E L B A T I S S L C E
R U B B E R B A N D S S O R

Puzzle #20: THE GOTHIC NOVEL

ANCIENT

ATTIC

BUTLER

CHEST

CURSE

DANGER

DARK

DECAY

DESOLATE

DIRE

DISMAL

DREAD

ENIGMA

ESTATE

EVIL

FOREBODING

GARDEN

GLOOMY

GRAVE

GRIPPING

GUARD

HEIR

LOCK

MAID

MANOR

MASTER

MENACE

NIGHT

OMEN

ROOM

STORM

THREAT

WALL

WEIRD

WHISPER

WILL

```
E S R U C L A N C I E N T U
V X F X O E C A N E M J M F
I D E C A Y M D R A U G R Y
L N K T H R E A T R R O O M
D R E L T U B E S W T N E O
G I E D S T O R M T E S V O
R E S K R L H D O M E I A L
I W T M R A A E O N D R R G
P Y A C A A G L I M A I G D
P N T L M L D L A R M M R N
I J E G L W H I S P E R I E
N C I T T A D W D A N G E R
G N I D O B E R O F H N G E
E E T A L O S E D T S E H C
```

Puzzle #21: PANAMA CANAL

ARMY

ATLANTIC

BALBOA

BARGE

BONDS

CANAL

CARGO

CRAFTS

DAMS

DE LESSEPS

EARTH

GAILLARD CUT

GAMBOA

GATE

GOETHALS

GOLD HILL

GORGAS

LINER

LOCKS

MARSH

MOUNTAINS

PACIFIC

PANAMA

PASSAGE

ROCK

ROOSEVELT

ROUTE

SHIP

TOLLS

TRADE

TREATY

VESSEL

ZONE

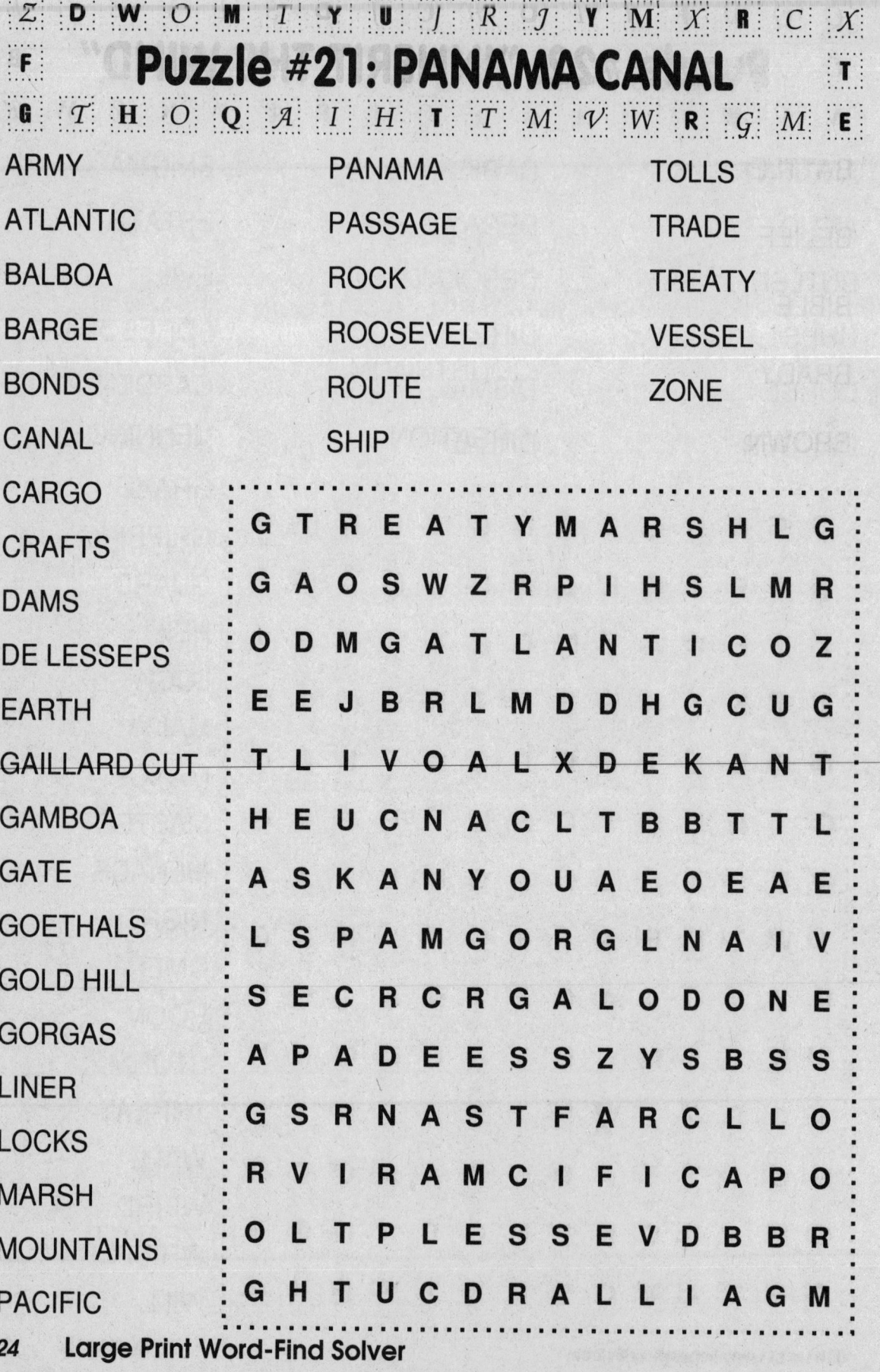

G T R E A T Y M A R S H L G
G A O S W Z R P I H S L M R
O D M G A T L A N T I C O Z
E E J B R L M D D H G C U G
T L I V O A L X D E K A N T
H E U C N A C L T B B T T L
A S K A N Y O U A E O E A E
L S P A M G O R G L N A I V
S E C R C R G A L O D O N E
A P A D E E S S Z Y S B S S
G S R N A S T F A R C L L O
R V I R A M C I F I C A P O
O L T P L E S S E V D B B R
G H T U C D R A L L I A G M

Puzzle #22: "INHERIT THE WIND"

BATTLE

BELIEF

BIBLE

BRADY

BROWN

BRYAN

CARTER

CATES

COURTROOM

CREATION

DARROW

DARWIN

DOGMA

EVOLUTION

JENNINGS

JUDGE

LAWYER

LEGISLATURE

RACHEL

RELIGION

REPORTER

SCHOOL

SCOPES

STATUTE

TEACHER

THEORY

TRIAL

ZEALOT

```
S G N I N N E J B X L B N I
S O S W B Y C R E A T I O N
H P O T K E A T W G W P B L
B R C G E D L Y O R D A L E
B R S O Y A E I A L T U L G
E E Y E U R C D E T A B J I
V T R A P R R H L F I E L S
O R U E N O T E E B D A Z L
L A R T L W C R T R I L R A
U C Z C A I Y S O R O K A T
T H L A M T G J T O O D C U
I D A T G T S I H Q M P H R
O T H E O R Y C O Z F A E E
N X E S D Y S F B N O V L R
```

Puzzle #23: LAKEWISE

ABAYA

AIMA

AMMER

ARAL SEA

BAKER

CANDLEWOOD

CASPIAN SEA

CAYUGA

CHAD

CLAIRE

CROSS

DEAD SEA

DORE

GARSON

GENEVA

GRAND

HART

HAVASU

HAWEA

HURON

MARION

MEAD

MICHIGAN

NEWFOUND

ONTARIO

PLACID

SHASTA

STONY

STORM

SUMMIT

VICTORIA

VIEW

YAMMA

ZWAI

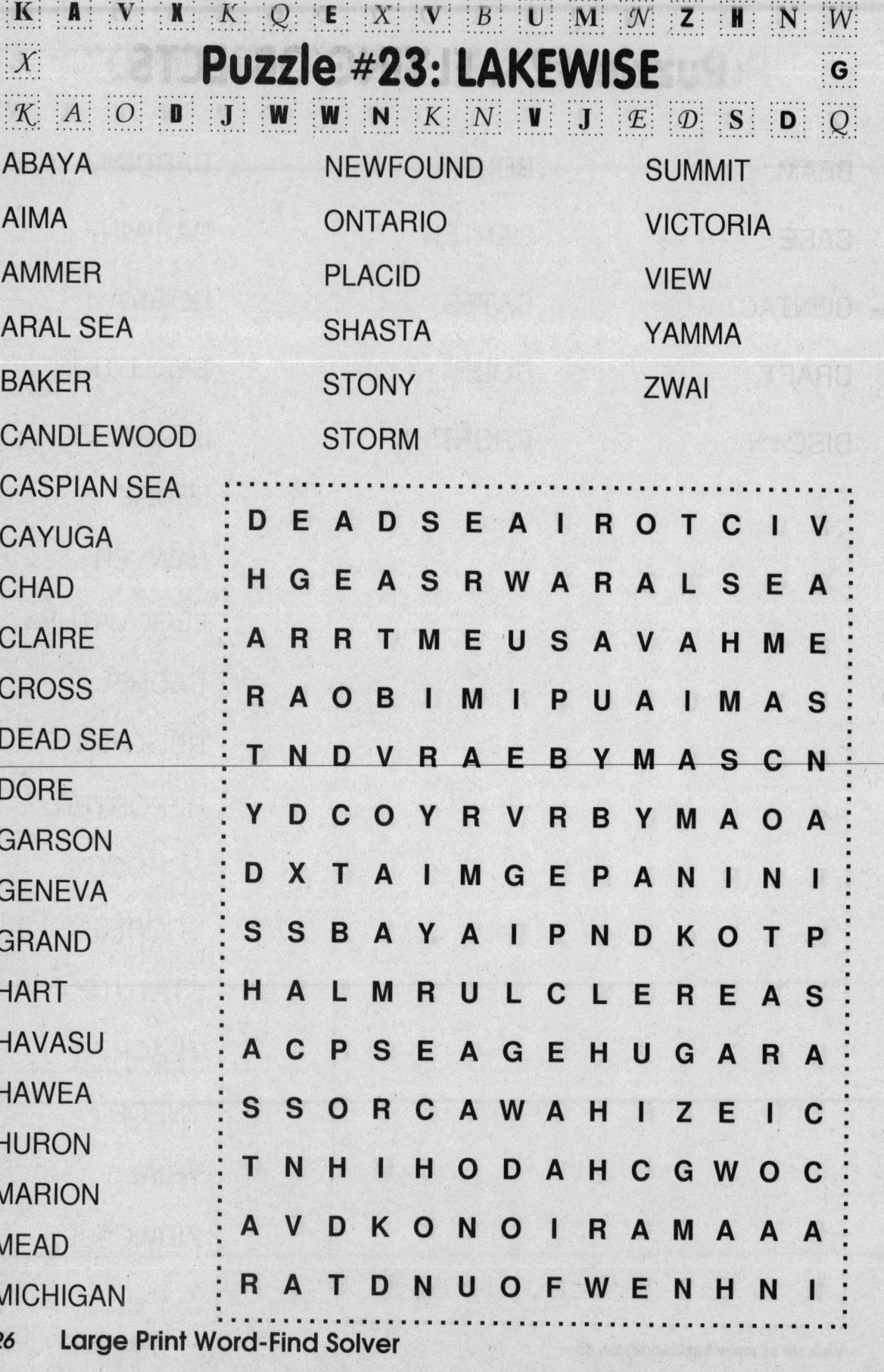

```
D E A D S E A I R O T C I V
H G E A S R W A R A L S E A
A R R T M E U S A V A H M E
R A O B I M I P U A I M A S
T N D V R A E B Y M A S C N
Y D C O Y R V R B Y M A O A
D X T A I M G E P A N I N I
S S B A Y A I P N D K O T P
H A L M R U L C L E R E A S
A C P S E A G E H U G A R A
S S O R C A W A H I Z E I C
T N H I H O D A H C G W O C
A V D K O N O I R A M A A A
R A T D N U O F W E N H N I
```

Puzzle #24: FLYING OBJECTS

BEAM

CASE

CONTACT

CRAFT

DISC

DOUBTS

FILM

FLARE

FLASH

FLIGHT

FORCES

GASES

HOAX

LANDING SITE

LIGHTS

METAL

METEOR

MYSTERY

NIGHT

REPORTS

ROCKET

SAUCER

SHIP

SILENCE

SIZE

TAKEOFF

THEORY

TRAVEL

WITNESSES

```
F J E T I S G N I D N A L C
M Y S T E R Y O D U F D K W
A G X C E T C A T N O C T C
E X R C E U M H N U P F Z D
B O U K H E G R B J A I Q E
F A C L T I O T M R D L H G
S O T A N E S S C U K M A S
R T L A T E Z B T Z X S A C
T V R E K H C I H H E R E C
H K M O V E G N S S G R S F
E O C V P A O I E R A I V O
O J A A Q E R F L L D L L L
R X I X S A R T F F I Y F C
Y S E S S E N T I W M S J Z
```

Puzzle #25: BANK ON IT

ACCOUNT
ACCRUE
AMOUNT
BANK BY MAIL
BILL
BORROW
CARD
DEBIT
DEBT
DRAWER
FOREIGN
FORMS
LIEN
NOTE
OPEN
PAYABLE
PENALTY
RATES
REDEEM
REVENUE
RISK
SAFE

SIMPLE
SLIP
STATE
TAXES
TILL
VALUE

VAULT
VOUCHER
WINDOW
WITHDRAW

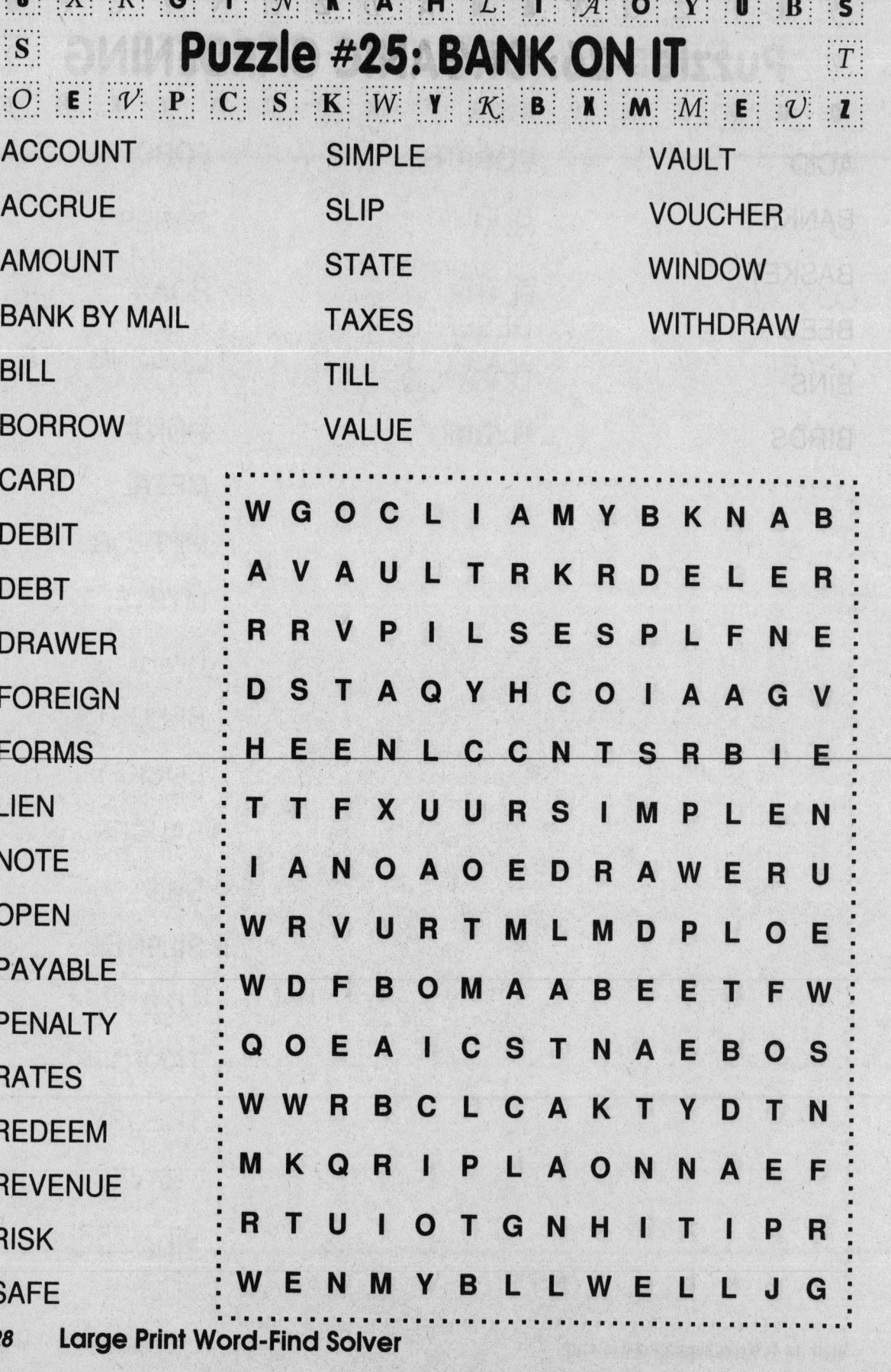

```
W G O C L I A M Y B K N A B
A V A U L T R K R D E L E R
R R V P I L S E S P L F N E
D S T A Q Y H C O I A A G V
H E E N L C C N T S R B I E
T T F X U U R S I M P L E N
I A N O A O E D R A W E R U
W R V U R T M L M D P L O E
W D F B O M A A B E E T F W
Q O E A I C S T N A E B O S
W W R B C L C A K T Y D T N
M K Q R I P L A O N N A E F
R T U I O T G N H I T I P R
W E N M Y B L L W E L L J G
```

Puzzle #26: ORGANIC GARDENING

ACID

BANKS

BASKET

BEES

BINS

BIRDS

BORERS

BORON

COMPOST

DESERT

DOGWOOD

HYBRID

LIGHT

LIMING

MEADOWS

MULCH

NITROGEN

POND

SEED

SLAG

SOIL

SPROUTS

STAKING

STREAMS

STUMP

SULFUR

SWAMP

TENDRIL

THINNING

TURF

WATER

WILT

YIELDS

ZINC

```
T B A N K S T R E A M S D O
L I R D N E T B I N S Z S F
I R L N N W S X L O F T F N
W C O M P O S T I I U Z S I
A Z Y B T D R L A O M L G T
C D I S E E N O R K A I H R
I S E N S E K P B G I G N O
D R L S C S S S N H I N Y G
O E D V E S T I A L C S G E
O R S P W R N U B B T L T N
W O E A P N T I R U F L U S
G B M T I O R K M F V C D M
O P J H A D N P H Y B R I D
D B T K S W O D A E M Z L G
```

Puzzle #27: THE FASHION WORLD

ADVERTISING

BUYER

CHANGE

CLOTHING

COLOR

COUTURIER

CREATION

DESCRIPTION

DESIGN

FABRIC

FAD

GLAMOUR

GRACE

INNOVATION

LABEL

MODEL

ORDER

ORIGINALITY

OUTFIT

PARIS

REPORTER

SOCIETY

STYLE

TASTE

TREND

VARIATION

VOGUE

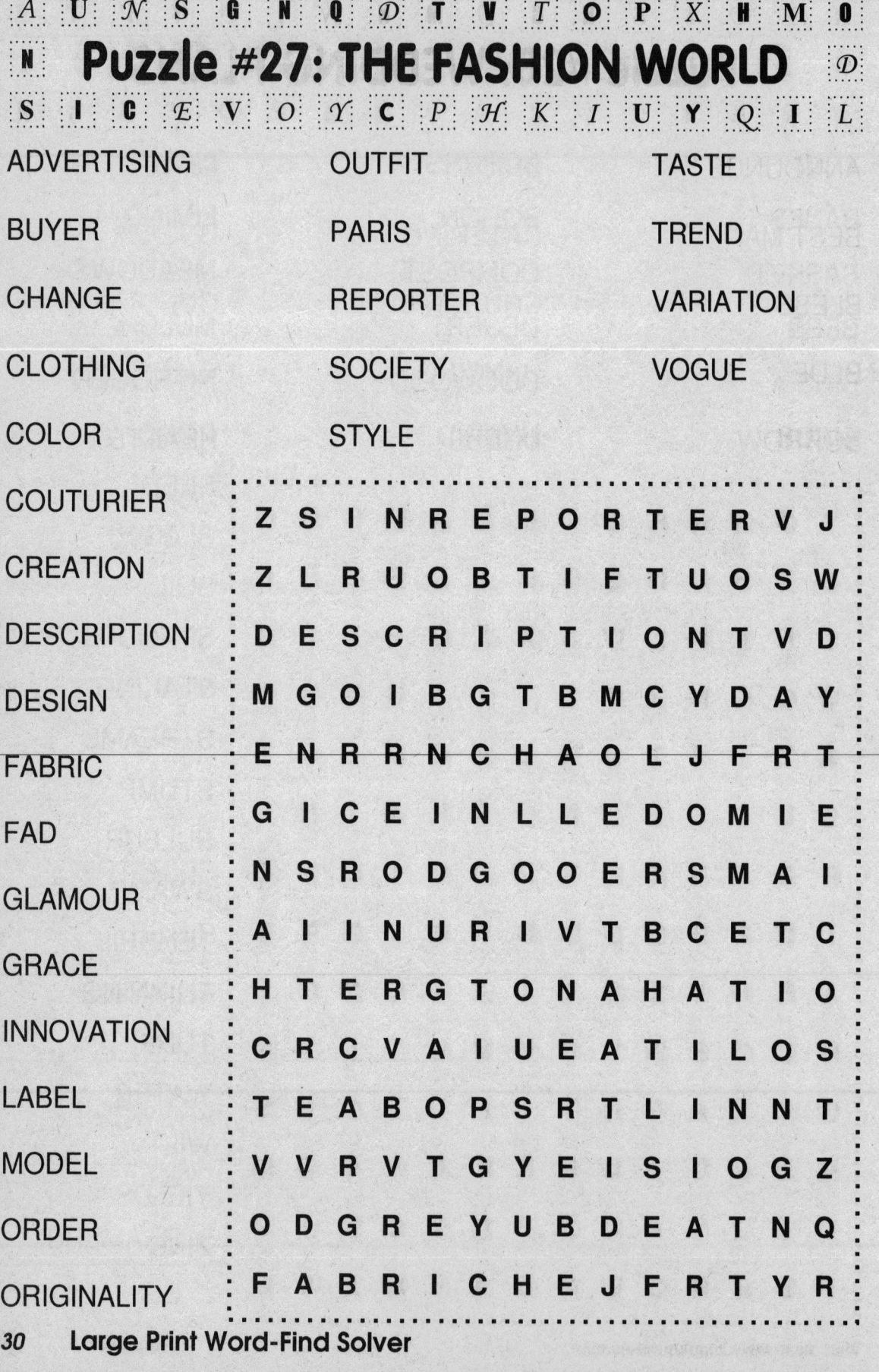

```
Z S I N R E P O R T E R V J
Z L R U O B T I F T U O S W
D E S C R I P T I O N T V D
M G O I B G T B M C Y D A Y
E N R R N C H A O L J F R T
G I C E I N L L E D O M I E
N S R O D G O O E R S M A I
A I I N U R I V T B C E T C
H T E R G T O N A H A T I O
C R C V A I U E A T I L O S
T E A B O P S R T L I N N T
V V R V T G Y E I S I O G Z
O D G R E Y U B D E A T N Q
F A B R I C H E J F R T Y R
```

Puzzle #28: WEDDING PLANS

ANNOUNCE

BEST MAN

BLESS

BLUE

BORROW

BRIDE

CATERING

CHURCH BELL

DANCING

DRESS

GIFTS

GROOM

GUEST

HAIR STYLE

HEARTS

HOLY

HOPE CHEST

INVITATIONS

KISS

LIST

NOTES

REGISTRY

RINGS

ROMANCE

SASH

SHOWERS

SING

STREAMERS

```
Y C Q W E G C D G N L L Y L
E E C N U O N N A L V D R I
L S S E L B I M E U G A T N
Y Q S B B R T B B J I N S V
T T S N E S H O H H F C I I
S V R T E C R D S M T I G T
R R A B R R R A E N S N E A
I C E U O E S R T R I G R T
A H H W S M A J O S K E D I
H C O S O T O M N M D I D O
Q Z Q L H H R O E I A O S N
R X I M Y X S A R R W N G S
T S G N I R O B E G S S C H
T S E H C E P O H H M X W E
```

Puzzle #29: FOR THE BIRDS

APPLE

BINOCULARS

BIRDBATH

BREAD

BUCKWHEAT

CALL

EARTHWORM

GOLDFINCH

HOUSE

KINGLETS

LAWN

MARTIN

MILO

NECTAR

NIGHTHAWK

OATS

PATIO

PERCH

RAISIN

ROBIN

ROOSTS

SAFFLOWER

SIPPER

SISKINS

SNACK

SPARROW

SWIFTS

TANAGER

TREE

VIREO

```
E H E A R T H W O R M Y Z I
K C A N S S T E L G N I K R
O R S I S K I N S L M Y L S
N E M R E W O L F F A S B O
I P V U N S I P P E R C I H
B B U C K W H E A T F L N O
O R B I R D B A T H V W O U
R A E L J O E R I V A X C S
T A N A G E R N O L X O U E
J G O L D F I N C H A T L L
R O O S T S N E C T A R A P
Q S T F I W S O S B C E R P
I K W A H T H G I N U E S A
W O R R A P S M A R T I N K
```

Puzzle #30: MONSTERS

ARGUS

BIG FOOT

BRIAREUS

CACUS

CALIBAN

CENTAUR

CERBERUS

CETO

CHARYBDIS

CHIMERA

DRAGON

ECHIDNA

GERYON

GODZILLA

GORGON

GRIFFIN

HYDRA

MOTHRA

MUMMY

OGRE

ORTHOS

SASQUATCH

SATYR

SCYLLA

SIREN

TROLL

UNICORN

VAMPIRE

YETI

ZOMBIE

```
A M R E S V S O H T R O G W
L M U B R I A R E U S R E T
L B H M B G Q M A K I C O N
I L L C M Z O T P F H O O S
Z T E N O Y N S F I F Y C C
D T E M H E K I D G R Y R A
O C B Y C M N N I E L E Y C
G I D K O A A B G L H T T U
E R F T B H C T A U Q S A S
A C H I M E R A T N Q E S U
L R L H S U R E B R E C U G
A A G H Q T U N I C O R N R
C X C H A R Y B D I S L I A
D R A G O N O G R O G Q L S
```

Puzzle #31: DAYS OF STEEL

ANVIL

ARCS

BATH

BESSEMER

BUTTON

CARBON

CHARGES

CHROME

CLAYS

COAL

COKE

DIES

DRAWING

DROPS

DUCTILITY

FERROUS

FIRE

FLUX

FUEL

FUSION

GRAIN

HEARTH

HEAT

KILN

MALLEABILITY

MELTING

MOLD

NICKEL

ORE

PIG IRON

RAILS

RODS

SHEETS

SHOP

STEEL

WIRE

```
C M A L L E A B I L I T Y P
Q A R E E M X P I G I R O N
D S R F S U E E M O R H C C
J I L B F D F L R T S E H U
W U E I O N O T T U B A X R
X M R S A N R R S I R H F K
G E S P O R D E A G N E C I
N H B E S S E M E R R G Z L
I L E K C I N S C R C S S N
W C O A L G T F O O Y S T O
A O E T R E H U Y A K U E I
R R A A E T S D L O M E E S
D E I H A E H C A N V I L U
H N S B D U C T I L I T Y F
```

Puzzle #32: SYMPHONY CONDUCTORS

AGARD	EHRLING	GRAU
AKIYAMA	EMILE	GUILINI
BIBO	ENDO	HEGYI
BROTT	EVENS	HETU
DAVIS	FOSS	KATZ
DORATI	GOSLING	KEENE

KREIS
LANE
MAAZEL
MARINO
MATA
MEHTA
MEIDEL
MEIER
PERESS
PREVIN
SEMKOW
SHAW
SLATKIN
WHALLON
ZACK
ZINMAN

```
A Z N I V E R P H M S F O O
T T E N E E K R A E H M N Z
U A H L I D X A M E G I G S
S K C E R P Z K T E R Y N H
A S M A M E O U L A A Q I A
M K G O L W G K M Z M O L W
A A R Z D N I E S I B E S S
Y G A E I N O I Z I M G O L
I C Q L I P E L B I V C G A
K Q R L E S B S L S N A H T
A H I R H R G E N A S M D K
E U E Y O R H P N E H O A I
G S I T A R O D F A V W F N
S D T U O M E I D E L E I O
```

Puzzle #33: FIT TO PRINT?

ADVISER

ARENA

BEACON

BULLETIN

CALUMET

CHIEF

CITIZEN

DISPATCH

EAGLE

EVENT

HEADLIGHT

HERALD

LIGHTHOUSE

MAIL

MESSENGER

METEOR

NEW ERA

NEWSLETTER

ORACLE

PAGE

PLANET

RANGE

REVEILLE

SOUTHERNER

SPECTATOR

TELEGRAM

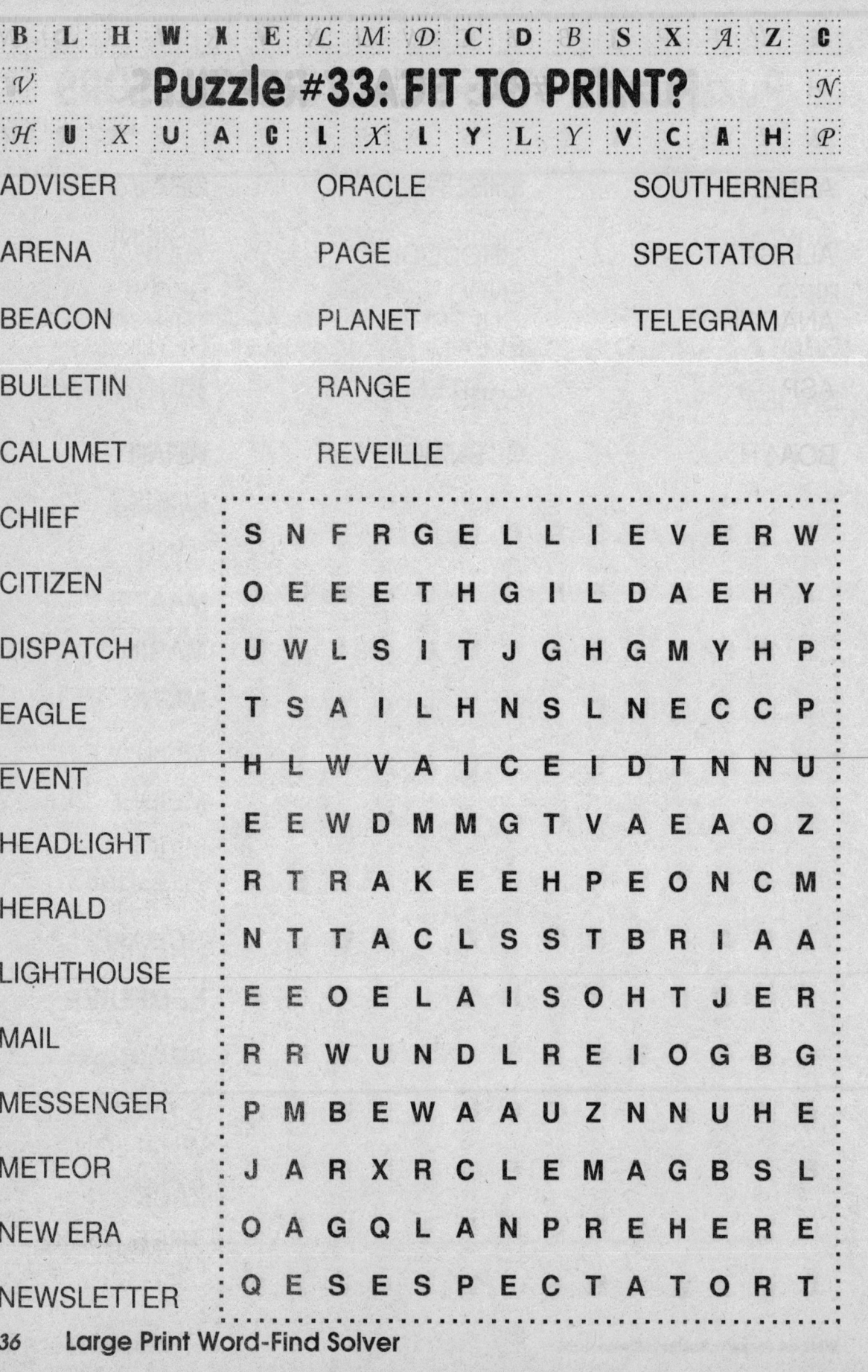

```
S N F R G E L L I E V E R W
O E E E T H G I L D A E H Y
U W L S I T J G H G M Y H P
T S A I L H N S L N E C C P
H L W V A I C E I D T N N U
E E W D M M G T V A E A O Z
R T R A K E E H P E O N C M
N T T A C L S S T B R I A A
E E O E L A I S O H T J E R
R R W U N D L R E I O G B G
P M B E W A A U Z N N U H E
J A R X R C L E M A G B S L
O A G Q L A N P R E H E R E
Q E S E S P E C T A T O R T
```

Puzzle #34: SCALY REPTILES

ADDER	CASCAVEL	GECKO
ALLIGATOR	CROCODILE	HAJE
ANACONDA	CULEBRA	IGUANA
ASP	GARTER	KING SNAKE
BOA	SNAKE	KRAIT

```
E E K S L A H G N I R S J R
A L G S V E I X A J E N J E
K W I E I G V L B R D Y B K
K U J D U D L A P L D O N E
B A P A O I E E C K A I M T
H J N E G C N W I S K C O S
L A G A R T O N I S A K N P
J N T H N H G R O N H C I A
M O C C A S I N C K D V T A
R H A D N O C A N A C E O H
Q F N A F I A M U G G E R C
K E K A N S R E T R A G G S
I E A Y P X B A R B E L U C
C E K A N S E E R T I A R K
```

KUPER

LAGARTO

MOCCASIN

MONITOR

MUGGER

NAJA

RINGHALS

SCHAAP-
  STEKER

SERPENT

SIDEWINDER

SKINK

TREE SNAKE

Puzzle #35: MAPPING IT OUT

AERIAL

ANGLE

AREA

CAMERA

CENTER

COAST

COMPUTER

CONICAL

FLOATS

GEOGRAPH-
  ICAL

LAND

LEGEND

LINE

MERCATOR

MERIDIAN

POINT

RADIAL

REFRACTION

RIVER

ROADS

ROUTE

RURAL

SCALE

SEA LEVEL

SEWER

SPHERE

STREET

TROUGH

TUNNEL

URBAN

VERTEX

YARD

ZERO

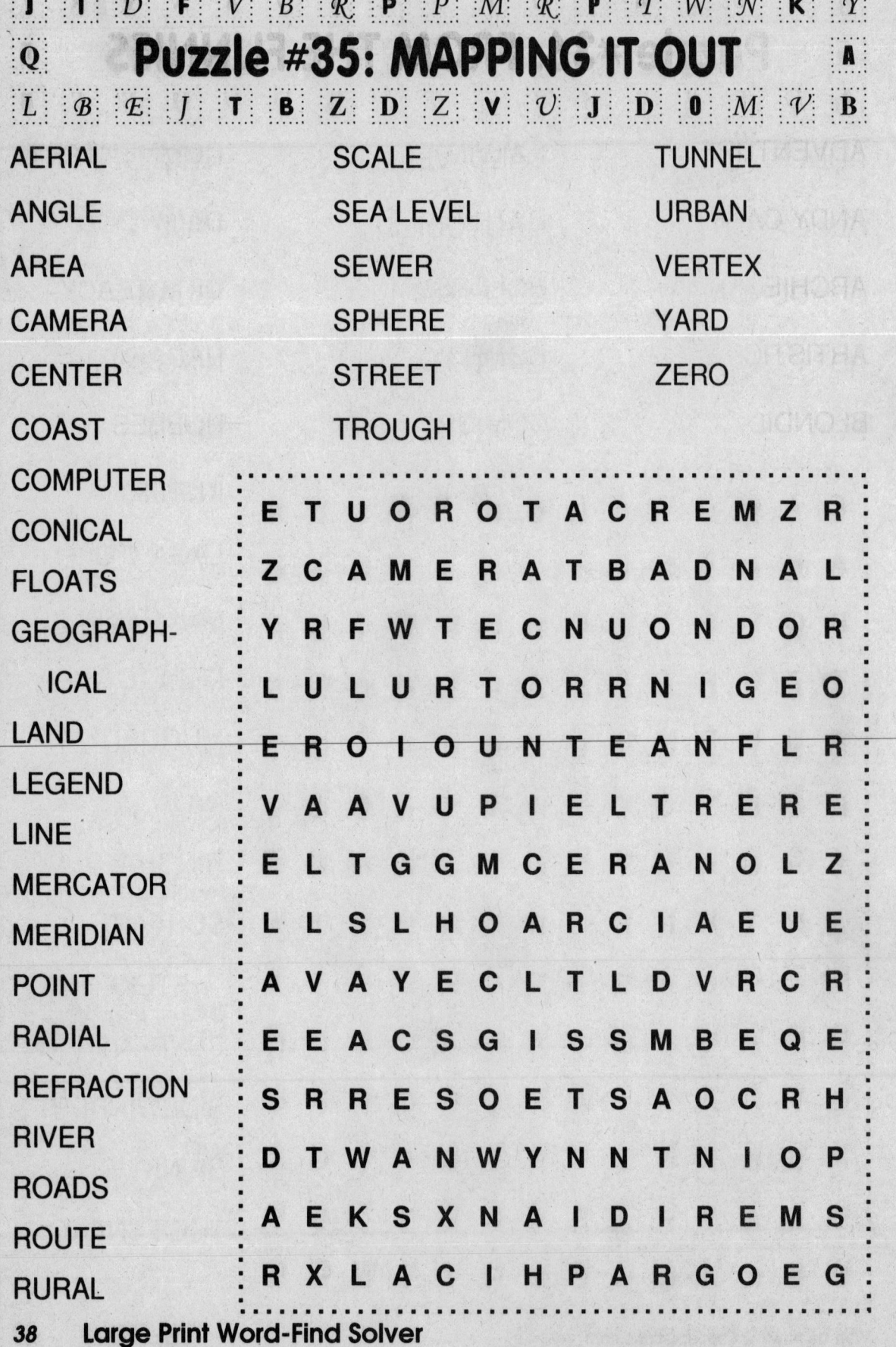

```
E T U O R O T A C R E M Z R
Z C A M E R A T B A D N A L
Y R F W T E C N U O N D O R
L U L U R T O R R N I G E O
E R O I O U N T E A N F L R
V A A V U P I E L T R E R E
E L T G G M C E R A N O L Z
L L S L H O A R C I A E U E
A V A Y E C L T L D V R C R
E E A C S G I S S M B E Q E
S R R E S O E T S A O C R H
D T W A N W Y N N T N I O P
A E K S X N A I D I R E M S
R X L A C I H P A R G O E G
```

Puzzle #36: FROM THE FUNNIES

ADVENTURE	CALVIN	COMMENTARY
ANDY CAPP	CATHY	DAGWOOD
ARCHIE	COLORS	DICK TRACY
ARTISTIC	COMEDY	HAGAR
BLONDIE	COMICS	HOBBES
		INSIGHT
		MARK TRAIL
		MARMADUKE
		MARVIN
		MR. MUM
		NANCY
		PARODY
		POGO
		POLITICS
		STRIPS
		WIT

```
E I H C R A S B S T R I P S
A N N F N E F Y N Y E O Y M
R G S S I I D M D L G Q U B
T Z P R I E V A A O W M G Y
I D B P M G E L G R R R R M
S I S O A C H I A M V A T A
T C C E O C P T D C T I P R
I K I L B C Y O V N W N N K
C T O T O B O D E Q O P I T
B R Q M I W O M N H C L U R
S A I V G L M H T A A B B A
Y C N A N O O N U X T G Q I
S Y D Y C H M P R N H X A L
M A R M A D U K E U Y W Q R
```

Puzzle #37: LET'S "ROUGH IT"

BACKPACK

BARK

BEDROLL

BRUSH

BUSHES

CAMP

CANOE

CANTEEN

CHART

COMPASS

DISHES

EXCURSION

FROST

GAMES

HOLLOWS

INSECTS

KNIFE

LAKES

LANTERN

LOGS

LUNCH

NEST

PARKA

PONCHO

RAVINES

ROPES

SCENIC

SCOUT

STARS

TRAIL

TRENCH

WATER

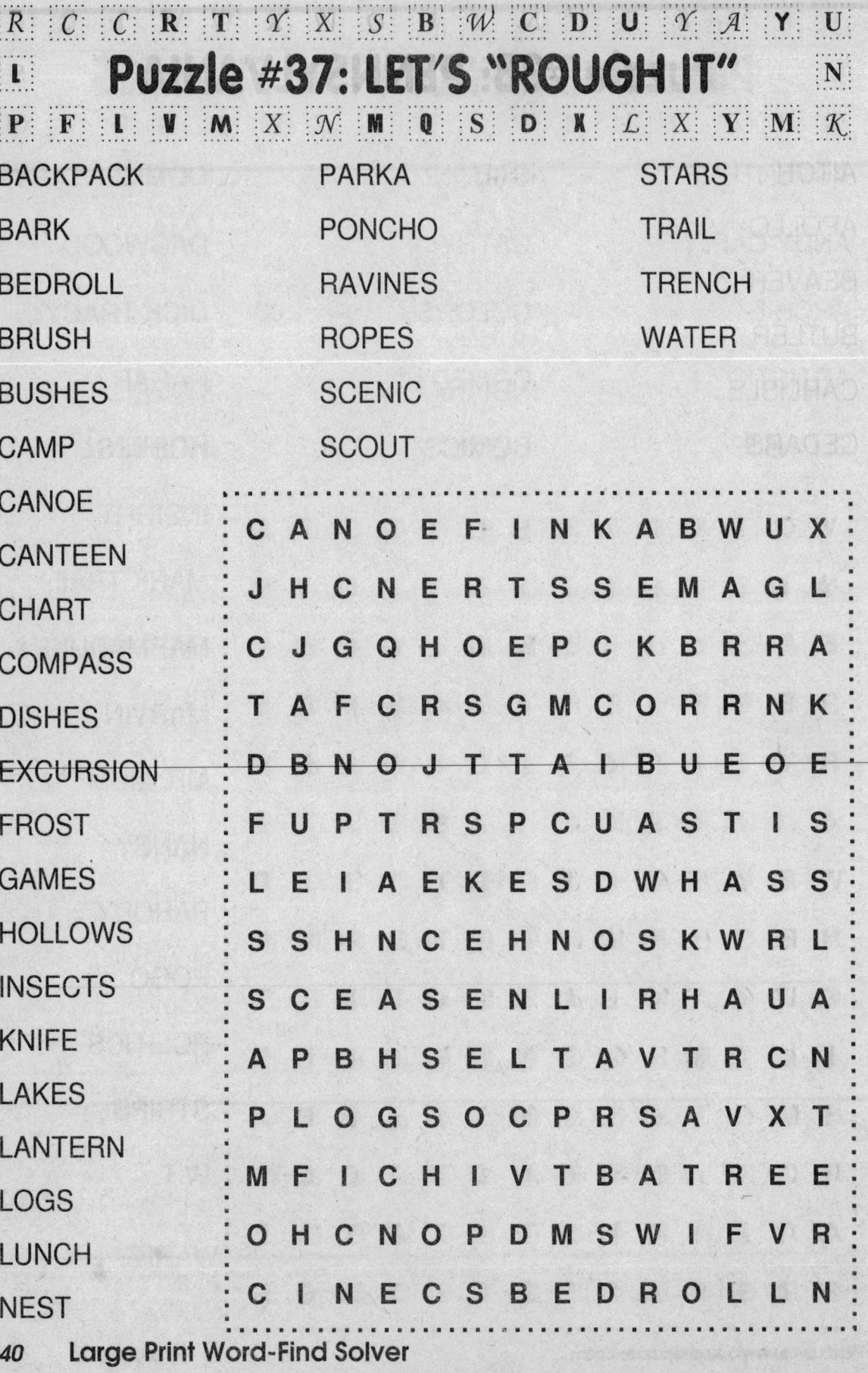

```
C A N O E F I N K A B W U X
J H C N E R T S S E M A G L
C J G Q H O E P C K B R R A
T A F C R S G M C O R R N K
D B N O J T T A I B U E O E
F U P T R S P C U A S T I S
L E I A E K E S D W H A S S
S S H N C E H N O S K W R L
S C E A S E N L I R H A U A
A P B H S E L T A V T R C N
P L O G S O C P R S A V X T
M F I C H I V T B A T R E E
O H C N O P D M S W I F V R
C I N E C S B E D R O L L N
```

Puzzle #38: PENNSYLVANIA

AITCH

APOLLO

BEAVER

BUTLER

CARLISLE

CEDARS

ERIE

ETNA

EVERHART

HURD

INDIANA

IRWIN

KANE

LIMA

LIME

MAPLE

MOOSIC

MT. PENN

NEWTON

OAKS

PALM

PARRISH

PIELS

POCONO

PYLE

RADNOR

REED

SHARON

SOMERSET

SPEERS

SPRUCE

STONEY'S

THIEL

WARREN

```
V O T P C A R L I S L E O I
N T E R L B C M E W K I A R
E R S L E T U E A Z I A P W
R E R E I E H T D P N Y O I
R V E V H M D Z L A L E S N
A A M E T R A H I E R E T O
W E O R C I W D C I R S O T
H B S H P U N Q E T O P N W
S U D A N I R P S L I M E E
I L L R E O O P L P K A Y N
R M E T U C R O S B E A S O
R O N I O H P A M T P E N N
A A I N P A U G H E W D R E
P R O N D A R C I S O O M S
```

Puzzle #39: CHEMISTRY LAB

ACID

ALKALI

ALLOY

ANION

ATOMS

BASE

BOND

CATALYST

COLLOID

COMBUSTION

CRYSTAL

ELEMENT

EMULSION

ESTER

FORMULA

IONS

ISOMERS

ISOTOPES

KETONE

MOLECULE

OXIDATION

REDUCTION

SOLUTION

SOLVENT

SYNTHESIS

```
N O I T C U D E R C D K S J
O B A L K A L I O S E I T U
I C E P P U N M O N E S R D
N S M P C L B L O L Y O A T
A D U E A U V T E L L T Y B
C G L Y S E E M A O O O O C
D O S T N K E T A A Q P C R
M N I T G N A F W L D E C Y
I O O Y T C V Z J U L S P S
N C N B R E T S E M A O C T
S R E M O S I M M R I M Y A
N O I T A D I X O O T Z C L
J S O L U T I O N F T I F W
T S Y N T H E S I S D A U K
```

Puzzle #40: LOST CITIES

ANGKOR THOM

BABYLON

BETHEL

CALAH

CARTHAGE

COSA

EDESSA

ERIDU

HARAN

JERICHO

KARNAK

KNOSSOS

MEMPHIS

NEMEA

NINEVEH

OLD SARUM

OSTIA

PAPHOS

PETRA

PYLOS

RAMOTH

SAMARA

SARDIS

SIDON

SINOPE

SYBARIS

TANIS

THEBES

TIKAL

TROY

URUK

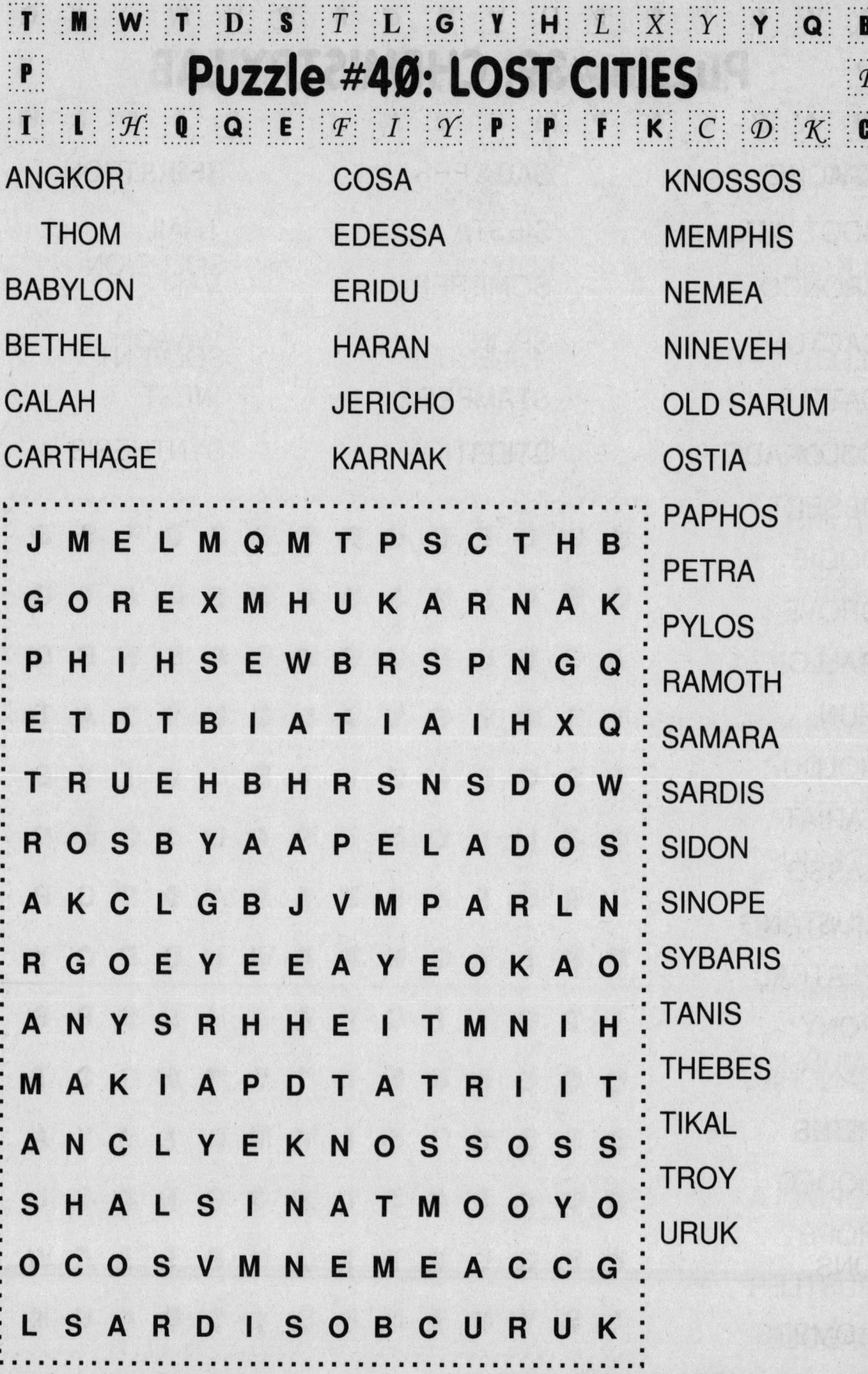

```
J M E L M Q M T P S C T H B
G O R E X M H U K A R N A K
P H I H S E W B R S P N G Q
E T D T B I A T I A I H X Q
T R U E H B H R S N S D O W
R O S B Y A A P E L A D O S
A K C L G B J V M P A R L N
R G O E Y E E A Y E O K A O
A N Y S R H H E I T M N I H
M A K I A P D T A T R I I T
A N C L Y E K N O S S O S S
S H A L S I N A T M O O Y O
O C O S V M N E M E A C C G
L S A R D I S O B C U R U K
```

Puzzle #41: THE OLD WEST

APACHE

BOOT HILL

BRONCO

CACTUS

CATTLE

COLORADO

DESERT

DOGIE

DROVE

GALLOP

GUN

HOLDUP

LARIAT

LASSO

MUSTANG

PLATEAU

PONY

RANCHES

REINS

RODEO

ROPE

RUSTLER

SADDLE

SAGA

SIESTA

SOMBRERO

SPLINT

STAMPEDE

STEER

THIRST

TRAIL

VALLEY

WAGON

WEST

```
A W O E D O R S A D D L E P
O E R H A P A C H E I G O D
A S E O D A R O L O C N S M
L T R L S V A L L E Y T E U
L R B D M A U A E T A L P S
L E M U Q X G S O M T O U T
I S O P L A E A P T R T J A
H E S A L H R E A U C T T N
T D S L C I D C S A S N S G
O S O N N E A T C T W I R D
O P A U I O L R E W E L I R
B R G P F E G E T S N P H O
O C N O R B R A T D S S T V
T A I R A L S A W L R O P E
```

Puzzle #42: THE GOLDEN STATE

AGUA	COOL	HERCULES
CALIENTE	DAY	IVANHOE
ANGELS CAMP	DEVILS DEN	JENNY LIND
BEN HUR	EUREKA	KIT CARSON

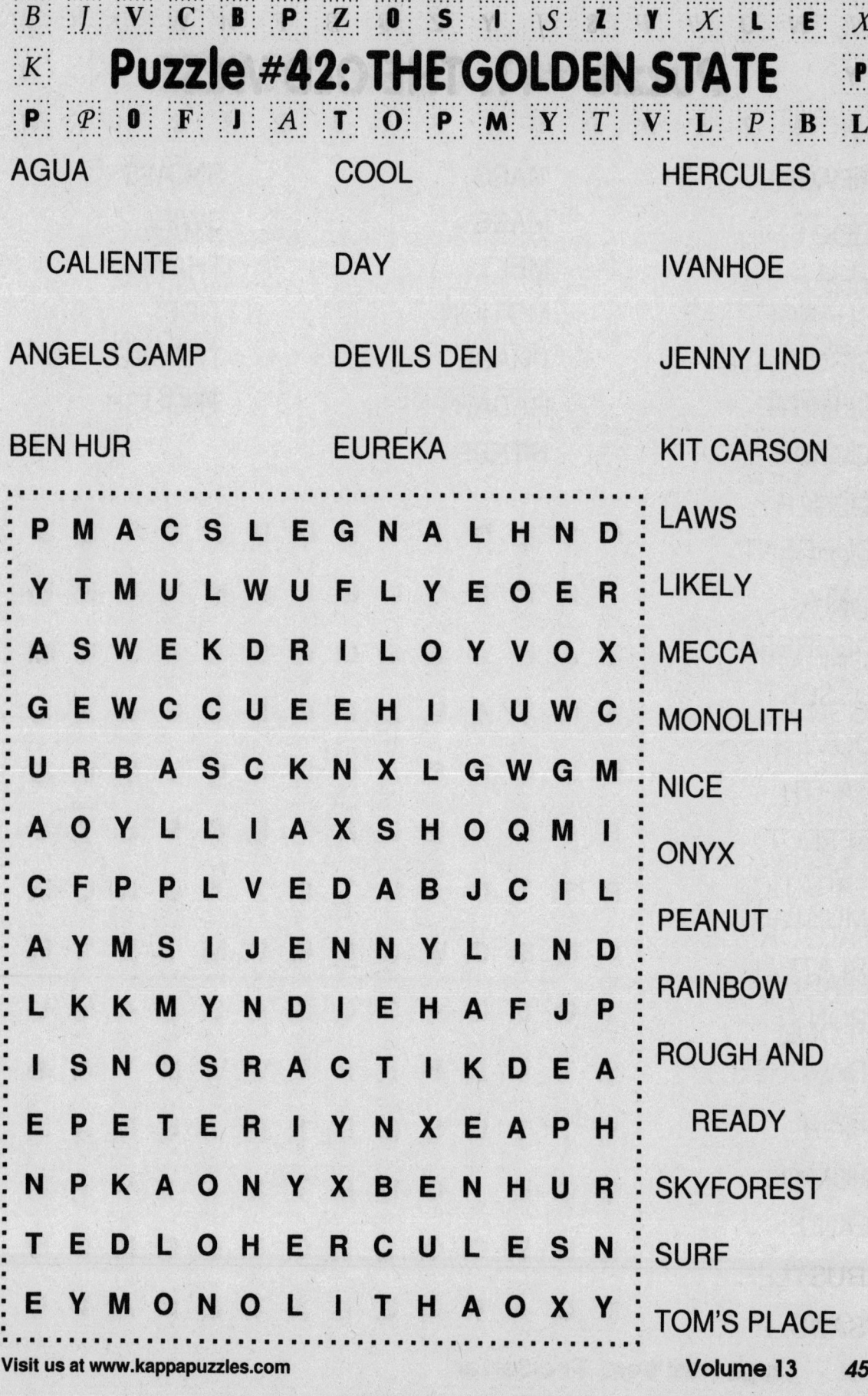

```
P M A C S L E G N A L H N D
Y T M U L W U F L Y E O E R
A S W E K D R I L O Y V O X
G E W C C U E E H I I U W C
U R B A S C K N X L G W G M
A O Y L L I A X S H O Q M I
C F P P L V E D A B J C I L
A Y M S I J E N N Y L I N D
L K K M Y N D I E H A F J P
I S N O S R A C T I K D E A
E P E T E R I Y N X E A P H
N P K A O N Y X B E N H U R
T E D L O H E R C U L E S N
E Y M O N O L I T H A O X Y
```

LAWS

LIKELY

MECCA

MONOLITH

NICE

ONYX

PEANUT

RAINBOW

ROUGH AND

READY

SKYFOREST

SURF

TOM'S PLACE

Puzzle #43: CLIMATOLOGY

ARID	MAPS	SNOWS
BELTS	MASS	SWIRL
CELLS	MELT	THAW
CHANGE	MOTION	TIDE
CIRCULATE	PHASE	TRACKS
CLIMATE	RADAR	TROUGH
CLOUD	RIDGE	
COLD		
CURRENT		
DATA		
DEGREES		
DESERT		
DOMES		
EARTH		
EFFECT		
ERRATIC		
FACTOR		
FLARE		
FLOOD		
HEAT		
HIGH		
HUMID		
LAND		
LAYER		
LOWS		

```
C S E D I T H G U O R T S R
I P R F C U R R E N T L K E
T A H A F L O W S A A D C M
A M T A D E P C E L E C A L
R S C R S A C H L G L S R A
R O N H E E R T R O S E T Y
E T T O A S T E X X U R C E
C M M C W N E H U M I D T R
I O E G A S G D A S A A H L
S T L E B F P E W W M T A A
V I T D E G D I R I R R A N
L O H I G H R T L A I V I D
K N D O O L F C E D O M E S
M C I R C U L A T E R A L F
```

Puzzle #44: WE ENJOYED HIM SO!

ADLER	BARRY	BRENT
AGAR	BELLAMY	CAREY
AHERNE	BLUE	COBURN
ANDREWS	BORGNINE	CONNERY
ANKA	BOYER	DEVINE

EBSEN
FONDA
GOULD
KELLY
KYSER
LAUGHTON
LIVINGSTON
MORRIS
O'BRIEN
O'HERLIHY
OLSEN
ROLAND
SEGAL
TYLER
WAYNE

```
E B Y L L E K N R U B O C G
Z N Z R O B B E T E M B Y E
A L Y R E H S N P O L M K N
D D U A D N E W R U A Y Y I
N G E L W R N R E L P Z T N
O O U V B J I O L R D B L G
F O T K I S D E C I D Z M R
G B S H Y N B N B A H N E O
A R Z A G S E G A L D Y A B
H I A A H U E F R L O L H Y
O E K G L E A R R B O R E E
Y N D X A N R L Y S O R N R
A M N O T S G N I V I L J A
G Y X O L S E N E S B E I C
```

Puzzle #45: COMBING THE BEACH

ALGAE

BEACH

CHITONS

COAST

CORAL

EBBS

EDDIES

FIDDLER

FLOW

GHOST CRAB

KELP

LICHENS

LOBSTER

MOLLUSKS

MUSSELS

NEREID

OCEAN

PLANKTON

POND

ROCK

SARGASSO

SEAS

SEAWEED

SHELL

SKELETON

SNAIL

SPONGE

STARFISH

SURF

TIDE

WATER

WAVES

```
K Q M H S H S I F R A T S P
F S M U B N Q E T L A R O C
V R E T S B O L I I Y N Q L
B D U V P S V T S D D I Y I
A E W S A S E A I S D E R C
R E T A W W R L H H M E A H
C W R R B G N E S O C P N E
T A B E A G L A L N L O O N
S E C S L L E L E A A N T S
O S S O H D U G N C E I E B
H O R C A S D K N R O W L B
G K A O K S T I E O O Q E E
S E A S C O T I F L P W K H
B O X C N K D T F G P S S P
```

Puzzle #46: MEOW!

ACROBATIC

AGILE

ALBINO

ALLEY

ANGORA

BALINESE

BOBTAIL

BREED

CALICO

CHESHIRE

CIVET

CLEVER

COUGAR

CUTE

IRIS

LION

LYNX

MALTESE

MANX

MILK

MYTHS

OCELOT

ODD-EYED

PANTHER

PAWS

PEDIGREE

SCENT

SIAMESE

SORREL

TABBY

TAME

TIGER

TINT

```
L P N A E E R G I D E P B B
O E A X C L D W U U K O L R
B N R N Y R I T A B B Y A E
S A I R T N O G H T N G M E
M I L B O H A B A X U A J D
A A A I L S E I A O T C P C
L T L M N A L R C T L M O H
T N O L E E F F T E I E D E
E I O L E S S N V L C C D S
S C R C E Y E E K L T Y E H
E H I I I C R Y M A N X Y I
G T T V S L O I F T I G E R
E I U Y E P A W S Q T V D E
K S X C M T Q C A R O G N A
```

Puzzle #47: MAKE A CALL

BEEP

BILL

BUSY

CABLES

CALLS

CIRCUITS

CODE

CORD

DESK

FEED

GOODBYE

HEAR

JACK

LINES

LOCAL

LONG

NUMBER

OPERATOR

ORAL

OVERSEAS

PARTY

PAY

PERSON

PHONE

POLES

PRIVATE

PUSH

RINGS

SELL

SOUND

TALK

TEST

TOLL

TONE

VOICES

WIRE

WORKS

```
K Q B W S L L I N E S Q R H
T S I I K C A J F S B A T P
X R E E L L L R E L E U E I
E K E D Y L A N O H A R S O
P S B B O B O T M O S R T Y
R E E T M H D E D O C E F S
I R E L P U S O N T B T W R
V L I B O P N U O D R O C O
A A Y N N P B N P G R D X T
T C F T G G E V P K G N C A
E O V E R S E A S G Q U Q R
L L E S E A Y S E C I O V E
L O N G R D P C A L L S S P
C I R C U I T S E L B A C O
```

Puzzle #48: THE SUNSHINE STATE

ALFORD	BELL	FELDA
ALVA	BUNNELL	FOLEY
ARCADIA	CITRA	GOLF
ARRAN	DESTIN	GOTHA
BALDWIN	EAGLE	HOLDER
BARTH	EUSTIS	HOLT

HOSTEENHMWTYUB
LSEVERNONALLUH
LNXMNTFOLEYNOA
ELIHOIMAIMNOLH
BLOTHRWAHEELUY
SGGRROVDLDIUHS
RYUAIALLLTEANH
RLABEDMDAAIAAA
ALULEYAMEDBHRM
PRMTFUUTARFTRR
SAFUZOSCIEIOAO
EALLLWRTLCFGGC
TZHVOAPDIVELCK
OZONAGADESTINT

HULL
LORIDA
LUTZ
MARTIN
MAYO
MIAMI
MULA
OSTEEN
OZONA
ROMEO
SHAMROCK
SPARR
TAFT
TICE
UMATILLA
VERNON
YULE

T K K Z E G H K V H W G A Y J V Z

B   **Puzzle #49: FOOTBALL**   H

Q G B B W Z N C F A C A K I S E Y

BALL	SEVEN	STATE
BLOCK	SIGNAL	TEAM
CLIPPING	SLAM	THROW
CLOCK	SLOT	TOSS
DEFENSE	SPLIT	UMPIRE
DELAY	SPOTTER	WEDGE
DIVE		
FLAG		
FOUL		
GAME		
GOAL		
GUARD		
HALF TIME		
HUDDLE		
KICK		
LATERAL		
LINE		
PASS		
PLAY		
PLUNGE		
POINT		
PUNT		
REFEREE		
RUSHING		

```
E T A T S S S J E T P B G G
L Q E K H E P V M P L L A N
A W V G V R I O I U U O M I
T E Q E D D O D T N N C E P
E S N E F E D W F T G K T P
R S P I U Q W L L D E N H I
A F P L L S G C A I I R U L
L M E L D N S M H O S U D C
R Z U R I M Q A P K G S D S
N O A H I T Q E P C S O L D
F U S G S P K T L O P O E E
G U A L V Y M I T L T L C L
R L A N G I S U C C A O A A
F M E E R E F E R K F B X Y
```

K U I P Q D X A O Z Q A C W R C K

N

Puzzle #50: BYGONE DAYS

M

F I Q H H N U S Z X F U B B L O B

ASCOT	DRY SINK	HANSOM
BEDWARMER	EYECUP	INKWELL
BLOOMERS	GASLIGHT	JABOT
BLOTTER	HANKIES	LANTERN

B E D W A R M E R B S D V H

T J R U E A S E X S L R G P

L A Q Y S L T C T Z E Y Y A

P B O C H T C R B G I S B R

B O O C O A E O A B G I E G

O T R L I E N S N L H N Z E

F I B T T T L S L O R K P L

H V L C S I T E O O M U O E

C A A L G P W E C M C S N T

T R N H A K B I P E A W S D

A R T K N M R P Y R P I G W

W M E I I T P E A S T A P S

S A R H I E E P Y T N I T B

K G N P I E S A F E L C H Z

MONOCLE

OIL LAMP

PARASOL

PETTICOAT

PIE SAFE

SLEIGH

SPATS

STREETCAR

STROP

TELEGRAPH

TINTYPE

TRICORNE

WATCH FOB

Puzzle #51: OUT SAILING

R

ANCHOR

BEAMS

BOAT

BOOM

BOWS

CAST OFF

CENTER-
  BOARD

DRY DOCK

GEAR

GRANNY

HATCH

HELM

HULL

IRONS

KNOTS

LIFE JACKET

LINE

MAST

OARS

PINCHING

PORTS

REEF

ROPE

ROWING

RULES

SHIPS

SIGNALS

STERN

STOW

THUNDER-
  STORMS

TIDES

TRIM

WIND

```
S M R O T S R E D N U H T F
L N C L I F E J A C K E T S
A H K A P Q S T O N K R W B
N P C A S G C E M B I O O T
G I O T N T N I L M B A T B
I N D R A C O I Z U T F S B
S C Y V I H H F W B R H B N
N H R U M P G O F O E D O R
O I D M S R O P R L R A O E
R N D R A E R R M E L A M T
I G A N N G D O T V E U E S
N O N I I S H I P S Z F H G
Z Y L Z Q W W Q T E A F F Z
C E N T E R B O A R D M M R
```

Puzzle #52: SWEET P'S

PACHYDERM

PACKET

PAGAN

PANDA

PAPA

PAPER

PARLAY

PARSON

PARTICLE

PASHA

PASTE

PATCH

PATTERN

PEACE

PEONY

PERCH

PERMIT

PERSON

PHOTOGRAPH

PILLAR

PINCH

PISTON

PLACE

PLATE

POACH

PODIUM

POISE

POLLEN

PONCHO

PROBE

PULPIT

PURPLE

```
R H E L C I T R A P X J P P
P P P A C H Y D E R M A A N
V A L S H C T A P P R G P O
P R T C N A P A H S A P U S
R G M T D O Q L O N Y P R R
O O P U E P T N A P N J P E
B T R A I R F S D C O J L P
E O L A S D N P I M E I E H
C H Y Y L T O T O P P P S E
A P S A I L E P P H E P T E
E S P M L K I I X R C A C T
P A R E C R N P C D L N W V
P E N A Q C A H W P I D O P
P M P V H T I P L U P A K P
```

Puzzle #53: ON HISTORY'S STAGE

AGES	QUEST	STATE
ALLIANCE	REALM	TEMPLE
BATTLE	RECORDS	TRADE
CITY'S FALL	RELICS	TREATY
COLONY	RULER	UNITY
CRUSADE		
CUSTOMS		
EMPIRE		
EPOCH		
FATE		
GRAIL		
HERO		
INVENTION		
JOURNEY		
JUSTICE		
KING		
LORE		
MONARCH		
MONUMENT		
PEACE		
POLITICS		

```
E O P R E C O R D S G O B R
M I N V E N T I O N T A K J
P B K D Y S C H I E T A U Y
I L R L E Y C K C T W S T J
R S L U L O Z N L R T M P E
E M Q A P O A E E I A D Y T
D O L E F I R L C S U N N N
C T W A L S U E C N K R O E
R S R L E R Y I I O E T L M
U U A A P R T T S L R H O U
S C A E D I Y F I E I E C N
A Z A I L E A C A C G A H O
D C K O U T S T U A G A R M
E L P M E T Y E N R U O J G
```

Puzzle #54: JOHN CALVIN

ATTENDANCE

BASEL

CHURCH

CULTURE

EXPELLED

FLED

GENEVA

LOURGES

LUTHERANS

ORLEANS

PARIS

PICARDY

PRESBYTERS

SCOTLAND

SERVETUS

SOCIETY

SOVEREIGN

STRASBOURG

STRICT

SWITZERLAND

TEACHER

TRINITY

UNIVERSITIES

WRITER

```
D N A L T O C S M G P N S O
S E G R U O L L T R S S O R
U R L W D D E X E Y W T V L
N U S F R S P S A T I R E E
I T U Y A I B J C E T A R A
V L T B T Y T N H I Z S E N
E U E D T I P E E C E B I S
R C V E E C N S R O R O G M
S I R H N L I I G S L U N V
I S E Q D R L R R E A R H D
T E S U A P C E T T N G N C
I G A P N Y W V P S D E O E
E T P I C A R D Y X B O V E
S N A R E H T U L M E J E A
```

Puzzle #55: IT'S A GIRL!

ALICE

ALMA

ANNE

CELESTE

DANA

DELLA

EUNICE

FERN

GALE

GERALDINE

GOLDIE

HARRIET

JEAN

JULIA

JULIET

LAURA

LILY

LOUISE

MAEVE

MARIA

MILDRED

MITZI

NELLIE

NORA

NORMA

PAULA

PEARL

ROSE

RUTH

SANDRA

SHEILA

TRUDY

VERA

VIOLET

VIVIAN

```
A N H Q N A L L E D L C G T
M M A X V A R T A O B R E E
S A R I A M L O U L A J R L
A T R O V J I I N R M E A O
N P I I N I S T E I N A L I
D A E F A E V V Z H A N D V
R E T A H G A L E I S Y I H
A J R T R A S P L P D C N P
G R U D S L N U X U E E E A
O R U L L A J R R L I B L U
L J R A I I A T E L D I A L
D I E O L E M S L F C A N A
I T L O S X T E V E A M N Q
E L T Y E E N E U N I C E A
```

Puzzle #56: YOUR BONY BODY

BACKBONE

CARPUS

CLAVICLE

COCCYX

COSTA

CRANIUM

FIBULA

HALLUX

HEEL

HIPS

HUMERUS

HYOID

ILIUM

INCUS

ISCHIUM

MANDIBLE

METATARSUS

OCCIPITAL

PATELLA

PELVIS

PHALANGES

RACHIS

RADIUS

SACRUM

SCAPULA

STAPES

STERNUM

TALUS

TARSAL

TIBIA

ULNA

VERTEBRA

```
S U S R A T A T E M T F J O
A S R Y R Z R A D I U S A E
M A S C B O G O B J I L N H
O C U O E U C I F V U O E S
P R R C T L A C L B B E M T
H U E C R N L E I K L B U A
A M M Y E A P F C P X S I P
L G U X V X M A N D I B L E
A S H I U U B J T H I T I S
N U C H N L G I C E P O A V
G L P R I A L A N R L G Y L
E A E S U P R A C C M L H H
S T E M X I S C H I U M A W
S C A P U L A S R A T S O C
```

Puzzle #57: THE ETERNAL CITY

AESCULAPIUS

APPIAN WAY

ARENA

CAESAR

DECEMVIR

FALL

FELIX

GODS

ITALY

LAWS

MARS

MYTH

NERO

OCTAVIAN

OSTIA

PALACES

RELIGIONS

ROBES

ROMAN

SALUTE

SATURN

SCROLLS

SIEGE

SLAVE

TEMPLE

TIBER

TOGA

TUSCAN

UMBRIA

VESTA

WALLS

WEALTH

```
G G T M A O C T A V I A N W
E H Y K E R J I E T U L A S
J T N U S N A C S U T L M L
H L D E C E M V I R L E O L
I A T A U R E J S S C T R O
T E I I L O B G H A E C L R
A W B T A F A H E M T L E C
L T E S P A E S P I A U I S
Y R R O I Y A L L F S G R Z
V A O R U R E D I A R D O N
M E B B S W A L A X V L O T
E M S S E C A L A P D E N G
U Q H T N S N O I G I L E R
A P P I A N W A Y A R E N A
```

ARCH	BEAM	COLUMN
ARRIS	BORDER	CONSOLE
BALDACHIN	BRACE	CORONA
BALUSTER	CANOPY	CREST
BANISTER	COLONNADE	DADO

GIRDER

JAMB

LACUNAR

MULLION

NEWEL

OGIVE

PELMET

PILLAR

RAFTERS

SCUPPER

SOFFIT

SQUINCH

TRAVE

VAULT

WAINSCOTING

```
N W A I N S C O T I N G B C
U Z X E B O G I V E S L O C
A U L M T I F F O S M R O M
R O A M S E D A N N O L O C
C J C U E B Z C E N U J E Y
H S U L R V O C A M D S B P
C C N L C N A R N A R B A O
N U A I S R S R D E L A L N
I P R O B I E O T E G N D A
U P L N R V B F W I R I A C
Q E H R A Q A E R O K S C B
S R A U J R N D A G C T H U
B A L U S T E R J M Y E I R
U T O S C R P I L L A R N P
```

Puzzle #59: ENDINGS ARE "O"

ALTO
BAMBINO
BINGO
BONITO
DINGO
DITTO
DODO
ECHO
ERGO
FARO
FOLIO
FORGO
GROTTO
GUSTO
HOBO
LASSO
LOBO
OHIO
OUTGO
PATIO
PICCOLO
POLO
POMPANO
POTATO
PRONTO

ROBALO
ROCOCO
RODEO
ROMEO
RONDO
SCORPIO
SILO

STUCCO
TEMPO
TOMATO
TORNADO
TORPEDO
TORSO

```
A L T O L O C C I P D K B R
O S R O T R O M E O E C I O
D O O T S U G B D O B R N D
T I D T J L A O F V G Y G E
O L N A O M O O B O H R O O
R O O G B R R B O C O C O R
P F R I O A N R O B A L O F
E B N P F O N A P M O P O P
D O O O O G P O D L D A T S
O N T T G I R O T O I Q N T
H I E A T O T O L A S S O U
C T M T U I I A T O M L R C
E O P O O H D H P T I O P C
S C O R P I O W O S O X T O
```

Puzzle #60: "N-E-A-T" WORDS

ANCIENT CENTRAL ENTRANCE

ANTLER CERTAIN FASTEN

ATTEND DETAIN GRANITE

ATTUNE EATING LANTERN

BENEATH ENTERTAIN MAGNET

MEANT

NEUTRAL

ORNATE

PARENT

PATTERN

PEANUT

TAINTED

TAKEN

TANNED

VALENTINE

WANTED

```
C I N W I E B H B M J D F V
F E T T A A T E S L K P A A
U L R T T N N E T F A A S L
R V I T E E T N H A L T T E
N N U R A I E E X T A T E N
G N A T N I C L D T R E N T
E P H A C N N A A E T R I I
L T R N A I L N L N U N A N
D G A R T A T T P D E H T E
S E T N R A N E R Z N P R F
W N T T R A N R N T N A E M
E E N A A O D N Y G Y A T G
D E T N I A T N E K A T N Z
C L P E A N U T P D O M E I
```

Puzzle #61: WEIGHTS AND MEASURES

ARDEB

ARPEN

BASKET

CENTARE

CHAIN

CUBIT

DINERO

DRACHMA

DRAM

DUNAM

EPHAH

ESER

FATHOM

GALLON

HANK

LEAGUE

LINK

LOTH

MARC

METER

MICROGRAM

MILE

OBOLE

OMER

OUNCE

PECK

PINT

QUART

RODE

ROTL

SCRUPLE

SHEKEL

STEIN

STERE

TALENT

TICAL

YARD

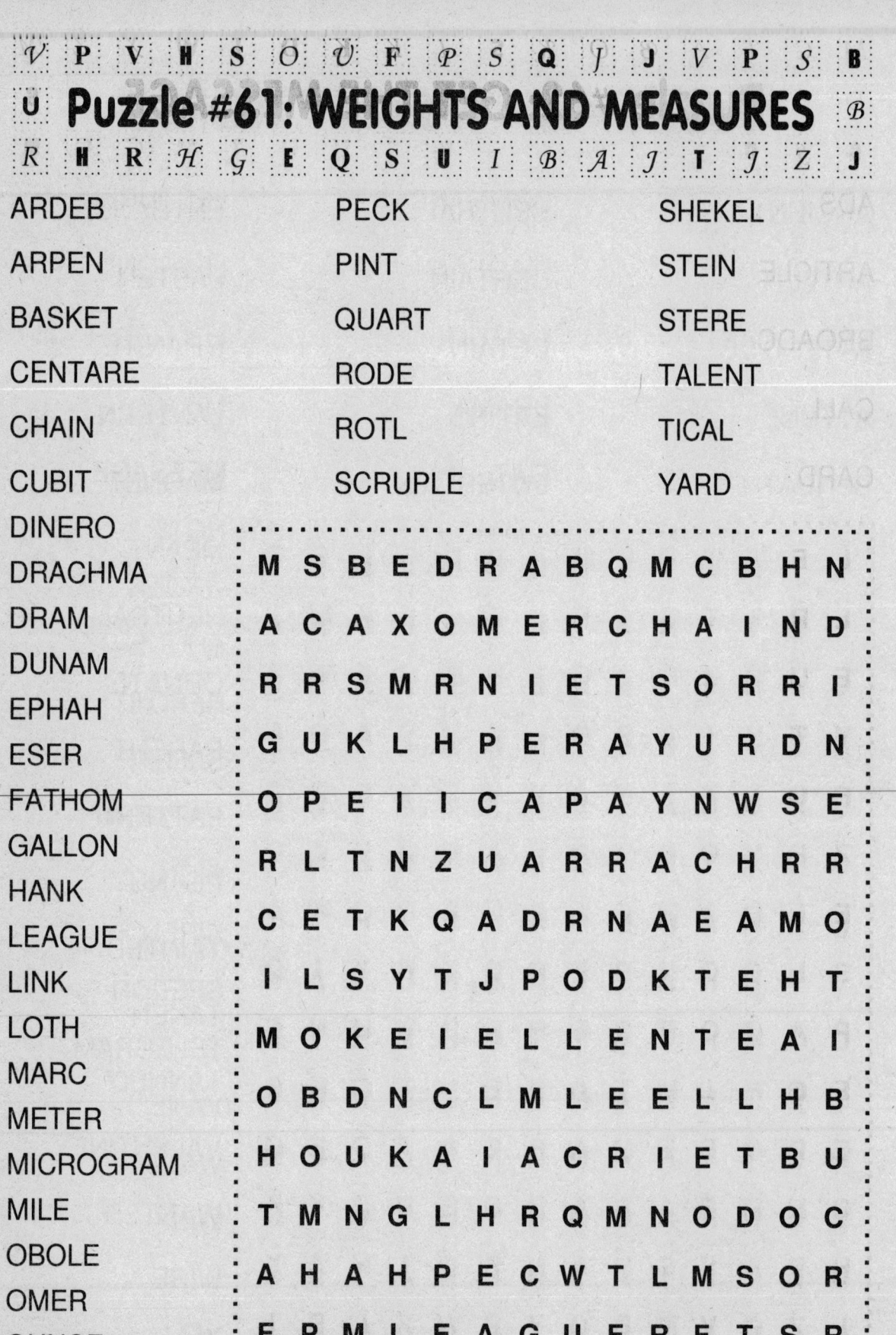

```
M S B E D R A B Q M C B H N
A C A X O M E R C H A I N D
R R S M R N I E T S O R R I
G U K L H P E R A Y U R D N
O P E I I C A P A Y N W S E
R L T N Z U A R R A C H R R
C E T K Q A D R N A E A M O
I L S Y T J P O D K T E H T
M O K E I E L L E N T E A I
O B D N C L M L E E L L H B
H O U K A I A C R I E T B U
T M N G L H R Q M N O D O C
A H A H P E C W T L M S O R
F P M L E A G U E R E T S R
```

Puzzle #62: GET THE MESSAGE

ADS	COMMAND	LECTURE
ARTICLE	DIAGRAM	LESSON
BROADCAST	DICTUM	LETTER
CALL	DRAMA	MEMO
CARD	FIAT	MESSAGE

```
L E T T E R M A R G E L E T
L R L T O I F Y E R F K M T
E U O J D I C T U M C E W S
Y T H I A S O L X M S A G A
R C N T F N A Y U S V D R C
Z E N O S S E L A E M V A D
E L P A M E I G U E Q O W A
S L C O N R E R D T R Y I O
P A C O R O E R E D E U N R
E C H I M T A S E N T G K B
E P O E T M A R G A I D E G
C N M E A R A B G S R R Y K
H P A V S H A N S O I H A X
L Z G V M B Q Y D W X L S I
```

NOTE

ORDER

PHONE

REPORT

SALUTE

SERMON

SIGN

SIREN

SPEECH

TELEGRAM

VANE

WAVE

WINK

WIRE

YELL

Puzzle #63: WATCHING RERUNS

ALICE	PARIS	SLOANE
ARCHIE	PIERCE	THIB
BARETTA	PYLE	TORQUE
BARNABY	QUINCY	TRAP
BEAR	RADAR	UNGER
BELLA	ROTH	WOJO
BRAD		
DIETRICH		
DONOVAN		
EUGENE		
FONZ		
FRIDAY		
FURLEY		
HART		
HUTCH		
JACK		
JETHRO		
KATE		
KRIS		
LAURA		
LEVITT		
LIKE		
LOBO		
MINDY		

```
I A R C H I E O R H T E J F
R A D A R U N G E R C U R A
A T F D Y O H T M Y M T C N
E O A O D C A R B F S I U E
B R R B N K G A R W L P L H
B Q U T I Z N I D E A O D E
P U A H M R D O V R B I K E
I E L I A A N I T O E I U N
E P S B Y O T A I T L G J O
R L H I V T L T R H E H J C
C F Y A R I R I E N A O L S
E X N P C A C A E R W H Z I
A L L E B H P M H J A C K R
F U R L E Y C N I U Q B O K
```

Puzzle #64: THE FIRST AMERICANS

AHTNA

ALEUT

ARIKARA

AYMARA

AZTEC

BRULE

CAHUILLA

CHEYENNE

CHOCTAW

CREE

CROW

CUNA

HAIDA

HOPI

IROQUOIS

KANSA

KIOWA

MAIDU

MOHAVE

MOHAWK

POMO

PONCA

POWHATAN

SAUK

SIOUX

TAOS

TETON

TSIMSHIAN

YAQUI

ZUNI

```
V I J Q E C M A R I K A R A
U N U D S C H O C T A W N A
L G S D E I O E H K G U O Y
K I K A I X O T Y A C O T M
P B P O U A C U E E W M E A
O F D O N K M E Q F N K T R
W C I T H O R L T O W N X A
H S H Q L C M A S Z R Y E L
A A M A A I U O Z R A I P L
T S O C I S T A H Y Y O U I
A E N N O D W L W A M Y U U
N O U A W R A O Q O V D W H
P Z T I K E L U R B I E Z A
N A I H S M I S T C Q K R C
```

Puzzle #65: FOR FISHING FANS

ANCHOR
BAIT
BOAT
BOOTS
CABIN
CANOE
CATCH
COVE
CREEK
CREEL
DIP NET
DOCK
FLOAT
FUEL
GAFF
GEAR
GUIDE
HOOKS
LAKE
LAWS
LICENSE
LIMIT
LINE
LODGE
LURE

REEDS
ROCKS
ROD
SEINE
SINKER
STREAM
TACKLE

TANK
TIDE
TIE FLIES
TRAWL
WADERS
WORMS

```
W M L I C E N S E C R E E L
O B D Z O T V K J A R N U W
R P O N A H A T E U I F R A
M P A O C L I G L L C O E D
S C B T T D N H P R H C K E
T W A K E S W S E C S U N R
I C A T C L K E N C T F I S
E B K L E O K A M I R L S D
F L H N O N D C M B E O N E
L S W H A E P I A L A A I E
I E E A D T L I O T M T B R
E B U I R D T D D D F F A G
S G U F N T G S K C O R C V
V G F M G E V O C J A R C G
```

Puzzle #66: STARRY TOGETHERNESS

ANTLIA	CANCER	DRACO
APUS	CANIS	EQUULEUS
AQUILA	CETUS	GEMINI
ARGO	CORONA	GRUS
ARIES	CRATER	HERCULES
AURIGA	CROSS	LACERTA

LIBRA
LUPUS
MENSA
MUSCA
NORMA
PEGASUS
PERSEUS
PHOENIX
SCORPIO
SCULPTOR
SEXTANS
TAURUS
TUCANA
URSA

```
S P E G A S U S S O R C V L
U U S C U L P T O R H D A A
L R P H O E N I X E P C S G
G P S U I L A Y R E E N O I
S L R A L L M C R R E M I R
E I I C I G U S T M R U P U
X B O U Q L E A N E S S R A
T R Q A E U T M C O Y C O H
A A P S S C A N I D R A C O
N U J G R R A O A N O M S G
S Y R A I C X W G S I N A C
S U T E C X T A U R U S R C
S E S U E L U U Q E A H P L
R C O R O N A N A C U T A T
```

Puzzle #67: OTHERWORLDLY

AFREET

ARGUS

BANSHEE

BASILISK

BUGBEAR

CENTAUR

DWARF

EIDOLON

ELVES

FURY

GHOST

GHOUL

GNOME

GOLEM

GORGON

GREMLIN

HARPY

HOBGOBLIN

KELPIE

LAMIA

LEMURES

LEPRECHAUN

MERMAN

MOLOCH

NYMPH

OGRE

PEGASUS

PHOENIX

PIXIE

PYTHON

SIREN

```
N I L B O G B O H Y M V A G
O E I D O L O N N O G R O G
B R Y X I N E O H P G L H L
X A L D B R V D C U E A G T
J Z N E I A S Y S M R H O K
L S N S P H S D R P O S P E
G E U I H R C I Y U E Q O L
B H M S L E E O L V F M G P
D U O U A M E C L I E Z R I
L W G S R G E E H O S M E E
S A A B T E E R F A M K I M
N A M R E M S P G A U O X O
C Z A I F A P Y T H O N I N
C E N T A U R H P M Y N P G
```

Puzzle #68: ISLANDS

AKUTAN

AMAMI

ANDROS

ARAN

AWAJI

BORNEO

CATALINA

CEBU

COOK

CRETE

CUBA

ELY

GUAM

HAWAII

IONA

JAVA

KODIAK

MINDANAO

```
O N G D F K S H E L T E R T
C O A P S T O B A G O J E A
I C D T J C A O O X Z T F H
R A U A U C S R C L E E B I
O T V B D K H E A R G O J T
T A A E Y I A U C N R A A I
R L A E L U N N Y N W R I I
E I M I S Y L I E A M Y N A
U N F A E K A O R C P M I W
P A M N U E O N P T A L D A
K O K I K G D D D U R A R H
A R R A O U L P I R B P A R
O T W M I N D A N A O E S E
I O N A M A M I X Y K S C A
```

ORKNEY

PALMYRA

PUERTO RICO

RAOUL

REUNION

SAMOA

SARDINIA

SHELTER

SKYE

TAHITI

TOBAGO

TRINIDAD

UPOLU

WAKE

YAP

Puzzle #69: TALKING POLITICS

ALSO-RAN

ARENA

CANVASSING

CAUCUS

CHOICE

CONVENTION

DARK HORSE

DEBATE

DEMAND

DISTRICT

ECONOMY

FACTION

GOALS

INCUMBENT

LOCAL

MINORITY

NOMINEE

PLANK

PLATFORM

RACE

REPEAL

RETURNS

SENATE

SURVEY

SYSTEM

TAXES

VOTE

WARD

WINNER

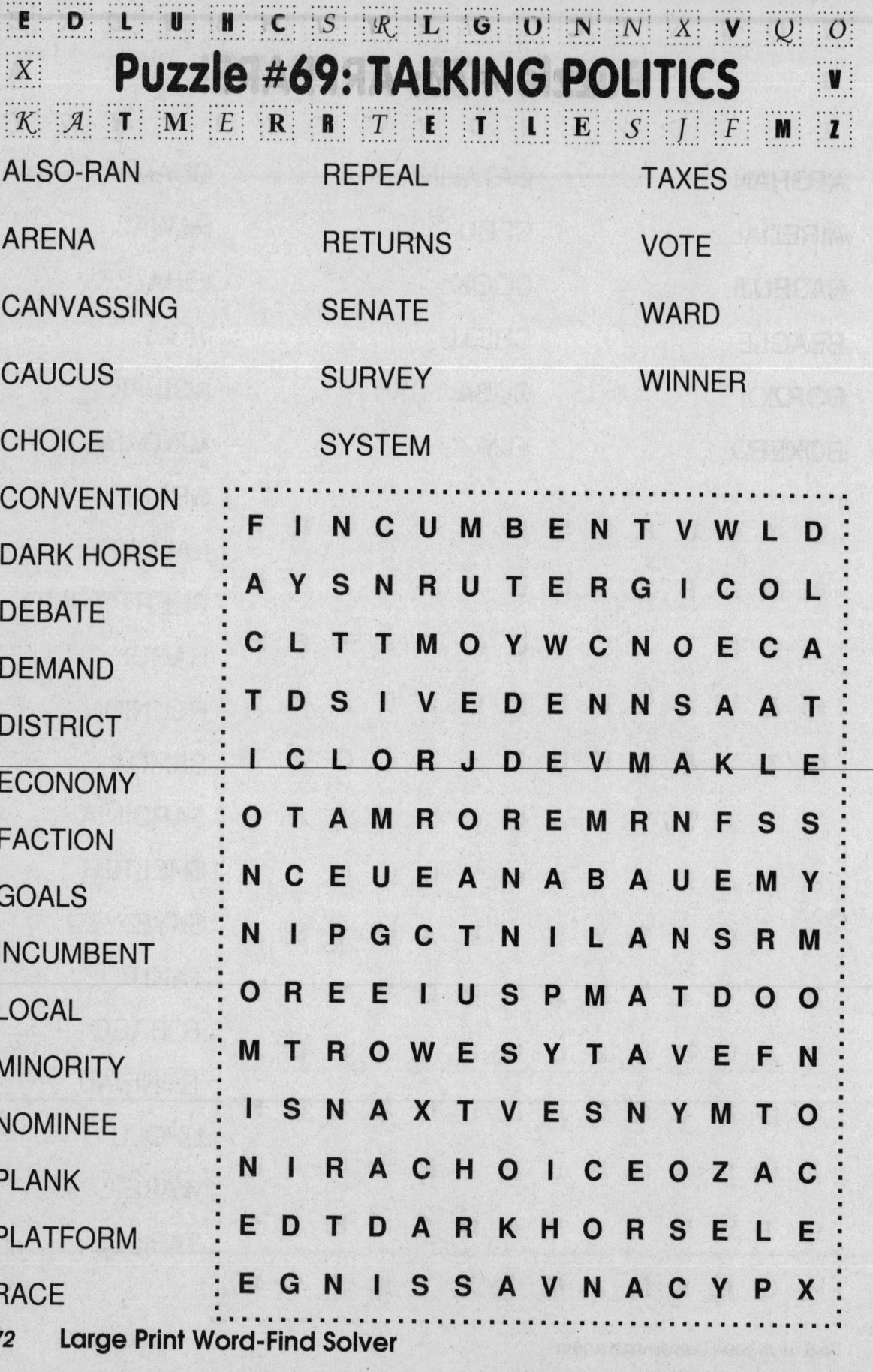

```
F I N C U M B E N T V W L D
A Y S N R U T E R G I C O L
C L T T M O Y W C N O E C A
T D S I V E D E N N S A A T
I C L O R J D E V M A K L E
O T A M R O R E M R N F S S
N C E U E A N A B A U E M Y
N I P G C T N I L A N S R M
O R E E I U S P M A T D O O
M T R O W E S Y T A V E F N
I S N A X T V E S N Y M T O
N I R A C H O I C E O Z A C
E D T D A R K H O R S E L E
E G N I S S A V N A C Y P X
```

Puzzle #70: ARF! ARF!

AFGHAN

AIREDALE

BASENJI

BEAGLE

BORZOI

BOXER

BRIARD

CHOW

COLLIE

CORGI

DALMATIAN

DINGO

DOGGY

HOUND

HUNTER

HUSKY

KELPIE

LAP DOG

MALAMUTE

MONGREL

MUTT

PEKE

POOCH

POODLE

PULI

SALUKI

SAMOYED

SCOTTIE

SETTER

SHELTY

SPITZ

TERRIER

WHIPPET

```
D A Q T E R R I E R A S Q S
N A I T A M L A D K A B P R
U W M O N G R E L M E I B E
O B A S E N J I O A T P I X
H R S H E L T Y E Z P T K O
P I D C S F E L I Y T U U B
A O G O H D D A K O B V L M
I W O R G O F R C E Z R A I
R H Q C O G W S A O L R S B
E I E P H C Y G Z I G P O M
D P I A C O L L I E R N I B
A P N N Y E Y K S U H B I E
L E S E T T E R E T N U H D
E T U M A L A M G O D P A L
```

Puzzle #71: TAROT CARDS

ARCANA

CHARIOT

DIVINER

EMPEROR

EMPRESS

FORTUNES

GAMES

HIEROPHANT

JUDGMENT

JUSTICE

LOVERS

MAJOR

MINOR

MOON

PACKS

PAGE

PENTACLES

QUEEN

SHUFFLE

SPREAD

STRENGTH

SUN

SWORDS

TOWER

WANDS

WHEEL

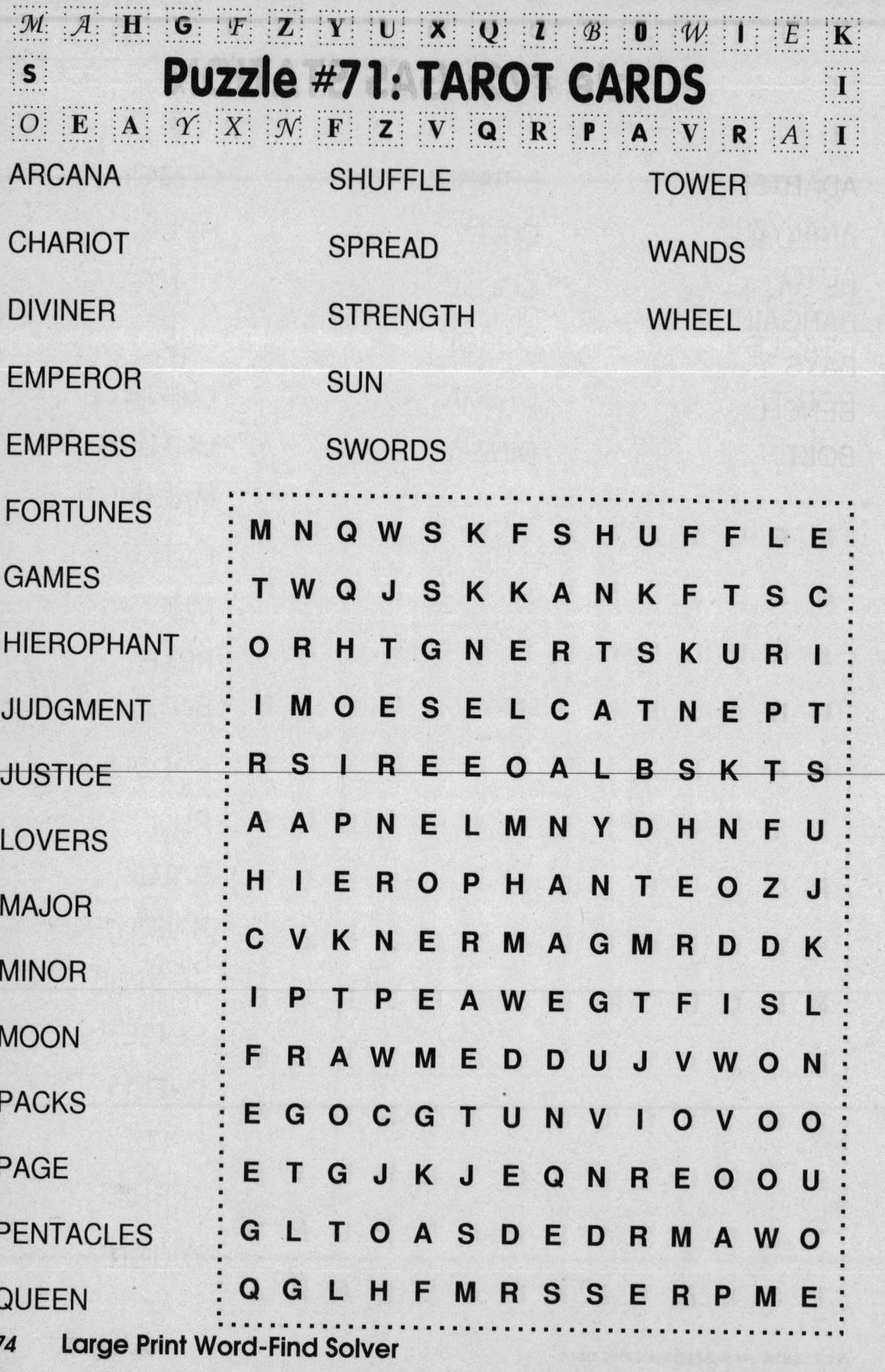

```
M N Q W S K F S H U F F L E
T W Q J S K K A N K F T S C
O R H T G N E R T S K U R I
I M O E S E L C A T N E P T
R S I R E E O A L B S K T S
A A P N E L M N Y D H N F U
H I E R O P H A N T E O Z J
C V K N E R M A G M R D D K
I P T P E A W E G T F I S L
F R A W M E D D U J V W O N
E G O C G T U N V I O V O O
E T G J K J E Q N R E O O U
G L T O A S D E D R M A W O
Q G L H F M R S S E R P M E
```

Puzzle #72: GAS STATION

ADAPTER
ANALYZER
AUTO
BARGAIN
BAYS
BENCH
BOLT

BUMPER
CABS
CARE
COIL
DIPSTICK
ETHYL
FUEL

GALLON
GEAR
HELP
HORN
JACK
MANAGER
MILEAGE
MODEL
MOPS
MOTOR
PHONE
PLATE
RACK
RAGS
RIDE
RODS
ROPE
SHIFT
SIGN
TANK
TEST
TIRES
TRUNK
TUNE-UP
TURN
WATER

```
K E G A E L I M T T M H K Z
C L P B E N C H U U E T C R
A N Y L Y H O R N L N S A A
R R J H A O N S P O M E J D
U R L S T T F I H S G T U A
T E X U B E E B U M P E R P
R G A T B A R G A I N P L T
U A A L G H C T L O B O L E
N N C R I D E N O H P R A R
K A M A M O T I R E S Y A B
R M I O R X C R A G S I G N
L I D O T E K C I T S P I D
T E D J N O L L A G F U E L
L S W A T E R E Z Y L A N A
```

Puzzle #73: CITIES OF PERU

ABANCAY

AREQUIPA

CALLAO

CHANCAY

CHICLAYO

CHOTA

CUSCO

HUACHO

HUANCAYO

HUANUCO

ICA

ILAVE

IQUITOS

JAEN

JAUJA

JULIACA

JUNIN

LA OROYA

LA UNION

LIMA

NAZCA

PISCO

PIURA

PUNO

SANA

SULLANA

TACNA

TALARA

TUMBES

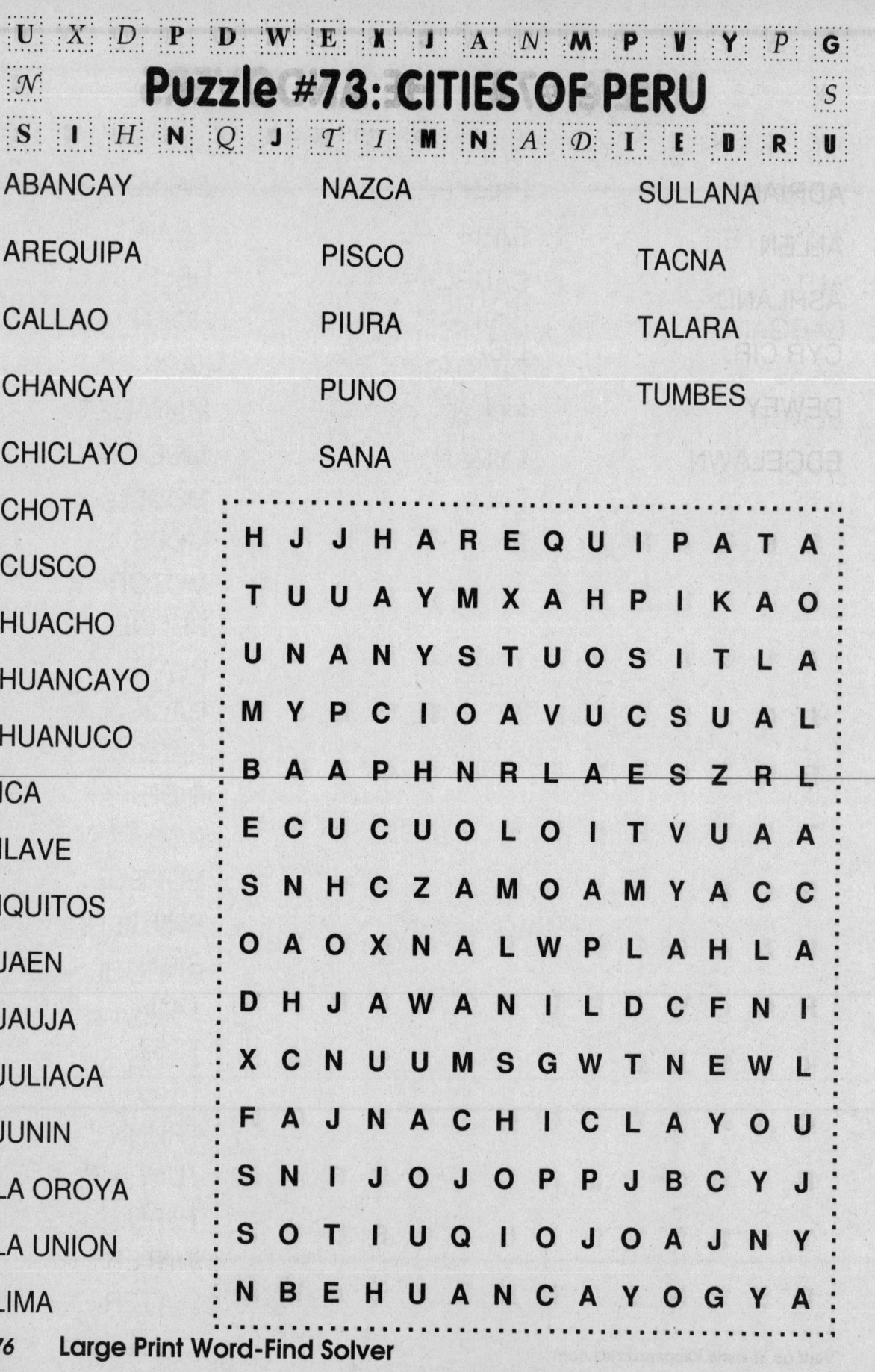

```
H J J H A R E Q U I P A T A
T U U A Y M X A H P I K A O
U N A N Y S T U O S I T L A
M Y P C I O A V U C S U A L
B A A P H N R L A E S Z R L
E C U C U O L O I T V U A A
S N H C Z A M O A M Y A C C
O A O X N A L W P L A H L A
D H J A W A N I L D C F N I
X C N U U M S G W T N E W L
F A J N A C H I C L A Y O U
S N I J O J O P P J B C Y J
S O T I U Q I O J O A J N Y
N B E H U A N C A Y O G Y A
```

Puzzle #74: THE ANDOVERS

ADRIAN	HIGH	MAIN
ALLEN	INNIS	MARIAN
ASHLAND	KATHY	MARK
CYR CIR.	LISA	MARLIN
DEWEY	LORING	MILK
EDGELAWN	LYMAN	MOODY

```
L K R E M M U S I N N I Y Q
N I R H T R F Y M A A Y E L
L L S A W Y E R A M L D W Y
L O N A M R L V R R A O E M
E O R O R O I R I O R O D A
S H M U R N O A A N D M N N
S C S I E T L P N G N N I W
U S N R L L H P D V A H L A
R G R W E K L R S P S N R L
I N E N E L I I I I H A A E
C A K A T H Y E V I R I M G
R N R O T I R T G A D R K D
Y C A D N A L H S A S D O E
C Y P M A I N N N R E T A W M
```

MORRIS
NANCY
NAPIER
NORMAN
NORTH
PARKER
RUSSELL
SANDRA LA.
SAVILLE
SAWYER
SCHOOL
SUMMER
SURREY
THIRD
TORR
TYLER
VINE
WATER

Puzzle #75: WOODPECKERS

ACORN

ASHY

BAMBOO

BANDED

BEARDED

BLACK

CHOCO

CINNAMON

DARJEELING

DOWNY

FIRE-BELLIED

GILA

GRAY

GROUND

HAIRY

HELMETED

LACED

LITA

LITTLE

MAGELLANIC

MAROON

OLIVE

PYGMY

RED-HEADED

ROBUST

SIND

THREE-TOED

WAVED

WHITE

```
F I R E B E L L I E D G H O
J B D E T E M L E H N Q B O
C C H I Y Y H H X I K L U L
W M H D M A G E L L A N I C
C W A G E A R E L C N T X D
T H Y R B D E G K O T V Y E
H P O G O J N N M L J H R D
R A B C R O D A E P S O P A
E I M A O O N E B A B I M E
E D D L M N U N D U L E N H
T E I P I B R N S R L I A D
O V H C M O O T D R A I G E
E A D E C A L O A D R E T R
D W T A U D O W N Y K A B A
```

Puzzle #76: ON PARADE

BAGPIPES

BAND

BANNER

COSTUMES

CROWD

DANCERS

DRUM MAJOR

DRUMS

FLAGS

FLOATS

GALA

GRANDSTAND

GROUPS

HEADDRESS

HORNS

HORSES

JUDGES

MAJORETTE

MASKS

MUSIC

POMP

PRANCING

REGALIA

RIBBONS

RIDERS

ROSES

SOLDIERS

SPANGLES

```
S F M G L H E A D D R E S S
R S S N D A N C E R S T P L
G G R I M A J O R E T T E F
I A O C S G S S Z C R O W D
R L L N B E E T S S G J D N
T F R A S P R U P O Q R R A
K O N R I I N M A L M O U T
H D O P B A X E N D A J M S
B H G B F J T S G I S A S D
W A O C U L R R L E K M P N
B N N D I E O A E R S M U A
S O G N D S G A S S O U O R
Q E U I E E U C T P U R R G
S O R S R R P M N S I D G X
```

Puzzle #77: THE MARVELOUS BABY

ANNOUNCE-

MENT

BATHS

BLESSING

BRUSH

CHRISTENING

CHUBBY

CHEEKS

COMB

CORD

CRADLE

DISHES

FEEDINGS

HOLDING

LACE

NAME

PACIFIER

PAMPERING

PLAY

REST

SAFETY GATE

SPOON

STROLLER

TOUCH

TWINS

WASHCLOTH

WORDS

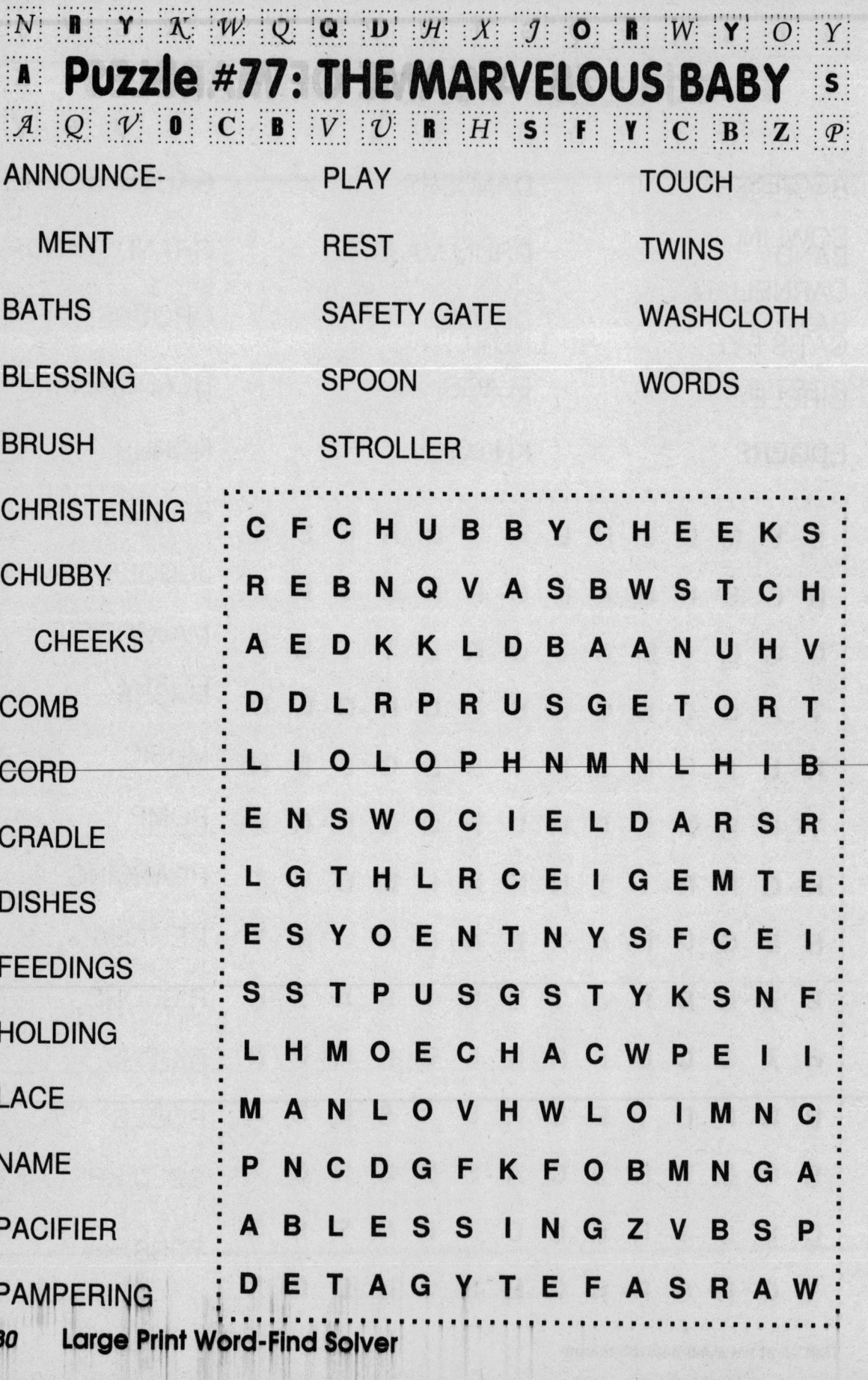

```
C F C H U B B Y C H E E K S
R E B N Q V A S B W S T C H
A E D K K L D B A A N U H V
D D L R P R U S G E T O R T
L I O L O P H N M N L H I B
E N S W O C I E L D A R S R
L G T H L R C E I G E M T E
E S Y O E N T N Y S F C E I
S S T P U S G S T Y K S N F
L H M O E C H A C W P E I I
M A N L O V H W L O I M N C
P N C D G F K F O B M N G A
A B L E S S I N G Z V B S P
D E T A G Y T E F A S R A W
```

Puzzle #78: A GAME OF MARBLES

AGGIES	GAME	KNUCKLES
BOWLING	GLASSY	LAGGING
CARNELIAN	HITS	LOFT
CAT'S EYE	HUNCHING	MARK
CIRCLE	KEEP	MIGS
EDGERS	KNOCK	MISS
		MOONSTONE
		PENALTY
		PITCH
		PLAYERS
		QUARTZ
		RAINBOW
		RINGER
		ROLL
		ROUND
		RULES
		SCORE
		SHOOTER
		SHOTS
		SPIN
		STEELIE
		TAWS
		TOSS

```
V D N U O R E G N I R P V J
C K R A M C A N M V N I P S
C Z E P I K E I L E E T S T
G I T V K L G H N L R C E O
A B O C K S E C K B O H I H
M O O N S T O N E Z O R G S
E N H W F C U U R L C W G A
K V S O L C O H T A W S A Y
E Z L E K I Z R T G C E T F
E T T L D R N S E G L L G W
P O E R U G E G O I A C X S
Q S P L A Y E R S N S R T I
S S E A E U E R E G M I S S
Y S S A L G Q P S J H C R F
```

Puzzle #79: OF MERRIE ENGLAND

V   C

E X C D V X G D F E B Q G L N N Y

ALFRED	ROYAL	STEEL
ASCOT	RYE	TRENT
AVON	SCOTT	TROUT
BACON	SOCCER	TUDOR
BATH	SOHO	WHIG
BEVAN		
BIG BEN		
CRUMPET		
DORSETSHIRE		
EROS STATUE		
FORSTER		
GORSE		
HASTINGS		
HULL		
ISLAND		
LION		
LIVERPOOL		
LYONS		
POUND		
PRINCESS		
RHODES		

```
T N E R T S G N I T S A H R
E U T A T S S O R E O M B O
D M D J S T O O S I S E B Y
S N D O H C U V B O V W I A
N R U T R T O S L A H H G L
S E D O H R B T N I C O B O
E T Y U P X C N G O O O E O
K S E A H R S H G A Y N N P
F R V G U A I R T O R L S R
J O S M L S E T D A R Y T E
N F P F L C O H O O B S E V
S E R A C C M L F X B M E I
T E N O S S E C N I R P L L
D D S D O R S E T S H I R E
```

Puzzle #80: APPLE NAMES

ACME

ALICE

ALTON

ANNA

ARROW

ATLAS

BLAZE

BRAEBURN

CORTLAND

EARLY JOE

FUGI

GALA

GOLDSPUR

GRANNY

SMITH

GRIMES

GOLDEN

GROVE

HAWKEYE

JONAGOLD

MALINDA

MANITOBA

MCINTOSH

PAWPAW

POTOMAC

RAMBO

RED BARON

ROANOKE

SHENANDOAH

TIOGA

```
H A X E W A P W A P S G D N
A R N E A H T T D A A O L G
O P O O Z R S L S L N F O R
D O T A T A L O A W F N G I
N T L A N W L Y T S U W A M
A O A K B O H B J N G L N E
N M R O O R K A G O I T O S
E A A B N R A E W C E C J G
H C M N O A I E E K A K M O
S A D N I L A M B V E C E L
R D N A L T R O C U O Y M D
R U P S D L O G J U R R E E
B Q R N O R A B D E R N G N
H T I M S Y N N A R G V J D
```

Puzzle #81: WORDSMITHS

ASIMOV

AUSTEN

BRADBURY

BURROUGHS

CATHER

CLARKE

DANTE

DICKENS

ELIOT

FADIMAN

FITZGERALD

GARDNER

HAMILTON

HEMINGWAY

HOMER

JAMES

JOYCE

KEROUAC

LEWIS

O'NEILL

SHAW

SIMON

TOLSTOY

TWAIN

VERNE

WELLS

WYNDHAM

```
R E H T A C A V K U I N Z M
T Q C D A N T E O W A V L A
X W G Y R P R M B M E L C L
G B A A O O P M I R I L D V
E A R I U J A D N E A S L R
E H R A N H A E N R H N A S
F L C D D F N O K G E E R K
L L I N N B H E U N J K E T
E P Y O B E U O T A S C G O
W W M N T O R R M S N I Z L
I I H C U R W E Y E U D T S
S B F H U A S H U L R A I T
F Y Q B H A M I L T O N F O
C T G S A H E M I N G W A Y
```

Puzzle #82: BZZZZT!

AMPERES

ARC

BATTERY

CAPACITOR

CHARGE

CONDUCTOR

CONVERTER

ELECTRODE

FIELD

FUSES

INDUCTOR

INSULATION

```
T L S B R C O N D U C T O R
R H K E D O R T C E L E E O
F E E I S E T A F N S T X T
L L C R G U V S O I R Y R C
H U N R M O F I I E E O I U
E J A C L O T G V S T L C D
F H T T H A C N P I N S D N
C N S Y L F O O C W C A P I
Q G I U R C W A U Z A S R I
C L S E R E P M A P S T O T
O N E Y R A T J K V L N T Q
I H R S C Y N T Y K S E O S
R E M R O F S N A R T X N H
T A T S O E H R Y B Q Q S M
```

IONS

OHMS

POWER

PROTONS

RESISTANCE

RHEOSTAT

THERMO-
COUPLE

TRANS-
FORMER

TRANSISTOR

VOLTS

WATTS

L I S O Q K I M R B W E U W R B M

I

Puzzle #83: LET'S PLAY TENNIS

C

P F Q E H S I P K Y T S Z G L V T

ADVANTAGE

ALLEY

BACKHAND

BALL

BANDY

BREAK

CENTER

CHAMPION

COURT

CUP

DEUCE

DOUBLES

DRIVE

FAULT

FINAL

FOREHAND

GAME

GRIP

LINE

LOB

NET

PACE

PLAY

POINT

RACKET

RETURN

SERVE

SET

SHOT

SMASH

SPEED

STROKE

VOLLEY

WRIST

```
Y D N A B R P O I N T O Z Y
D O U B L E S D Y A L P N E
S H O T C T B V R S U I N L
V L G U O N S S E I D R O L
N L E O Q E S T P M V G I O
W D G J B C F M D E A E P V
F N A D V A N T A G E G M A
S O E L N Z L V P S P D A G
E L R T L A G L R T H A H A
R A C E T E H K V E L F C C
V N N K H S Y K A I T U O E
E I A C V A I B C E P U A X
L F O A H A N R T A R J R F
E K O R T S V D W T B B Z N
```

Puzzle #84: RED SKELTON

ACTOR

BATHOS

BUFFOON

BURLESQUE

DROLL

FABLE

FROLIC

GAIETY

GRIN

JAPE

JESTER

JOCULAR

JOKE

LARK

LAUGH

LIGHT

MADCAP

MERRY

MIRTH

PERFORM

PLAYER

PRANK

RETORT

RIPOSTE

SKIT

SNICKER

SPREE

STOOGE

STUNT

TRICK

WAGGERY

WITTY

YARN

```
W J E S T E R B U F F O O N
I J J D B U R L E S Q U E R
T H O Y R E G G A W H H T A
T S C C Y O S T O O G E N Y
Y C O A U S L J E U I G U Z
A R L K O L K L A M I R T H
R P R H R K A L T P F I S R
K Y T E I A G R E R E N E K
R A T T M L L L O K I T T N
B L I G H T B L E T O C I A
G K E A L A I E Z R C J K R
S M I D F C R Q T S K A E P
M A D C A P E R F O R M M D
R I P O S T E R E K C I N S
```

W C O X O H O S D L H S V V E M L
D

Puzzle #85: YUCK, BUGS!

M

T J U T A O W Y B V C G H S X M F

ABDOMEN	MUSCLE	VEIN
APHID	PALP	WALK
BODY	PUPA	WHISTLES
BRAIN	SCAPE	WINGS
BROOD	SKELETON	YAWING
CLAW	TIBIA	
COLOR		
CROP		
DANCE		
DENS		
DORSAL		
EGGS		
EYES		
FEEDING		
FOLD		
GILL		
HATCHING		
HEAD		
HEARTBEAT		
LEGS		
LOBE		
MANDIBLE		
MIGRATE		
MOLTING		

```
C C C W B W N O T E L E K S
X T Y O W C H D D I H P A E
I E D D L A F I A O P U P A
D Y A A I O S H S N R A K O
H E W B L G R E A T C S L H
H S I D G N N A B S L E A M
E T W E D I M R D M L E W L
T G H L E D O T O U B E S B
A N L V N E L B M S R P G P
R I B N S E T E E C A F N S
G W R L C F I A N L I A I X
I A O R O D N T P E N D W N
M Y O H J B G N I H C T A H
U P D J U L E L B I D N A M
```

Puzzle #86: POLYNESIA

ATOLLS	CORAL	ISLANDS
BREADFRUIT	FESTIVALS	ISLES
CANOES	FLOWERS	JUNGLES
CASSAVA	GROUPS	LAVALAVA
COPRA	HAWAIIANS	LEIS
		MAORIS
		MOUNTAINS
		OCEANIA
		PACIFIC
		PALMS
		PAREU
		REEFS
		SAMOANS
		TARO
		TONGA
		VOLCANO
		YAMS

```
G P A C I F I C J H S O B R
S A A T I U R F D A E R B C
F E O R S W H N M W P B C H
G R O U P S O O N A C L O V
S F E N F O A K R I G O R K
N E Y Q A N C E K I R T A A
I S J N S C U L S A V C L A
A T U A L S E I T N A A I V
T I N J T I R V T S H N J A
N V G P S O R E S O A V L L
U A L L A E L A W E N S S A
O L E M E L V L C O E G M V
M S S F S A M O S G L N A A
K I S L A N D S H N T F Y L
```

Puzzle #87: MAKE A MOVIE

ACTION

ACTORS

CAMERA

CARTOON

CAST

COLOR

COSTUMES

CREW

DAILIES

DIRECTOR

DRAMA

FILM

LINES

LOCATION

MAKEUP

MUSIC

PART

PLAN

PREVIEW

PRODUCER

PROPS

REEL

ROLES

SCENES

SCRIPT

SHOOT

SITE

SOUND

SPECTACLE

STAGE

STARS

STILLS

STUDIO

STUNTS

```
R O L E S R E C U D O R P K
S B P R O P S P U E K A M S
W L A Y E C R E W S C K V E
P T L I N E S T P I R C S N
S A J I V O D P S G C Y S E
F I R I T R I U N A L P T C
C H E T A S M T S I E I S S
O W C M L I F T A C S R C T
S I A A S N S C T C O W O S
T P D T R T O A A T O O L O
U R A U U T C I C M H L O U
M G E N T L O A T S E F R N
E C T E E S R O T C E R I D
S S E I L I A D N Z A I A D
```

Puzzle #88: DOWN AT THE MILL

ALUMINUM

BELTS

BLOCK

BRONZE

BUMPER

CEMENT

CORES

DRUM

DUCTILE

DUST

EMPTY BIN

FLUX

GATES

INSULATION

LADLE

LOAD

MANUAL

MELT

METAL

MIXTURE

MOLDS

MULLING

OVENS

PUMP

RETORT

RISERS

SMOKE

SPUR

STRAINER

TABLE

TESTING

THERMAL

VACUUM

VALVES

```
I E D E B B N S R E S I R C
P R T U M R E N O M D U O S
N U E H C P O L U V P R M X
O T M C E T T N T S E O U R
I X T P E R I Y Z S K N E M
T I R S M M M L B E J T S C
A M E O U U E A E I O G M Y
L D L L U D V N L R N E U B
U D A C K A R R T I M L L T
S M A O L F E P T A A O L G
N V E V L P L S N D C E I A
I Z E T M D E U L K M B N T
M S L U A T A E X X R B G E
E L B A T L R E N I A R T S
```

Puzzle #89: COMPUTERS

ACCOUNTS

ACTIONS

ADDITION

APPENDIX

AUTO-SAVE

BACKUP

DATA

DECK

DISKS

FEEDBACK

GAMES

GRAPHICS

HARD COPY

INPUT

INTERNET

MAINFRAME

MODEM

MONITOR

MOTHER-

BOARD

OUTPUT

PRINTOUT

SCHEDULING

SIMULATION

SPEED

TERMINAL

```
G V D R A O B R E H T O M Z
M A S I M U L A T I O N A K
A W M G R K T R C G T P U G
U S F E I N P U T K P L R S
T C H D S T T N P E U O O K
O E H A C C O U N T S P T S
S K M T R I H D O N U T I I
A C W A T D I E O T E O N D
V A I I R X C I D R N T O M
E B D H S F T O M U E I M Z
D D P P P C N I P R L E R X
A E E Q A A N I N Y D I X P
W E C R O A R E A O Y T N F
D F B K L K T G M M E L B G
```

Puzzle #90: NAME A NUMBER

ABSTRACT

ADDEND

BASE

DENOMI-

NATOR

DIVISOR

EVEN

EXPONENT

FRACTION

IMAGINARY

INTEGER

LITERAL

NEGATIVE

ODD

PERCENT

POSITIVE

POWER

PRIME

QUADRATIC

QUOTIENT

RATIONAL

REAL

SIGNED

SQUARE ROOT

TRANSCEN-

DENTAL

ZERO

```
L P R E V N L A R E T I L L
A Q O X N A S P Z V Y A W Y
T U T W E Y R A N I G A M I
N A A R E I U I N T E G E R
E D N T M R T N E I T O U Q
D R I E O N A Y L S L Z A N
N A M V S O A T R O A K D O
E T O I I S R B I P V B D I
C I N T A S I E S O N D E T
S C E A O O O G R T N O N C
N W D G X N R R N A R A D A
A L P E R C E N T E U A L R
R Q V N X F T V Z X D Q C F
T N E N O P X E E A C L S T
```

Puzzle #91: MODERN CATTLE RANCH

BARN

BRANDS

BULLS

COLTS

CORRAL

COWBOYS

DEHORN

FEED

FENCES

GATES

GRASS

HARNESS

HAY

HEIFERS

HORSES

HOUSE

JEEP

LASSO

MARES

MEDICINE

MOWER

PASTURE

ROUNDUP

SADDLES

SHED

SHOTS

STABLE

STACKS

STEERS

SWATHER

TANK

TRUCKS

WAGON

WATER

```
E T R U C K S S E N R A H P
N L I C N K M E D I C I N E
S V B R O U N D U P S S W E
W W A A M R H A S G T K S J
A B A O T O R Y T A T T J K
T S W T U S O A C T E H F B
E E F S H B H K L E J E U N
R L E C W E S O R S E L O J
B D N O J S R S R D L G Q N
R D C L G H E D X S A H L R
A A E T N O F G S W E A W O
N S S S X T I H Z Y S S E H
D M A R E S E P A S T U R E
S S A R G D H H O S R C P D
```

Puzzle #92: GETTING ONE'S GOAT

AGILE

ALPINE

ANGORA

BREED

BROWSE

BUCK

CASHMERE

CHEESE

CUD

DAIRY

DOE

DOMESTIC

FIBER

FINICKY

FRIENDLY

FRISKY

GOATS

HERDS

HIDES

HORNS

KIDS

MILK

MOHAIR

NUBIAN

PROLIFIC

ROCKY

UNGULATE

USEFUL

WILD

```
H E R D S D O G P C A W O J
W W L Q A D O G N U B I A N
O I R I E A I A L P I N E M
W O R M T B J K L B G G D K
P Y K S I R F B U O F H R U
R A E L E L B C R R Z I C N
O H O R N S K A I O A D I G
L A Y M E B E E O H W E T U
I A Y K R M N E O X Z S S L
F J Y E C D H M H X P E E A
I I E K L I U S U C F D M T
C D B Y C I N C A U B G O E
L H H E X O G I L C P S D E
S Q M H R J R A F Z E N H H
```

Puzzle #93: FURNITURE SHOWROOM

ARMOIRE

BEDS

BENCH

BOOKCASE

BUFFET

BUREAU

CABINET

CHAIR

CHARPOY

CHEST

CONSOLE

COT

COUCH

CREDENZA

DESK

DIVAN

DRESSER

HASSOCK

HUTCH

LOWBOY

OTTOMAN

SETTEE

SETTLE

SIDEBOARD

SOFA

STOOL

TABLE

TALLBOY

TEAPOY

WARDROBE

```
C O U C H A R P O Y T T B V
A Z N E D E R C O E Z A U M
H F S U J Z B B A F N B F K
C U O U E E L P B A B L F T
W F T S N L O B M U O E E H
A M H C A Y O O E W R N T T
R D H T H O T S B L I E S W
D R I X K T S O N B T E A D
R E N C O D Y R A O H T E U
O S A A E A I C H C C S E G
B S V B H A S S O C K T C S
E E I Y H S I D E B O A R D
S R D C J H U D C C Z U N M
A R M O I R E E T T E S P W
```

Puzzle #94: SOUTHERN FRANCE

ALBI

ALPS

ANTIBES

BEACH

BEZIERS

CANNES

CASTRES

CHATEAU

CURLEW

DURANCE

RIVER

ESCARGOT

FARMING

GRENOBLE

HYERES

MARSEILLE

MEDITER-

RANEAN

MENDE

NICE

NIMES

ORANGE

PEAR

PERPIGNAN

RHONE

RIVIERA

TARBES

TOULON

WARBLER

```
P E R P I G N A N Y T O R H
C S I I E D N I S T V D L F
H C A E B S M I C E S P L A
A F S Q S T C H M E B E N R
T A C M O E Y A M R L R E A
E R L U M E R I R B A L A N
A H L B R E N T O G B F C T
U O C E I L N N S R O A G I
N N S V P E E D A A N T N B
U E I E G R K W E N C U P E
O R A N G E A B E Z I E R S
Y R N L M A R S E I L L E T
Z U R E V I R E C N A R U D
C N A E N A R R E T I D E M
```

Puzzle #95: PLYMOUTH COLONY

ALDEN

ANNE

ARGALL

BARKER

BOMPASS

BOSTON

BROWNE

CARPENTER

COOMBS

COOPER

DINGBY

EATON

ELDER

GIRLING

GOODMAN

GOTT

HOOPER

HUNT

LATHROP

MINTER

MORTON

PERGRINE

PITT

RAWSON

RIGDALE

SAYE

SCROOBY

SMYTH

STANDISH

TENCH

TINKER

TURNER

WEST

```
S U E C A R P E N T E R M S
A S F O E P A S C R O O B Y
P N A K P L J R E B R M R B
U O N P D X A D R T O E R A
K I R E M W G O O O P E G R
T E N H S O W N C O N I E K
P L C O T N B S O R R P B E
E A N T E A M H U L O E O R
R D T O A Y L T I O Y L S E
G G S T T R A N C C B D T T
R I E H I A G S Y T G E O N
I R W U A P E A O M N R N I
N A M D O O G Y L C I U S M
E S T A N D I S H L D Z H C
```

Puzzle #96: IN THE SWING

ACE

AIM

ANGLE

BALL

BUNKER

CART

COURSE

DOGLEG

DRAW

DRIVE

ELEVATION

FADE

FLAG

FRINGE

GIMME

GOLF

GREEN

HACKER

HAZARD

HOLE

IRONS

LOFT

PAR

PATH

PIN

PRACTICE

ROUGH

ROUND

STANCE

SWING

TEE

TOURNAMENT

WEDGES

WOODS

```
E C I T C A R P W Z W H G U
W X G E L G O D E O A M M E
E D A F G A L F O C Z A V Z
D B U N K E R D K G A I O T
G N I Q E T S E L U R M C O
E W S T S F R T L D Y S F U
S P I N N O I T A V E L E R
A F O W D L G F B N C H U N
G R R G H R L P G O C G G A
I I O H E O F A U M C E H M
M N U E G U L R H U X A D E
M G N T F U S E Y T H R R N
E E D E Y E O H A Z A R D T
E L G N A X K R K W H P A A
```

Puzzle #97: MEDITATION

AWARENESS

BREATH

CLEAR

CONSCIOUS

COUNT

CROSS-

   LEGGED

CUSHION

DEPTH

EGO

ENERGY

GURU

HIGHER

INSIGHT

LEVEL

LIGHT

LOTUS

MIND

NOW

OBSERVE

PURPOSE

REALIZATION

RECEPTION

SIT

SPINE

SURRENDER

TEACHER

TECHNIQUE

THOUGHT

WIDEN

```
D E G G E L S S O R C Y G T
R C U S H I O N Y P A D Y E
S E J O M Z T V U A S G N C
W H H I G H E R W R R L N H
O I N C G E P A N E S Z O N
H D D I A O R O N D U D I I
S T L E S E I E R N O E T Q
U G A E N T T L A E I P A U
T L F E P U E L E R C T Z E
O B S E R V E N L R S H I W
L S C U E B I F C U N W L S
O E G L L P X I B S O G A L
R V I N S I G H T N C C E I
R C O U N T H G U O H T R W
```

Puzzle #98: THE OFFICE

BOOKCASE	CLIPS	ERASER
CALCULATOR	CLOCK	INTERCOM
CHAIR	COMPUTER	KITS
CHALK	DESK	LABELS
CLASP	DICTIONARY	LAMP

LOCKER

ORGANIZER

PAPER

PASTE

RACK

RULER

SCALES

SCREEN

SOFA

SORTER

STACKER

STAND

STICKERS

STOCK

TRAY

```
A J E F C J W M J R D T K F
R Y N H C S O K R R E E E G
I B A H C C C E T E R P S J
K L A R R O L Q P Z W A A K
K I E E T U R W N I A P C P
R E T S R E E S P N M F K K
N N E S K R T S T A N D O C
I K R C P A K L L G S X O S
C N O S C S R L F R Z T B S
L L A K L E T U F O J A E C
O L E E T R E T U P M O C A
C R B R O T A L U C L A C L
K A O Y R A N O I T C I D E
L S C L I P S T I C K E R S
```

Puzzle #99: BIBLE WOMEN

ABIAH

ADAH

ALMUG

BERENICE

BILHAH

CAMPHIRE

CHLOW

COZBI

DINAH

HANNAH

HELAH

JAEL

JULIA

LEAH

LYDIA

MAACHAH

MARA

MARTHA

MARY

MEHETABEL

MERAB

MIRIAM

NAARAH

PHOEBE

RAHAB

REBECCA

RHODA

RUTH

SALOME

SARAH

SHIMRITH

TAMAR

ZILLAH

```
B H A H C A A M V W P M R M
R R A I J R R Z M I R I A M
U E D E D A L I A H T R A M
T B O H L Y E L B H Y G M R
H E H A A B L L D Z D R A B
A C A R D N A A G I O M R E
R C L A O S N H N U A C A R
A A E A H I A A A T M M I E
S B H N R M H L H R P L H N
B I L H A H E I O X H C A I
E A I L U J T R M M O H D C
N H R M E H E T A B E L A E
E S H I M R I T H B B O A C
O Z I C A M P H I R E W G Z
```

ABLE	BRAVE	FIGHTER
ANTI-SLAVE	CANDID	FINE
ARMY	CAPTAIN	FIRM
BLUNT	COMPROMISE	GENERAL
BOLD	FAIR	HERO
		HONEST
		INDIANS
		LIEUTENANT
		LOYAL
		OFFICER
		ONE SON
		POLK
		SARAH
		SHORT TERM
		SOLDIER
		THURLOW
		WEED
		VAN BUREN
		WHIG

```
K J U F R E C I F F O O V C
I H R E T H G I F I R K A A
B A T V A N B U R E N P B M
R R E I D L O S H D T E C K
L A Q V G E N E R A L T L S
I S S Q E O D X I M S O K H
E V A L S I T N A E P N B O
U W B E D L F T N U L B B R
T A N N Y A U O J W F M X T
E O A M I Y H B W I H L C T
N C R R C O M P R O M I S E
A A R N M L C M D A K X G R
N S N A I D N I Y C V F D M
T X T H U R L O W W E E D E
```

Puzzle #101: BILLS

ADVANCE

BANKER

BEARER

BLANK

BROKER

COMMERCIAL

CREDIT

DEMAND

DISCOUNT

DOCUMEN-

   TARY

DOLLAR

DUE

EXCHANGE

FINANCE

FOREIGN

INTERNAL

INVESTMENT

LADING

ORDER

PAPER

PARTICULARS

PAYMENT

PROPERTY

SALE

TRADE

TRANSFER

```
U P A R T I C U L A R S D D
P A Y M E N T U Y P R N R O
O B D X K P S F T P A T Y C
C R F V D W A L R M L R A U
O O D O A T A P E F L A D M
M K V E R N R D P E O N I E
M E T A R E C C O D D S S N
E R D E K B I E R B U F C T
R E T N L B E G P E I E O A
C N A A E Y N L N N D R U R
I B N A F E U U A I B I N Y
A K R R G D Z N K S D L T V
L E G N A H C X E X X A K J
R G I N V E S T M E N T L L
```

Puzzle #102: DINNER PARTY

APPETIZER

BANQUET

BUFFET

CANDLES

CHINA

CUPS

DESSERT

FISH

GOBLETS

GUESTS

HOME

HORS

D'OEUVRES

HOSTS

INVITATIONS

KNIVES

MINTS

NAPKINS

PLATES

RESTAURANT

SALAD

SAUCERS

SERVICE

SILVERWARE

SPOONS

TABLECLOTH

TUREEN

WINE

```
K S Q C Y A S D V C X B W K
N Q P H H E P B E S H B O N
I D O O T E U P I S H I V G
V M S A O F C L E T S I N I
E T L N F N V I O T N E J A
S P C E I E S L V V I Z R S
G H T A R K C R I R J Z S T
O D S W N E P T E M E T E U
B N A I L D A A I C S S W R
L R T B F T L N N E U I S E
E C A F I Q T E U Q N A B E
T T W O C S O G S E L H S N
S Y N K T N A R U A T S E R
S S E R V U E O D S R O H A
```

Puzzle #103: IN A BRIEFCASE

ACCOUNTS

BAG

BILLS

BOOK

CARDS

CASE

CLIPS

DICTIONARY

ENVELOPE

ERASER

FILE

FOLDER

GRAPHS

KEYS

LEDGER

LETTERS

LOCK

MAGAZINE

MAIL

MARKER

NOTES

PAPERS

PENCIL

PICTURES

PLANS

RECORDS

REPORT

RUBBER BAND

RULER

SCHEDULE

SNACK

```
R E K R A M L I C N E P B E
K E Y S T S E R U T C I P C
R A C P K C O L P E L O C H
K E V O M H L P R L L C A W
R R G A R E N S S E A M R T
K U I D T D E T V S S N D R
C L B T E U S N E E W A S O
A E E B J L E U I K G S R P
N R B O E E O O Q Z R A W E
S E T O N R S C H E A H B R
F O B K D P B C P R P G N W
D I C T I O N A R Y H T A D
R A L L P O P R N N S V E M
B X C E I X F O L D E R K K
```

Puzzle #104: THE SWIMMING HOLE

BANKS

BEAVER

COOL

DARE

DIPS

DIVE

DUNK

FINS

FISH

FLOAT

FROGS

GLEE

GRASS

HOLE

JUMP

KICK

LOUNGE

MUSKRAT

POND

QUARRY

RAFT

REEDS

REST

SHOUTS

SPLASH

STONES

STUNT

STYLE

SUBMERGE

SUMMER

SWIM

SWING

TREE

TRUNKS

WADE

WARM

WATER

```
S S K N A B E G R E M B U S
F S P J R L E L F L J C S F
T E T I U E A I O T O P R Q
A F G Y D M S O D H L O U K
R S A N L H P T E A G A C R
K T L R U E X R S S R I R W
S O E D N O P H E R K E A R
U N T D T W L S Y M D R A E
M E H R A Y L W O T M I X V
I S E T U W K I A H A U V A
W E E L V N T N U T S O S E
S R K R G E K G U Y U N L B
W D B W G R A S S D V N I F
G A K S H O U T S D E E R F
```

Puzzle #105: STOCK EXCHANGE

ANALYST

ASSETS

AVERAGE

BASIC

BENEFIT

CALLS

CHART

CREDIT

DISCOUNT

EARN

EXCHANGE

FUND

GAINS

INTEREST

INVEST

MARGIN

MARKET

MUTUAL

PRINCIPAL

PROFIT

RETURNS

RISK

SALE

SHARES

STOCKS

TRADE

TRENDS

```
N S V C A L L S N R U T E R
F H G X D S M U T U A L R S
I A W T T A P R O F I T E
D R R E I V F E Z N C S Z D
X E S D E A U E L B E K H Q
T S E R E T N I A V H T S C
A R A Y F Z D S N R M L H T
C G A I Z G I I J F N A N A
E G N A H C X E M S R U K N
T S N I G R A M N T O S C A
R R A G E P R I N C I P A L
G R A L W T A B S R H W A Y
U E A D E G T I F E N E B S
K Y T R E N D S M A R K E T
```

Puzzle #106: THAT'S MY BOY

ADAM	DAVE	JASON
ANTHONY	DICK	JED
ART	GENE	JEFF
BILL	GEORGE	JEREMIAH
BRUCE	GREG	JIM
BURT	HARRY	JOEL
CHARLES	JACK	JOHN

```
M I D H K L G A Z J O H N A
M G Y C O E Z T R U B A H N
Z U I T R O J L S T E R A T
I D R G J N U I A J C R I H
T J O E L A J P M O U Y M O
O W Y X P R C T U S R K E N
M H A R W D R K E H B Y R Y
A S T E V E E G L U D W E M
D L N F B L R J R A B J J A
A E F O U O G L V E A I T I
G E R K E O A E T S T I L L
J K E G W R L A O H M E G L
X I M A R K T N E B U R P I
W M E Y O C H A R L E S K W
```

JOSHUA
KEN
LARRY
LEONARD
LOU
LUKE
MARK
MIKE
PAUL
PETER
ROBERT
ROY
RUBEN
SAMUEL
STEVE
TATE
TIM
TOM
WILLIAM

AQUARIUS

ARIES

CANCER

CAREER

COSMIC

CURIOUS

DATA

FAVORABLE

FORCE

FUTURE

GEMINI

LEO

LIBRA

LOYAL

MARS

MOOD

MUSIC

NATURE

NEAT

PISCES

SCORPIO

SINCERE

STAR

TAURUS

TRAITS

TRAVEL

VENUS

VIRGO

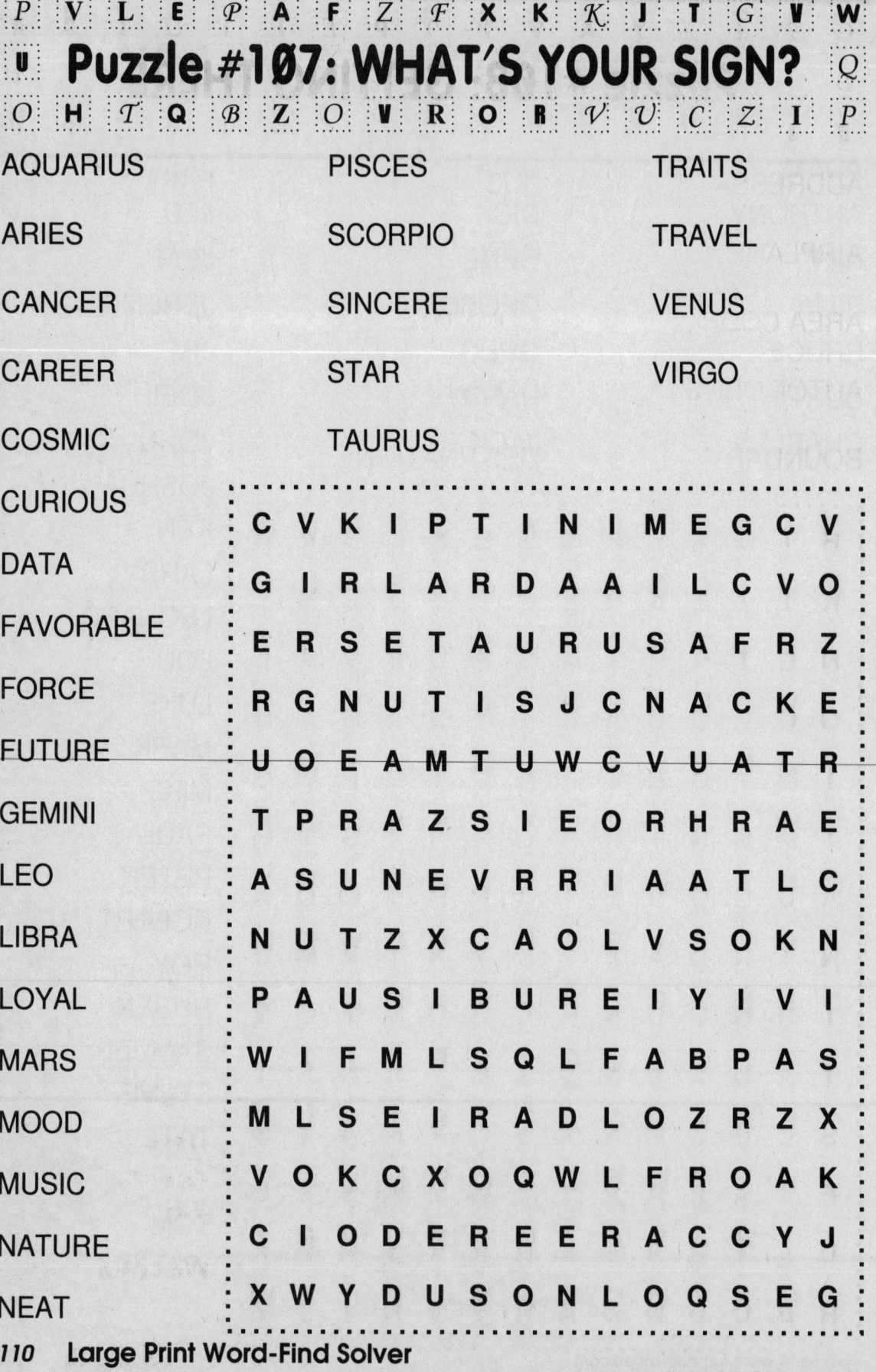

```
C V K I P T I N I M E G C V
G I R L A R D A A I L C V O
E R S E T A U R U S A F R Z
R G N U T I S J C N A C K E
U O E A M T U W C V U A T R
T P R A Z S I E O R H R A E
A S U N E V R R I A A T L C
N U T Z X C A O L V S O K N
P A U S I B U R E I Y I V I
W I F M L S Q L F A B P A S
M L S E I R A D L O Z R Z X
V O K C X O Q W L F R O A K
C I O D E R E E R A C C Y J
X W Y D U S O N L O Q S E G
```

Puzzle #108: GETTING THERE

ADDRESS

AIRPLANE

AREA CODE

AUTOMOBILE

BOUNDARY

BUS

CITY

COMMUTE

COUNTY

DESTINATION

FARE

GAS

HITCHHIKE

LICENSE

LUGGAGE

```
H T M I L E S S E R D D A W
K I T E S N E C I L J L H L
N C T K R T A E P D B V A L
O O F C U A D V Y B A R A U
I M I O H T F A U T U P U G
T M R N I H R Q R R I S T G
A U C C U E I A P R T C O A
N T K O A E I K T R T E M G
I E G C U N R L E O M T O E
T A O A U N G E E Y W N B T
S D E Z M R T S C V K A I S
E X K E A H T Y W Z A S L D
D A I R P L A N E K I R E K
R B O U N D A R Y V H I T Z
```

MAP

MILES

REUNION

ROUTE

RURAL

STREET

TICKET

TRAIN

TRAVEL

TRIP

TRUCK

VAN

VISIT

WALK

ALLARD

BADER

BAILEY

BAZLY

BOOTH

BOUCHIER

BRAND

CAREY

CORK

DAVIES

DOWDING

EDSALL

ELLIS

FERIC

GARLAND

GOWERS

GRACIE

GRAY

GRICE

HAMILTON

HARDIE

HAYES

HEARN

HULL

HUNTER

NICOLSON

NORMAN

PAGE

PARK

PEEL

SAUL

THOMAS

TOWNSEND

TURNER

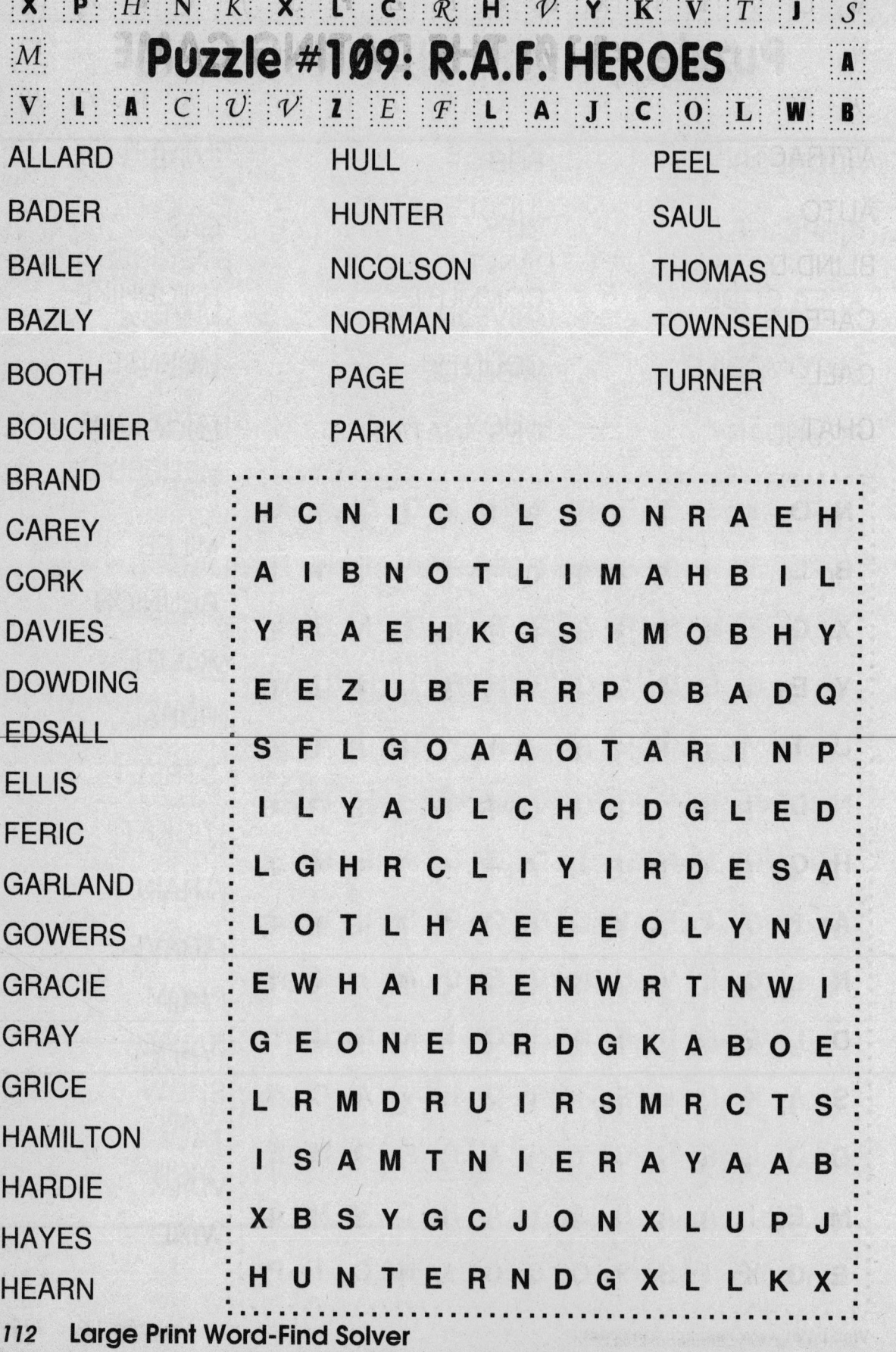

```
H C N I C O L S O N R A E H
A I B N O T L I M A H B I L
Y R A E H K G S I M O B H Y
E E Z U B F R R P O B A D Q
S F L G O A A O T A R I N P
I L Y A U L C H C D G L E D
L G H R C L I Y I R D E S A
L O T L H A E E E O L Y N V
E W H A I R E N W R T N W I
G E O N E D R D G K A B O E
L R M D R U I R S M R C T S
I S A M T N I E R A Y A A B
X B S Y G C J O N X L U P J
H U N T E R N D G X L L K X
```

Puzzle #110: THE DATING GAME

ATTRACTIVE

AUTO

BLIND DATE

CAFE

CALL

CHAT

COUPLE

CUDDLE

DANCE

DRIVE IN

EMBRACE

ENJOY

ENTREE

ESCORT

EVENING

GAME

GIRL

HANDSOME

IMPRESSION

KISS

LIKE

MENU

MOVIE

MUSIC

NERVOUS

OPERA

PARK

PARTY

PICNIC

PROM

SALAD

SHOW

TALK

WALK

WINE

```
N O I S S E R P M I O G A E
B L I N D D A T E P W T K N
X Q E M B R A C E F T I S I
Y E E E M A G R N R L H U W
U T V E A E A C A Y O J N E
N D R E F U O C M W S F E S
H Q R A N U T Q Z U A E M S
A I C I P I C O O D S L S E
N L Q L V U N V E C A I K N
D L E E D E R G O I K N C T
S A K D L E I R D L V A C R
O C L R N C T N A P R O M E
M E I A A D J T A H C N M E
E G K I S P O C C I N C I P
```

ALASKA

BITS

BLOCK

BOAT

BOOM

BOSS

CABLE

CHARGES

CLAMP

DAMS

DATA

DECK

DERRICK

DOME

EFFORT

FAULT

FIND

FLUID

GASES

LANDS

LOGS

MACHINE

MAPS

METAL

OKLAHOMA

RACK

REPORT

RIGS

RISK

ROTARY

ROUSTA-
BOUTS

SEAL

SEAS

SHALE

SLAKED

STACK

STAND

TEST

TUBE

WILDCAT

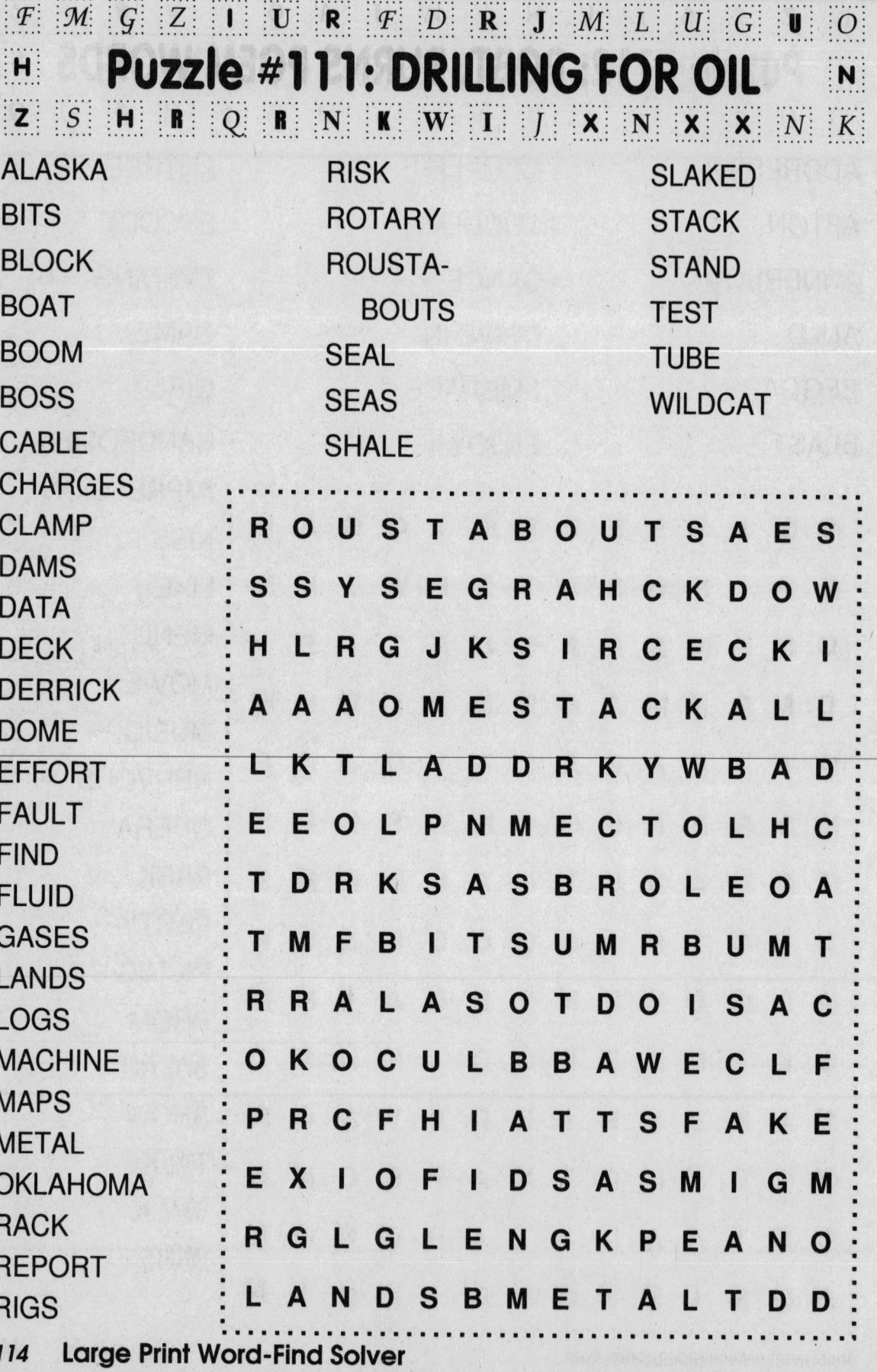

```
R O U S T A B O U T S A E S
S S Y S E G R A H C K D O W
H L R G J K S I R C E C K I
A A A O M E S T A C K A L L
L K T L A D D R K Y W B A D
E E O L P N M E C T O L H C
T D R K S A S B R O L E O A
T M F B I T S U M R B U M T
R R A L A S O T D O I S A C
O K O C U L B B A W E C L F
P R C F H I A T T S F A K E
E X I O F I D S A S M I G M
R G L G L E N G K P E A N O
L A N D S B M E T A L T D D
```

Puzzle #112: ROBT. BURNS POEM WORDS

ADDRESS

AFTON

ANDERSON

AULD

BEGGARS

BLAST

COTTER'S

DOCTOR

DOOR

DRINK

FOND

GENTLE

GREEN

HAGGIS

HALLOWE'EN

HOLY

JOLLY

LAMMAS

LANGE

LASS

LOOF

MAILLIE

MARRY

MOUSE

MY JEAN

MY JO

OPEN

RASHES

SCOTCH

SWEET

SYNE

TWA DOGS

VISION

WINE

YOUNG

```
S L R N N O S R E D N A P T
G A H S E N Q N D A F T O N
O M A R G P Y C Y S E L R S
D M L E N S O R W S O M O C
A A L T A A R E U O Y D T O
W S O T L A E O F N T L C T
T Q W O M T M J O O E N O C
S B E C J S V E Y D N E D H
A X E H G Y E I I M I D R G
L A N G A E M H S L W X N G
B U N K G G N G S I L U X U
Y L L O J A G T A A O I F N
N D R I N K R I L Y R N A M
N A D D R E S S S S E H I Y M
```

Puzzle #113: ANATOMY LESSON

A

ANKLES

ARTICULAR

AXILLA

BACK

BONES

BRAIN

CELLS

CHEEKS

CILIA

EARS

ELBOW

ENAMEL

EYES

GLAND

HAIR

HANDS

LARYNX

NERVES

NOSE

PATELLA

PLASMA

RETINA

RIBS

SCIATIC

SPINE

STOMACH

THUMB

TIBIA

TUBES

ULNA

VALVES

VERTEBRA

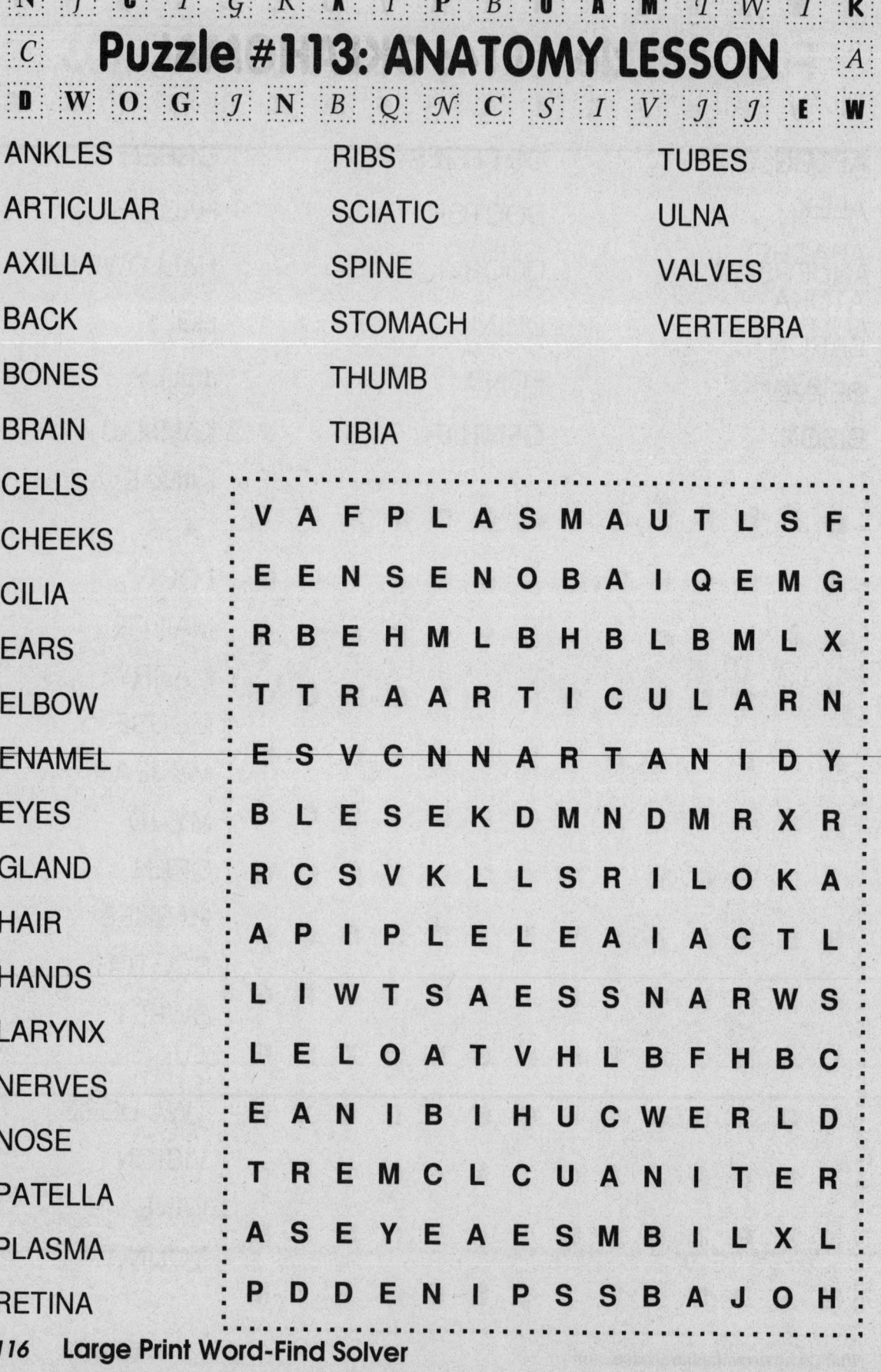

```
V A F P L A S M A U T L S F
E E N S E N O B A I Q E M G
R B E H M L B H B L B M L X
T T R A A R T I C U L A R N
E S V C N N A R T A N I D Y
B L E S E K D M N D M R X R
R C S V K L L S R I L O K A
A P I P L E L E A I A C T L
L I W T S A E S S N A R W S
L E L O A T V H L B F H B C
E A N I B I H U C W E R L D
T R E M C L C U A N I T E R
A S E Y E A E S M B I L X L
P D D E N I P S S B A J O H
```

E W A B S R N Y I T O U O U B M V

L F

Puzzle #114: OKLAHOMA!

S Y G M R Y I G H C V C M Z C L C

AFTON
ALEX
APACHE
ATOKA
BARON
BEAVER
BISON

CHOUTEAU
COLE
CORN
DELA
DOVER
DUKE
DUNBAR

DURANT
ELMER
ENID
FARGO
FELT
FLINT
GAGE
GUTHRIE
HESS
HOBART
HOWE
HUGO
INOLA
LODI
LOYAL
MIAMI
MUSE
PAGE
PRYOR
ROSE
RYAN
SHARON
VICI
VINITA
WAYNOKA
ZENA

```
C H O U T E A U D U N B A R
N J D L A P A C H E T A U B
O R E O G D O V E R C R E V
R F O M I A M I A V O O N I
A X F C F D K B H X L N I N
H U E A E R O O R A E E D I
S L R L O H W O T K G L E T
I G A Y M E S B U A B S A A
O C R Y I E G D G I U Z N P
G P I N O F R A S M H E S S
U R O V T L L O P I Z A V O
H L A F T O N I D U R A N T
A K O N Y A W O N A Y R P C
B E A V E R L G U T H R I E
```

Puzzle #115: KEEPING PETS

BALL

BIRD

BOWLS

CAGE

CAT

DIET

DINNER

DOG

FEED

FOOD

FROG

GERBIL

GROOM

HAMSTER

HARE

LEASH

LICENSE

LITTER

LIZARD

NAMES

NIBBLE

RABBIT

SEEDS

SHED

TAG

TAIL

TAME

TEACH

TEETH

TOYS

TRAIN

TURTLE

WALKS

YARD

```
H S L W O B D O G T D F B W
A E K W C J L O J T E G I E
M T L L P T R I A I R I R L
S N E B A F I I B O C A D T
T D A E B W L B O R H L B R
E R E T T I L M B R E E L U
R N F E C H N F E A N G I T
A M F E S X O N S R R T Z V
N U N E V O N H H N C R A A
K S M C D I N E I C E B R C
E A F B D D R A Y A A G D T
T W H E V F R D M L K E A E
O S H D E T U R L E Y G T C
U S T W U D S V I K S Y O T
```

Puzzle #116: A PAINTER

ARTIST	CROWN	HAIRLINE
BROW	DRAW	JAW
BRUSH	EASEL	KNIFE
CANVAS	EYES	LIGHT
CHIN	FOREHEAD	LIPS
COLOR	FRAME	MODEL

```
E N I L R I A H C J W H H Y
R W C W N E S O N D O A C B
E O S O N E C T A S R C J T
N R S O L A C E I N B H S A
N C T L N O H K Y N Q I R O
I W X V I E R V H E T N E R
H A A J R O S E R R S T D H
T S T O G H J H A O O K L T
H H F G S F H S A S U W U C
G F W U R K C K P D E G O M
I E R A N S T U D I O L H O
L B M I R I E S O P L W S D
L E F Q P D K P A L E T T E
Y E L I M S S S P A S T E L
```

NECK
NOSE
OILS
PALETTE
PASTEL
POSE
ROUGH
SHADOW
SHOULDER
SKETCH
SKIN
SMILE
STUDIO
THINNER
THROAT
TINT
TONE
WASH

Puzzle #117: MOROCCO BOUND

X

AGADIR

ARABIC

ATLAS MTS.

BERBER

CAMEL

CASBAH

COUSCOUS

DJELLABA

FEZ

GOAT

HEAT

HENNA

IMAM

ISLAM

KABOBS

LEATHER

MARRAKECH

MEDINA

MOOR

MUTTON

OASIS

OUJDA

RABAT

RIF MTS.

SAFI

SAHARA

SHEIK

SPANISH

TAZA

TETOUAN

TUAREG

TURBAN

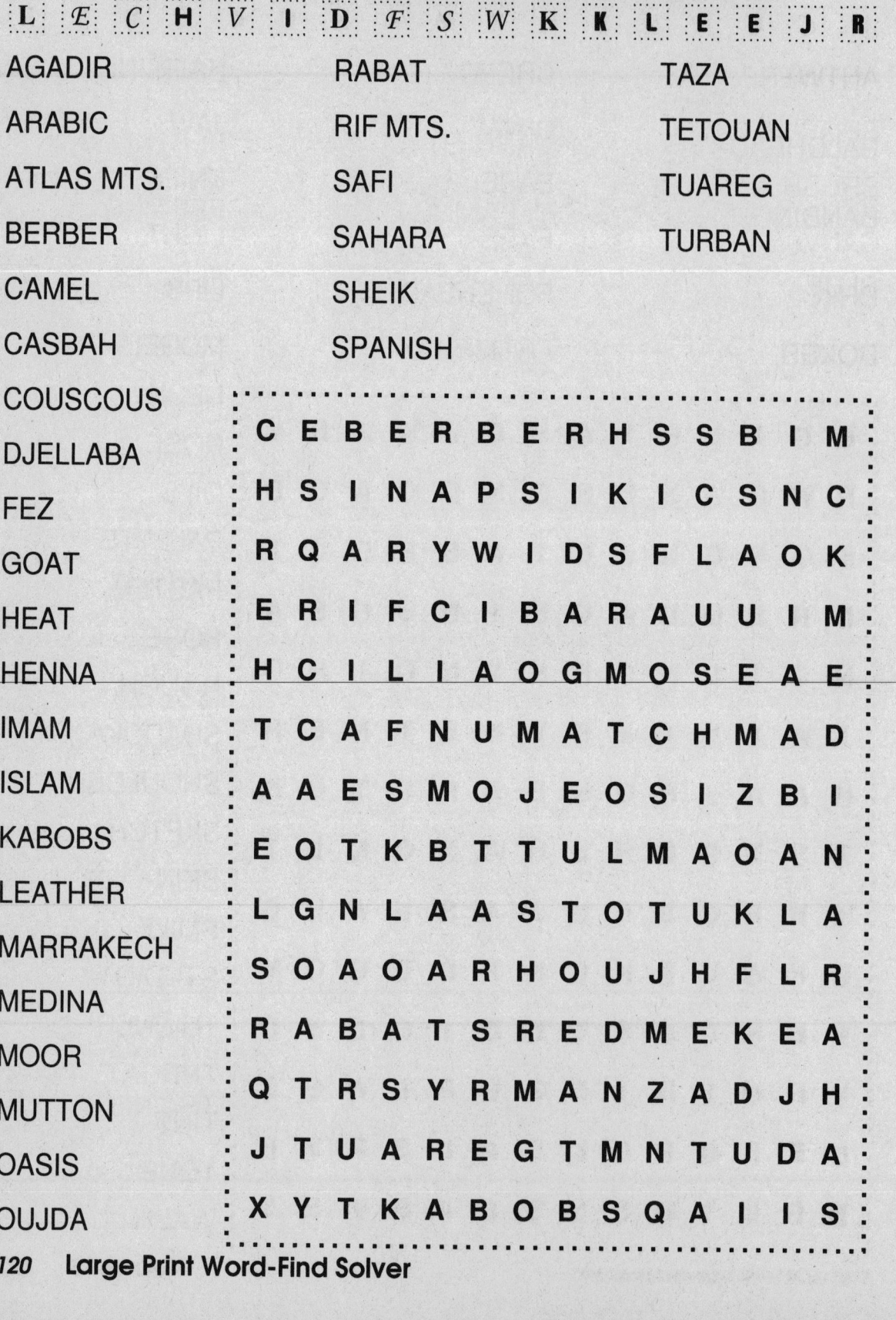

```
C E B E R B E R H S S B I M
H S I N A P S I K I C S N C
R Q A R Y W I D S F L A O K
E R I F C I B A R A U U I M
H C I L I A O G M O S E A E
T C A F N U M A T C H M A D
A A E S M O J E O S I Z B I
E O T K B T T U L M A O A N
L G N L A A S T O T U K L A
S O A O A R H O U J H F L R
R A B A T S R E D M E K E A
Q T R S Y R M A N Z A D J H
J T U A R E G T M N T U D A
X Y T K A B O B S Q A I I S
```

Puzzle #118: RAISING PIGEONS

X Q V W O L C E G N N T Q V E L N
B   C
A G U N D T H V M W N E C U X T X

ANTWERP	BREEDING	EGGS
BALDHEAD	CARRIER	FEATHERS
BANDING	CLEANING	FEEDING
BLUE	COOPS	FLIGHTS
BOXES	CROWNED	FLYERS

HOBBY
HOUSING
LOFTS
MATING
MESH
MOLTING
NESTS
PENS
PERCHES
PLUMAGE
STOCK
TAMING
TRAINING
WATER

```
G G C X F X C L E A N I N G
N N K R L L M O L T I N G C
I I I C O J Y A Q P X N O A
D N R M O W N E M R I O S S
N I E M A T N E R T P R N T
A A I K W T S E A S E E E H
B R R E B H F M D H P G Y G
H T R S R E N A T N A N A I
I P A C E N E A Y M E I J L
S G C D E H E R U B E S U F
K G I C D F C L E H B U T R
Y N G L I A P R S T F O L S
G F A E N B O X E S A H H B
D B T T G G Y I D P W W X T
```

Puzzle #119: SATURDAY MATINEE

ADS

AISLE

BALCONY

CANDY

CARTOON

CASTLE

CHASE

CHEERS

COPS

COWBOY

DARK

EXIT

FILM

GANG

HERO

KIDS

MANAGER

MOVIE

NOISY

PICTURE

PIRATES

POPCORN

PRIVATE EYE

REEL

RUSTLERS

SATURDAY

SCREEN

SEAT

SERIAL

SNEAK IN

STARS

THE END

USHER

VILLAIN

WESTERN

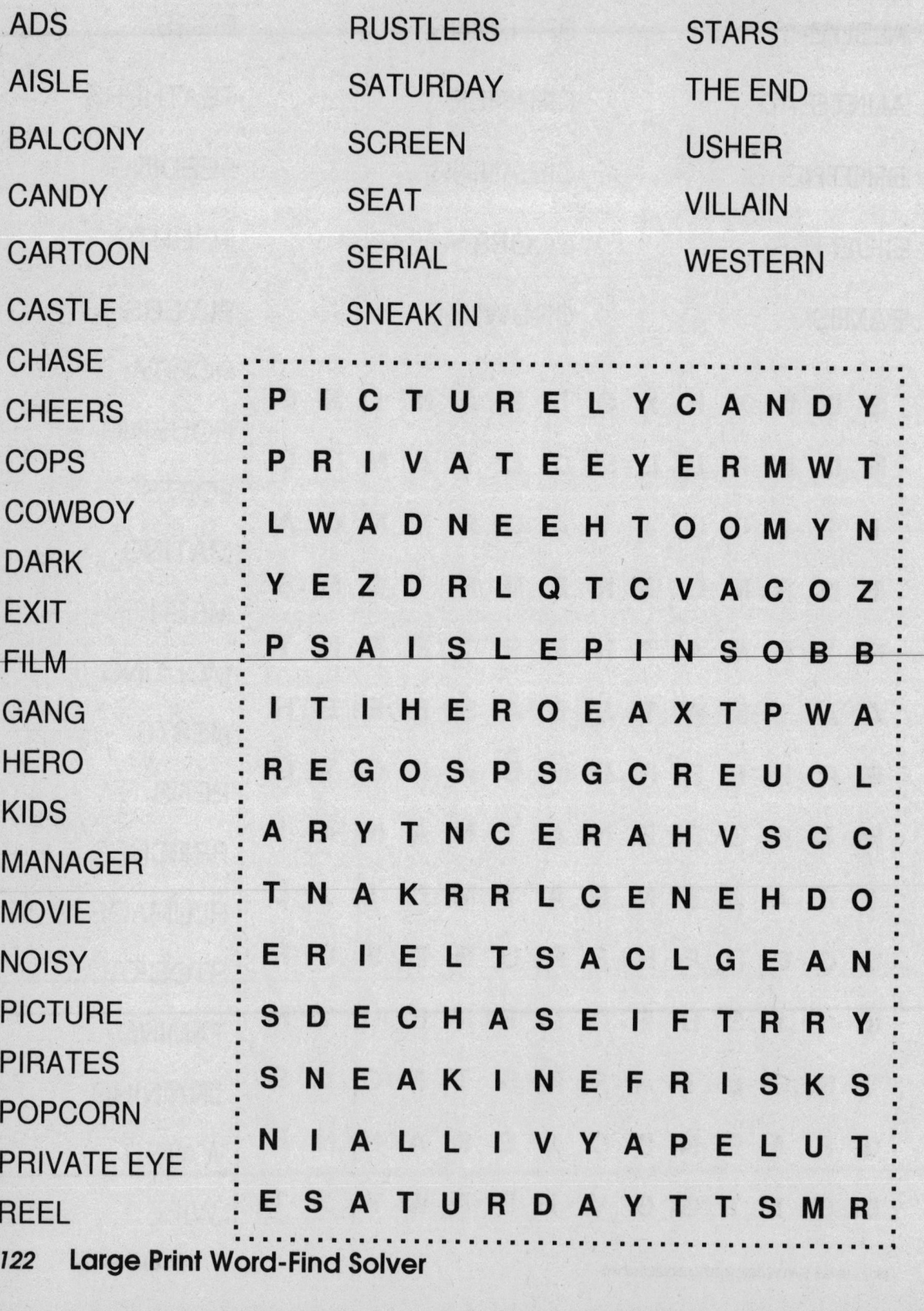

```
P I C T U R E L Y C A N D Y
P R I V A T E E Y E R M W T
L W A D N E E H T O O M Y N
Y E Z D R L Q T C V A C O Z
P S A I S L E P I N S O B B
I T I H E R O E A X T P W A
R E G O S P S G C R E U O L
A R Y T N C E R A H V S C C
T N A K R R L C E N E H D O
E R I E L T S A C L G E A N
S D E C H A S E I F T R R Y
S N E A K I N E F R I S K S
N I A L L I V Y A P E L U T
E S A T U R D A Y T T S M R
```

Puzzle #120: FAMILY REUNION

ALBUM

AUNTS

BROTHERS

CHATTER

FAMILY

FATHER

GRANDMA

GRANDPA

HUSBAND

IN-LAWS

KIDS

LIFE

MEALS

MOTHER

NEWS

NOSTALGIA

PARENT

PARTY

PATIO

PICTURES

REMEMBER

SING

SISTER

TABLE

TALK

TALL TALES

TEARS

TOTS

TWIN

WIFE

```
S R V Y C P L M H S S C M K
R E H T A F A U E W I O L N
E T M E A L S R E T T A H C
H S Y U S B U N T H T G Y I
T I N B A T I D E Y R P N A
O S S N C W O R L A A L I T
R L D I T U F T N R A G A A
B M P S N A A D E W L E P L
T F O D M G M N S A I D X L
A A D I V A T Y T F N F X T
B L L K T K U S R A E T E A
L Y B T F A O N R X K O K L
E O R U Q N P G T S L I F E
R E M E M B E R H S W B P S
```

Puzzle #121: FASCINATING OCEAN

ABALONE

ALGAE

BANK

BAYS

CERO

CLAM

CONCH

COPEPOD

CORAL

CRAB

CURRENT

CUSK

DRIFT

EDDY

KELP

LARVA

MEDUSA

MINERALS

PLANKTON

POOL

REEF

ROCK

ROLL

SEASHORE

SHARK

SHRIMP

SPONGE

TRENCH

TSUNAMI

TUNA

UNDERSEA

URCHIN

WAVE

WHALE

WHELK

```
F L L O R J A B A L O N E U
K R G O C R A B L N C A M R
C E F S O K C P A O U I Y Y
O E L W T P Y U N Y N T D H
R F A P T S C C R E S D D D
A V T I S H H U R R E B R O
E A S U D E M A S O E A I P
S E U K O A L S R K W N F E
R L N L L S P E Z K L K T P
E A A C Z O C A L G A E M O
D H M R N I H C R U L I H C
N W I G V T H C N E R T X W
U G E L S A E R O H S A E S
N O T K N A L P S C O R A L
```

Puzzle #122: GETTING INTO PRINT

BASE

CASE

CHASE

COPY

FEED

FOLIO

FORM

FRAME

GOTHIC

GUIDE

HALFTONE

INTAGLIO

ITALIC

LETTER

LEVER

MAKEUP

MIMEOGRAPH

MOLD

PLATE

PRESS

PRINT

QUOIN

RELIEF

ROLLER

ROMAN

SCREW

SHEET

SHOP

SLUG

SORT

STICK

TEXT

TYPE

WORDS

XEROX

```
R O L L E R R C H M S P M O
T T C A S E I S P W R L F I
R E N P L L P L A T E O U L
E M X I A X E E R H L C F G
T R E T R M O D G I F O B A
T F I C A P N R O E T P D T
E S O R T M A K E U P Y S N
L W F E I D M D M X Y T P I
T P R E S S O J I S I O Q E
W E R C S A R C M C H U D S
B L E V E R B H K S O I A D
G O T H I C A A L I U F L R
V V I O S W S S N G H O D O
H A L F T O N E U O M F V W
```

Puzzle #123: LEMON MERINGUE PIE

BAKE

BLEND

BROWN

BUTTER

COMBINE

COOK

COOL

CREAM OF
TARTAR

CRUST

EGG WHITES

FLAKY

FLOUR

FLUFFY

FROTHY

LEMON JUICE

MEASURE

MILK

MIX

PEAKS

PIE TIN

POUR

PREHEAT

RIND

ROLL OUT

SALT

STIFF

STIR

SUGAR

THICKEN

VANILLA

WATER

WHIP

WHISK

YOLKS

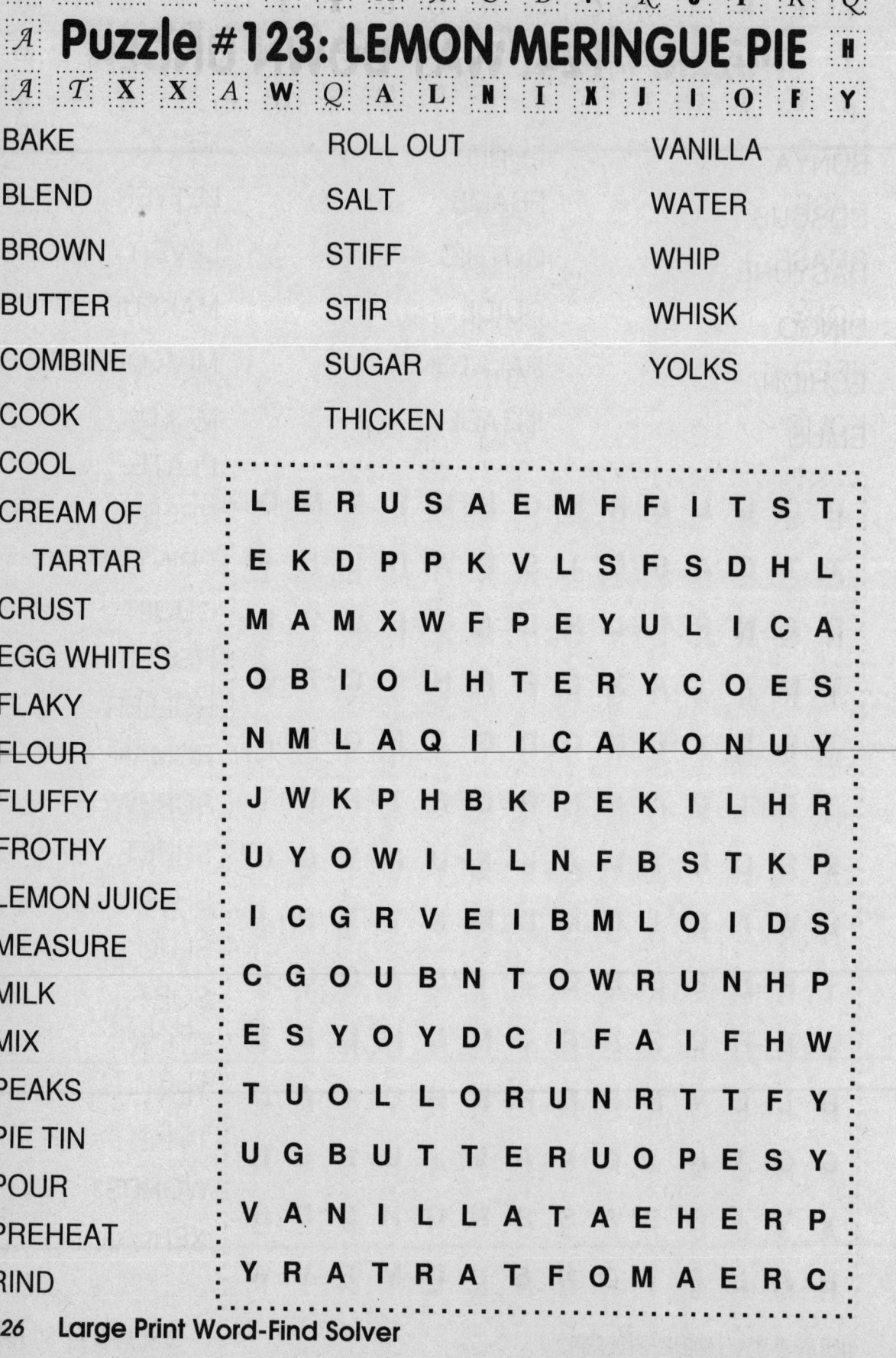

```
L E R U S A E M F F I T S T
E K D P P K V L S F S D H L
M A M X W F P E Y U L I C A
O B I O L H T E R Y C O E S
N M L A Q I I C A K O N U Y
J W K P H B K P E K I L H R
U Y O W I L L N F B S T K P
I C G R V E I B M L O I D S
C G O U B N T O W R U N H P
E S Y O Y D C I F A I F H W
T U O L L O R U N R T T F Y
U G B U T T E R U O P E S Y
V A N I L L A T A E H E R P
Y R A T R A T F O M A E R C
```

Puzzle #124: WAY DOWN UNDER

BUNYA

CUSCUS

DASYURE

DINGO

ECHIDNA

EMUS

EURO

GALAH

GUMS

IRONBARK

JARRAH

JOEY

KAKA

KAKI

KANGAROO

KARRI

KAURI

KOALA

LORIKEET

LUNGFISH

MALLEE

MOLOCH

MULGA

MYALL

NUMBAT

PARROT

PIPI

RABBIT

SNAKES

TERMITE

TORTOISE

WOMBAT

YARRAN

```
E J P S K R A B N O R I M T
C C A R E L N K W O M B A T
H G R R L K O U A K P F L X
I K R W R G A R M K J C L L
D A O M N A D N I B R O E L
N N T I U T H A S K A V E A
A G D T B L O R S Y E T D Y
H A L A G U G R S Y I E K M
T R M L K Q N A T M U A T J
I O O A A E E Y R O U R D I
B O L O R U M E A R I G E K
B W O K R F T U I R E S A N
A J C O I S U C S U C K E Q
R M H S I F G N U L I P I P
```

Puzzle #125: STRICTLY "PRIVATE"

AFFAIR

BUSINESS

CEREMONY

CHAUFFEUR

CLUB

COACH

COLLEGE

DETECTIVE

ENTERPRISE

EYE

HOME

INVESTIGATOR

LABEL

LAKE

LINE

MEETING

OWNER

PARTY

PATROL

PROPERTY

RESIDENCE

ROOM

SCHOOL

SECTOR

SECURITY

SHOWING

STOCK

STREET

TUTOR

```
J R C E N T E R P R I S E O
M B E N P G P M V J Z K S I
U M U S E V K E K L A T R N
W P N L I H R E U L O O L V
R R L R C D E T E C T I V E
U O S C U H E I K U N R Y S
C P T E T E H N T E I S N T
L E S C C A F G C A K C O I
O R T L E U G F F E C H M G
R T R E E S R F U O A O E A
T Y E Y M B A I A A O O R T
A R E N W O A C T R H L E O
P Y T R A P H L X Y G C C R
B U S I N E S S H O W I N G
```

Puzzle #126: BASKETBALL COURT

ASSIST

BACKBOARD

BARKLEY

BASKET

BUCKET

CENTER

COURT

COUSY

DEAD BALL

DIVAC

DRIBBLE

DUNCAN

EWING

FAKE

FORWARD

FOUL

HOOP

JUMP

KIDD

LAY-UP

MALONE

MOURNING

OLAJUWON

O'NEAL

PASS

PIPPEN

POINTS

REBOUND

SPREWELL

TIP-OFF

WEBB

```
P F B A S K E T L B M C P L
N X O F Z L L A B D A E D L
G A H R B V Y E D V K G Y E
R N C B W U W I I S J T J W
Q E I N P A K D M S B U R E
B R B W U W R O M A M C Y R
D A R O E D U D R P E O S P
T R C O U R T K T N N T U S
P S G K N N L M T E N T O W
I T I I B E D E A I K F C H
P B N S Y O R L O L P C O N
P G D T S M A P U L O O U C
E M B E K A F R A O P N F B
N O W U J A L O D T F B E F
```

Puzzle #127: SHOPTALK

AGENT

ALLOYS

BANKS

BOOK

BOSSING

BUILDING

BUSINESS

COST

DEALS

EDITOR

ENERGY

EXPORTS

FIRMS

FORM

GROUPS

HIRING

IMPORT

INSURANCE

LOSSES

METAL

NICKEL

PRICE

REFERENCES

REPORT

SALES

SAND

STRIKE

SURPLUS

TAXES

TIMING

VACATION

```
A I A S V Q R B T R G M Z R
S M B G M E E U O R R B C E
U P F Z P R B T O O O M W F
R O A O C S I U F S K E A E
P R R G L D P F S G U T L R
L T E A E S N I L I S A L E
U E E N I N N I G O N L O N
S D N S E G T H C N S E Y C
T E E K I R T S I K I S S E
R H X N S V G X P R E M E S
O W S A L E S Y A R I L I S
P F N B T B U I L D I N G T
X D I N S U R A N C E C G H
E M F V A C A T I O N O E C
```

AWAY FROM

HOME

CAMPUS

CHEMISTRY

CLASS

COURSE

CRAM

CREDITS

DEGREE

DORM

ECONOMICS

EXAMS

FACULTY

FALL

FINALS

GRADES

LAW

LESSONS

LIBERAL ARTS

MATRICULATE

PAPER

PASS

ROOMMATE

SPORTS

TEAM

THESIS

UNIVERSITY

```
A Y T U N I V E R S I T Y Z
O H S D O Q L X U T G G S I
Y T L U C A F P C R C L A F
J C G O W E M Q A R A S W M
O E R Y K A R D A N I T A A
T S C E C H E M I S T R Y T
P S N O D S Z F E D H A F R
C A S O N I O H O T E L R I
O L P A S O T R C E F A O C
U C U E P S M S A A V R M U
R D E G R E E I L M H E H L
S D E G L T R L C O Q B O A
E T A M M O O R W S E I M T
E E X A M S P O R T S L E E
```

Puzzle #129: CHILE

ALTAMIRA

ANCUD

ANGEL

ANTOFAGASTA

ARICA

AZAPA

CALAMA

CASTRO

CHILLAN

CUNCO

CURICO

CUYA

EL TOFO

HUARA

HUMBERSTONE

LEBU

LINARES

MELINCA

MOLINA

OSORNO

PARRAL

PENCO

RIVADAVIA

SEWELL

TALCA

TEMUCO

TOCO

TOME

TONGOY

VERGARA

VICUNA

```
C U N C O C N E P A J B A O
T A L C A F M V I C U N A U
N G R N A R O E P T G T B L
C A C A W L I T L E O E V E
K U L D G I A M L I L M C N
D C P L X R A M A E N U E O
A S A N I Z E C A T R C S T
K E R S A H A V U I L O A S
H W R P T R C N C Y R A T R
U E A P N R I O I N A Y O E
A L L D T H O C O L C C N B
R L I N A R E S A G O V G M
A I V A D A V I R T S M O U
A T S A G A F O T N A V Y H
```

R Puzzle #130: BEAUTIFUL COLORADO W

BEARS

BIG GAME

BOULDER

CANYONS

CATTLE

DEER

DENVER

ELKS

FALLS

FARMS

FERTILE

FORESTS

GOLD

GREEN R.

HORSES

IRON

LAMAR

LEAD

LUMBER

MARBLE

MICA

MINES

PASSES

PUEBLO

RIO GRANDE

ROCKIES

RUINS

SILVER

SMELTERS

STEEL

SULFUR

URANIUM

```
V Q S M E L T E R S M C M L
V F L N U R S C N T H I S A
I O O M U K A E R S N K C M
R R B I L N C M I E L U J A
I E N E Y Y S A S K R L S R
R S L O P E H G T A C I A G
M T N I S U R G N T L O O F
A S H S T E E I G V L L R Z
R R A O D R U B E R D E O S
B P E L R M E R L E E I T U
L E U E V S A F N O L E A D
E O A E D K E V O F E G N X
B X F R W I E S U L F U R R
F A R M S R I O G R A N D E
```

Puzzle #131: "H" GIRLS' NAMES

HADASSAH

HAGAR

HAIDEE

HANA

HANNE

HANNI

HANSI

HAPPY

HATTIE

HAVA

HAYLEY

HAZEL

HEDDA

HEDDWYN

HEDWIG

HELEDD

HELEN

HELGA

HELMINE

HELOISE

HERMIA

HERTHA

HETTIE

HILARY

HILDA

HINDE

HOLLIE

HOPE

HORATIA

HORTENSE

HULDA

HYACINTH

HYLDA

HYLEDD

```
I B H A D A S S A H E Y X H
N Y A H A H D H H A M E R Y
N W R D E D A L E A R L J A
A Y D A L T L T U R G Y V C
H E W E L H T Y T H T A E I
H H Z D O I H I H I H H R N
X A A L D A H H E L E N A T
H H L N N E H A E D N I H H
H I E N S Z H A I T A R O H
E H E L M I N E P M E N D H
L E S N E T R O H P R P A O
G G G I W D E H O J Y E O H
A D L I H D D E L Y H E H H
E F H E L O I S E E E D I A H
```

Puzzle #132: PREVIEWS

ABOUT TO

AHEAD

ANON

AT HAND

AUGURY

AWAIT

COMING

DIVINE

FATE

FUTURE

GOING TO

HENCE

HOPE

IMMINENT

IMPEND

IN STORE

LATER

LOOMS

NEAR

NEXT

OFFING

OMEN

PLANNED

PORTENT

PROPHECY

SHALL

SOON

TO FOLLOW

TOMORROW

WARN

WILL

```
R H E N C E W O L L O F O T
P T D R D D O T Y B E L W I
N G N N U D A M C Z S A P A
E M O E A T N E E F R A L W
X P Y I T H U E H N G B A A
T L O G N R T F P A S O N L
N W P H A G O A O M W U N L
E O I E D N T P R Z I T E A
N R N L U I A O P G L T D H
I R I V L M V U N G A O S S
M O S M O O L I G F T N U S
M M D L D C F I N U E Z O Q
I O I Q F F K M U E R O A N
S T E R O T S N I D N Y P T
```

Puzzle #133: SUMMERTIME

BALMY	PLAY	SUNNY
BAREFOOT	POOL	SURFBOARD
BASEBALL	SAILING	SWIM
BEACH	SAND	SWING
BERRIES	SODA	TENNIS
BICYCLE		
BIKINI		
CAMERA		
CAMP		
CIRCUS		
FAIR		
FISHING		
FROGS		
HEAT		
HIKE		
ICE CREAM		
LAKE		
LEMONADE		
MOTH		
PATIO		
PICNIC		

```
G H T P K D R A O B F R U S
N Z U T M T T L W I H V F O
I P Y O E A L Z P P T B N Z
L N J N E A C B L I I A L J
I T N H B S S E A C Y Y P L
A I O E Y W U A Y N N U S E
S S S O I M O C X I Q F B M
C A P M F N L H R C H I E O
B A D O M E I A E I G S R N
S H M O O Y R K B N C H R A
G A T E S L I A I Y C I I D
O H N A R H A W B B A N E E
R C K D S A S K C F C G S X
F M L V G G M A E R C E C I
```

P P B W V N Y C B S G Y Y T N K K
H

Puzzle #134: CREATURE FEATURE

T

J S Y U Z Q M A G Y E G R A P Q D

BADGER

BEAR

BEAVER

BISON

BOBCAT

BUFFALO

CARIBOU

COATI

CONDOR

CRANE

CROW

DEER

DOVE

DUCK

EAGLE

HAWK

HERON

LEMMING

LOON

MANATEE

MARMOT

MOOSE

MUSKRAT

MUSTANG

OCELOT

OPOSSUM

OTTER

PUMA

RACCOON

SEAL

SKUNK

WALRUS

```
S H S L M U S T A N G L H C
T A C B O B B E A M E T E Z
E W B A D G E R N R U V R N
K K N U K S O O W A K P O A
L A E S B D O M M C R S N D
H L M I N C A A U M O C U O
J O S O C R N D B U R A C M
S O C A M A W E E S O E T B
N N R O T O A E X S L S E I
O T T E R V B H M O A O L D
U S E C E Q E O T P F O G C
W A L R U S A I N O F M A E
T K Z Y C A R I B O U Y E N
Y A L E M M I N G V B G E S
```

Puzzle #135: VATICAN CITY

ARCHIVE	SEAL	GLASS
BASILICA	SERMON	STAMPS
BELLS	SHRINE	ST. PETER'S
CARDINALS	SISTINE	SWISS GUARD
CATHOLIC	CHAPEL	TREATY
CHAPELS	STAINED	WALLS
CITY		
COINS		
COURTS		
DOME		
FLAG		
GARDENS		
GOVERNOR		
HILL		
HOLY		
LEGATES		
LIBRARY		
MARBLE		
MASS		
MUSEUMS		
NUNCIOS		
NUNS		
POPE		
RESIDENCE		

```
M R H B B C S S A M R P G C
L A J I M K A B P E H O L Y
T E R P L U E R S M R P A C
R B P B N L S I D O A E E H
E S S A L G D E N I A T S A
A W R S H E C R U S N N S P
T I E N N C E E T M I A E E
Y S T C U V E R V O S M L L
R S E Y O N U N C I O S E S
A G P G T O S D I D H G N U
R U T V C I L O H T A C I F
B A S I L I C A D T S N R L
I R K X G A R D E N S I H A
L D N O M R E S W A L L S G
```

Puzzle #136: AT THE TRACK

BET

BUGLE

CALL

COLORS

DERBY

FILLY

FINISH

FRONT

FURLONG

GATE

HEAD

HORSE

JOCKEY

JUDGE

NECK

OWNER

PARADE

PHOTO

PLACE

POLE

POST

PRIZE

RIDE

ROSES

STABLE

STIRRUPS

STRETCH

TRACK

TRAINER

TURF

WAGER

```
W J F I L L Y L X P S K E W
Y W O R N G D E L P E D H A
X U O C U E N A U A A D Y G
A H T R K T C R E R C G I E
C C O W N E R K A H A H R R
M T H A L I Y P U T I O K B
Q E P B T Y B R E D S W X M
I R A S E B U G L E K X F T
J T E S E L O P S C Q U Q N
S S R N Y G F P A R R E K U
A O Q P I X D R R L O W Y K
H T O E N A T U O I L L Q N
H S I N I F R N J N Z S O E
T Z V X Q J G T Q G T E B C
```

Puzzle #137: SHAPING UP

BEND

BODY

BULGE

CALISTHENICS

CALORIES

DIET

EFFORT

EXERCISES

FIGURE

FITNESS

FOOD

FORM

GOAL

GYMNASIUM

HEALTH

JOGGING

LOSS

MASSAGE

MEASURE

MUSCLE

REDUCING

REWARD

SATURATED

FAT

SCALE

SHAPE

SIZE

SPA

WAIST

WALKING

WEIGHT

WORKOUT

```
E P A H S G H J R M B D T T
G J C B U T N T S P R O D A
A Q C A L O R I E S V O E F
S K O A L D W G G I O F F D
S M E S R I L A W G D L F E
A H U A E U S G L E O F O T
M I W I B S N T A K I J R A
B E N D S I I W H G I G T R
R L R P C A A C U E S N H U
I Q A U B I N R R C N A G T
E T D O S J E M A E S I H A
T E D T G A P L Y C X I C S
R Y F I T N E S S G C E Z S
T U O K R O W M M U S C L E
```

Puzzle #138: BIKING

U A M Y L I L M L P W I K V N Y Y

BALANCE	CLUB	HORN
BASKET	FENDER	HUBS
BIKE	FRAME	LOCK
BRAKE	GEAR	PART
CHAIN	GRIP	PEDAL
CLIP	HANDLEBARS	POST

```
A V E O Q M C O Y P D G E U
S G E A R L C H A I N R C H
G R K D U Z E R Z I I F N A
S R E B I V T E C T R S A N
E B I E P R P A H A L P L D
K L U P T R R T M W O E A L
O L A H U S N E A S C E B E
P E A D B M K J T N K D E B
S V R H E A P S F C D V R A
W A O A R P T B E E L E I R
N R U B C I I Q U A N I M S
N T U I V K B Z V H T D P V
V Y C O E S S V B A S K E T
O Y O Z T R E F L E C T O R
```

PUMP
RACING
RACK
REFLECTOR
RIDE
RIM
SEAT
SPEED
SPOKES
STEER
TANDEM
TIRE
TOUR
TRAVEL
TUBE
VALVE
WHEEL

Z T U K A H A Y S H W U C S Y N N
G
Puzzle #139: KEEP ON TRUCKIN'
Y
J C B E W T S F I P Z Z B O G F E

CARGOES

DETOUR

DIESEL

DOCKS

DRIVE

EXITS

EXPRESS

FLARE

FREIGHT

FUMES

GEAR

GRADE

GREASE

LICENSE

LOAD

MEDIAN

PASS

RADAR

RAMP

REST AREA

RIGS

ROADS

ROUTE

RUNS

SKID

STOPS

TANKER

TEST

TIRES

TONNAGE

TRACTOR

TRAILER

WEIGHT

WHEELS

```
F E G A N N O T F P R U N S
U G T S Z N R E F X X L G P
M R E R E E M A R S O R R O
E S D A O R T E D A E B T T
S O Z M R W I E D A L E H S
E G V P Q Q P T S I R F G H
O T I X X R D E L T A R I W
G H E R U O R E E E O N E H
R G S O C E S X T T X V R E
A I T K L E P R C A I I F E
C E S I I R D A O R N S T L
D W A D E D R A D U S K X S
V R F S Q T A E R A T S E R
T E S N E C I L P G V E O R
```

Puzzle #140: CARD-PLAYER'S DELIGHT

ACES

ANTE

BIDS

BLUFF

CALL

CASINO

CHIPS

COLOR

COMMITMENT

CUTTING

DEALER

DECK

DEUCE

DRAW

HAND

HITS

JOKER

KENO

KINGS

LUCK

NUMBER

PACK

PASS

PLAY

POTS

SEVENS

SEVEN-UP

SHOE

SHUFFLES

SIXES

SKAT

SPOTTED

STACK

STAKES

STUD

SUIT

TENS

TRICK

TRUMP

```
S S T U D N A H G C L L A C
I F K D C A S I N O C C A S
X Q S E E J A S I L H O C H
E K P T O C K T T O I M E U
S C B K A A K I T R P M S F
S I E L T C P H U M S I N F
A R V P U U K P C L D T E L
P T A L N F D L M S I M V E
E C U E D E F D S U B E E S
K S V Z T A E P E I R N S P
I E N T K A N O K T W T L Q
S K O E L G H T S E K A T S
W P N E T S T S E Q Y Y R H
S O R E B M U N K I N G S D
```

ANTONIO	LUIS	PAULINO
BENITO	MANUEL	PEDRO
CARLOS	MATEO	PHILIP
CARMEN	MIGUEL	VASCO
CLAUDIO	NICETO	VICENTE

CRISTOBAL

DOMINGO

ENRIQUE

FRANCISCO

FREDERICO

GABRIEL

GONZALO

HERNANDEZ

IGNACIO

INIGO

ISIDORE

JOAQUIN

JOSE

JUAN

LOPE

```
P I B F R A N C I S C O P N
A C N M S O L R A C E C I I
U L V I C E N T E U F S L U
L A G U G P C G Q R U A I Q
I U C M E O A I E V B V H A
N D A D A B R D L O E O P O
O I R Z R N E T T E L S I J
I O M I E R U S B A U N O R
C Y E L I J I E Z M O G N J
A L N C U R N N L T N C I H
N U O A C I O S N I Z D C M
G Q N P T G S A M M A T E O
I I G O E E R O D I S I T Y
H E R N A N D E Z T Z V O C
```

Puzzle #142: AIRCRAFT PILOT

CLOUD	FIELDS	INSPECT
COCKPIT	FUEL	LAND
DEGREES	GAIN	LEVEL
DENSITY	GUIDING	LIFT
DRAG	HIGH	MAGNETIC
EMERGENCY	IGNITE	MANUAL

```
M A N U A L G P I S T O N R      MILE
R Y T I S N E D M I D S F K      MIXTURE
T A P T I T H V P X K R M D      NAVIGATED
H N D W F L H K E Y E W A E      PATH
T H G I E W C L C L T G G G      PISTON
E Y L U O O I O S R I N N R      PRESSURE
M Q F L C M V N E S N I E E      RADIO
E R U S S E R P P X G D T E      REPORT
R H D D R U O E S H I I I S      SHIFT
G G T N T R E B N D I U C O      SKY COVER
E A U A T D U O L C L G R Q      SPEED
N I V L P M I X T U R E H T      TURNS
C N A V I G A T E D Z L I K      WEIGHT
Y S H I F T C E P S N I U F      WING
                                 ZERO
```

P N P F W B M E Q B V W E T B M F

Puzzle #143: CHECKING OUT THE ADS

T · V
R K P F I L U R N J R B R J E N Z

ACREAGE

ANTIQUES

AUCTION

BLINDS

CAMPERS

CARPETS

CARS

CLOTHING

EQUIPMENT

FARMS

FISH

FOOD

HAULING

LIVESTOCK

LOANS

LOGS

LOST

LOTS

LUMBER

MECHANICS

PAINT

PUBLIC

NOTICE

RADIO

ROOFS

SELL

SIGN

SUPPLIES

TRUCKS

```
E E C I T O N C I L B U P I
Q S Z H S S H H Y K G C R L
U C R S E E O S Z N T O U S
I I O E K G L L I U O M M E
P N C I P C A L O F B R Z I
M A L T D M U E S E A A S L
E H O G Z A A R R F U I C P
N C T W H W R C T C G W A P
T E H S E U Q I T N A I R U
A M I P C Z U I V L N A P S
K G N F D A O N G T O G E D
L O G S O N R X U V E T T E
J C G K C O T S E V I L S H
A F B L I N D S N A O L J W
```

Puzzle #144: BAND PRACTICE

BATON

BRASS

CHORD

CLARINET

CONCERT

CONDUCTOR

CORNET

CUES

CYMBALS

DRILL

DRUM

ENSEMBLE

FINALE

FLAT

FLUTE

GROUP

HARMONY

JAZZ

LOUD

MARCH

MUSIC

NOTES

OBOE

PERFOR-

    MANCE

REED

RHYTHM

SCORE

SHARP

SOFT

SOLO

SWING

TEMPO

TUNE

```
T C H A R M O N Y M O P T J
S E V W O M T B E F U A K E
P C M L H E A I L O L R H L
E T O P N T D R R F D U D B
R S U R O E C G C T U C T M
F G O N E E L O E H O O A E
O C N R E Q L N N N L H M S
R L O C Z O I A D C T J H N
M H T Y H R B U N F E S I E
A S E F A O C O O I H R G M
N F S L J T R S X A F V T U
C F C A O H E D R I L L A S
E Q Z R R U B P G N I W S I
H Z M C C B K S L A B M Y C
```

Puzzle #145: RELIGIOUS SIGNS

ALMUCE

APPLE

ASHES

BALANCE

BALSAM

BELL

BIRD

CABLE

CASTLE

CROWN

EWER

FAWN

GARGOYLE

HAMMER

HARP

HYDRA

LAMB

LION

LYRE

MANDRAKE

MANGER

MITER

MOON

PALM

QUAIL

RAVEN

ROOD

ROSE

SCORPION

SCROLL

SHEAF

SPEAR

STAR

SWORD

THORN

TREE

VEILS

VESSEL

WHEEL

```
K E L Y O G R A G R O S E L
F A E H S N B A L S A M K L
V L C R O W N R A I W I A O
E J Y O T E E R D N P T R R
S E M R S W D R R R K E D C
S C L P E Y J O A E I R N S
E N E P H Q H H S V G B A E
L A G H P T U L P E E N M C
R L L E A A Y A I D H N A U
C A E L O M L V I O R S R M
A B E T E M M G E L N O A L
B M H S T B C E P I O W W A
L A W A I S T A R D L O A S
E L W C N O I P R O C S K F
```

Puzzle #146: OFF INTO SPACE

CAPSULE

CHART

COUNTDOWN

COURSE

CRAFT

CRATER

EARTH

FLIGHT

FLOAT

FORCE

FUEL

GALAXY

GROUND

HELMET

LANDING

LAUNCH

LUNAR

MODULE

MOON

PLAN

RADAR

RADIO

SATURN

SHIP

SOAR

SOLAR

SPACE

SPEED

SURFACE

SYSTEM

UNIVERSE

WEIGHTLESS

```
F S S E L T H G I E W R M G
P R Q G A I S M G I O A E N
L H A O R C F H L T V D T I
A A L D R O M U I U C I S D
N F U A A O U G E P R O Y N
E H T N D R A N U L A C S A
S E T U C L C E D R F P M L
R H L R A H F N L F T O N S
E E P X A L E S R U O C R U
V L Y R I E E A T N S S U R
I M T G C C L F R V P P T F
N E H R A O H H D E A Y A A
U T O P S U F U E C E U S C
R F S G N W O D T N U O C E
```

Puzzle #147: CARNIVAL TIME

BALLOONS

BARKERS

BOOTHS

CAROUSEL

CHILDREN

CONTESTS

CROWDS

DECORATIONS

FESTIVAL

FIREWORKS

FLOWERS

FORTUNES

GAMES

GLEE

LAUGHTER

LIGHTS

MUSIC

OUTDOORS

PRIZES

RIDES

SHOWS

SNACKS

SODA

SOUVENIRS

STANDS

TICKETS

```
S R I N E V U O S A E C B C
N A S R A C S H T O O B A R
O Z U H W P I F R N J J L O
I C L I O F E S T I V A L W
T O A M S W A E U G L N O D
A U U R L T S D A M E K O S
R T G F O T H M O R N F N K
O D H F S U E G D S R O S R
C O T C L S S L I I Q R T O
E O E Z T O I E D L E T E W
D R R A O H W E L K T U K E
V S N A C K S E R R K N C R
L D R N P K E A R E B E I I
S E Z I R P B O V S Z S T F
```

ALABASTER

ASCENT

BATS

CHIMNEYING

DESCENT

EXCITEMENT

EXPLORATION

GROUP

GYPSUM

HOBBY

KARST

LEAD

LIGHTS

MAPPING

MARBLE

ONYX

PILLAR

PITON

PRECAUTIONS

RAPPEL

RIMSTONE

ROCK

ROPES

SAFETY

SHELTERS

TUNNEL

VADOSE

```
W H M M T N E M E T I C X E
H G U E S L T N E C S E D K
X R S E X M I N O I W E A P
Y G P X P P A G E T E R P I
T O Y Q W M L P H C S I O L
R N G R I E A O P T S M D L
O G O L L V B S R I S A I A
P C R B I B A L A A N T P R
K A R O Y N S V E F T G A P
D A E L U Y T Q A N E I I B
M A R A P P E L S D N T O L
S H E L T E R S X Y O U Y N
Z C H I M N E Y I N G S T C
P R E C A U T I O N S Y E W
```

E

Puzzle #149: SCIENCE CLASS

F

D Z K V N C H M G A S O P Q O J D

ACID	ROCKS	SPACE
BEAKER	RULES	TABLE
BOOKS	SALTS	TAPES
CATALYSTS	SINK	TEST TUBES
CHEMICALS	SLIDES	
DENSITY		
DISCUSSION		
EXPERIMENT		
FLAME		
FLASK		
FORMULA		
FUNNEL		
GAS		
GRAMS		
HEALTH		
LAB		
PLANTS		
REACTION		
READING		
REPORT		

```
B Z S A K T Y E E T C G K F
O N A L N T A B M P A U E S
O F L C I R M B A S T C X E
K Y M S S D E S L L A H P B
S N N N B M E P F E L E E U
Y E O Z D P A S O R Y M R T
D O X I A F B R O R S I I T
R A Y T T E E C G P T C M S
E L M S A C K F L E S A E E
A U P K A S A A U F F L N T
D M E P E L N E D N U S T Q
I R S R H T T I R R N T N S
N O I S S U C S I D H E Y T
G F H T L A E H P K S A L F
```

Puzzle #150: THE BEAUTICIAN

ANGLE

APPOINTMENT

APRONS

BEAUTY

BLONDE

BRUNETTE

BRUSH

COLOR

COMB

CONDITIONER

CREAMS

CUPS

CURLERS

CUTS

DRYER

ENHANCE

EQUIPMENT

FACIAL

GLOSS

LAYER

MAKEUP

MANICURE

MIRROR

PEDICURE

PERM

ROLLERS

SHAG

SHAMPOO

STYLE

TRIM

WORK

```
Z M A K E U P B L O N D E O
G A H S A E L G N A S E R O
M S P V P N C R N S R Q U P
A C S R P H J O O N E U C M
N O L D O A G L D B L I I A
I N A R I N G L C R R P D H
C D I Y N C S E U U U M E S
U I C E T E D R P N C E P J
R T A R M U O S S E S N D L
E I F O E W A C W T A T P M
Y O T L N A O E T T Y E U K
A N Q O T M M R B E R L W C
L E C C B B I S K M E U E V
B R U S H M R O R R I M P K
```

Puzzle #151: SCIENCE DIGEST

ATOM

CHIP

COMPUTER

CONDUCTION

CORE

CRYSTALS

DATA

EXPLOSION

FUELS

FURNACES

FUSION

HEAT

HOOD

LASER

LIQUID

METAL

METHANE

NODE

OSCILLATOR

OXIDE

PHEROMONE

PILLS

PUMPS

RADAR

SILICON

SUGAR

TEST

TRIALS

TUBES

VACUUM

VOLTAGE

WATER

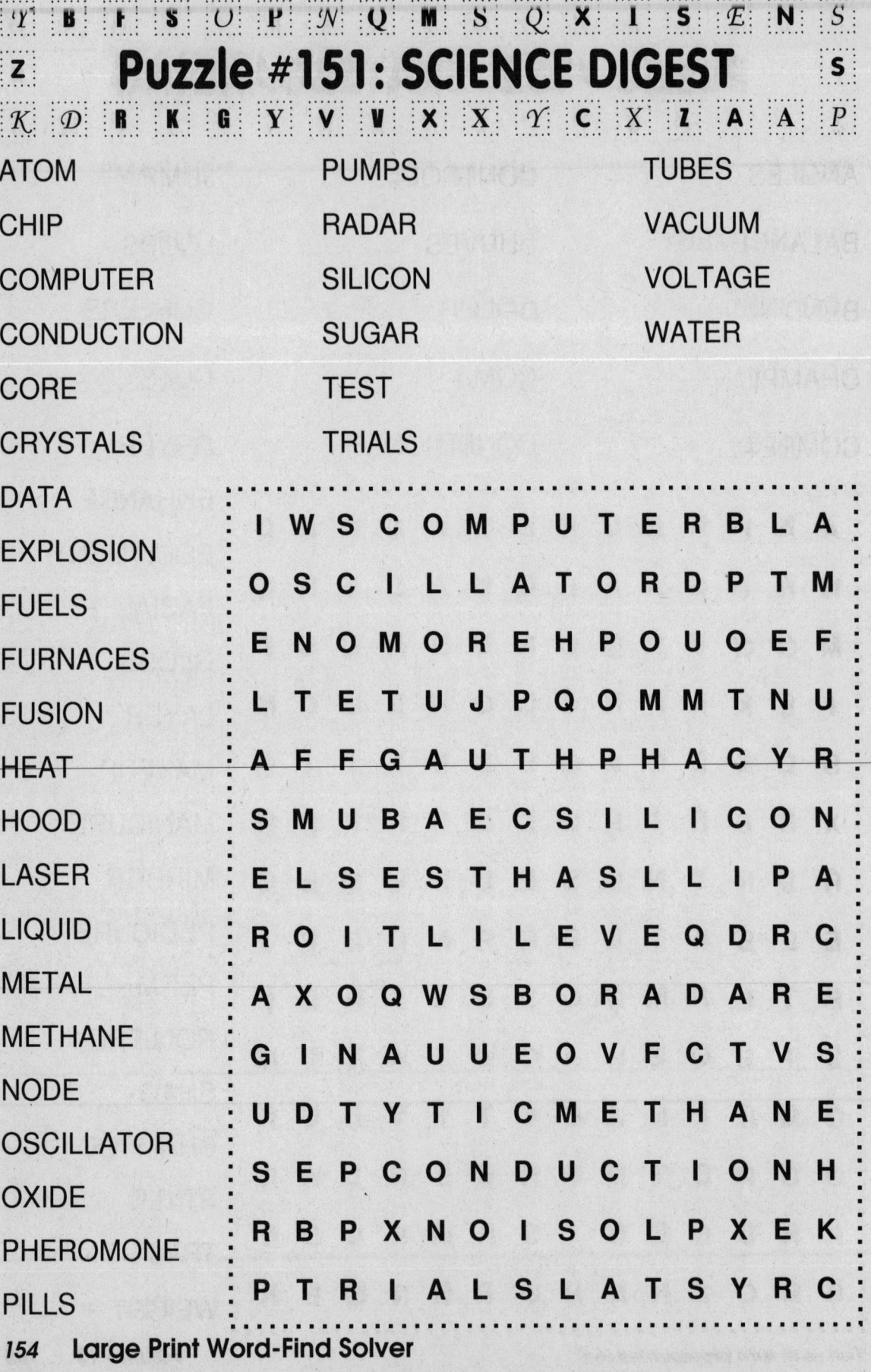

```
I W S C O M P U T E R B L A
O S C I L L A T O R D P T M
E N O M O R E H P O U O E F
L T E T U J P Q O M M T N U
A F F G A U T H P H A C Y R
S M U B A E C S I L I C O N
E L S E S T H A S L L I P A
R O I T L I L E V E Q D R C
A X O Q W S B O R A D A R E
G I N A U U E O V F C T V S
U D T Y T I C M E T H A N E
S E P C O N D U C T I O N H
R B P X N O I S O L P X E K
P T R I A L S L A T S Y R C
```

Puzzle #152: SKATEBOARDING

ANGLES	CONTROL	JUMP
BALANCE	CURVES	LOOPS
BEND	DECK	PADS
CHAMPION	GLOVES	PRACTICE
COMPETE	HELMET	PUMPING

RACING

RELAX

RHYTHM

```
A A P S E P R A C T I C E X
N N J P T E C F E W C R P R
M G O V T U L C A O N A O T
I L K A R H N Y N W D J E D
S E K V S A G T T S C M G L
X S E D L X R I W S L T L M
R S N A A O C I E E V I O H
E E B D L E N H H W K P V T
B T L W O G A T A S I R E Y
L I E A M H O S S M K A S H
O M K P X O Q M T T P C V R
O O P U M P I N G O A I E R
P H J S M O A J U M P N O D
S H G T R A C T I O N G D N
```

SKATER

SKILL

SLALOM

SLOPE

SMOOTH

STAND

STOP

STUNT

STYLE

SWING

TRACTION

WEIGHT

Puzzle #153: BUTCHER SHOP

BACON	PROTEIN	SMOKED
BEEF	RIB EYE	SWEETBREAD
BRISKET	ROAST	T-BONE
CANNED	RUMP	VEAL
CHOPS	SAUSAGE	VENISON
CORNED		
CURED		
CUTLET		
DRIED		
FILLET		
FLANK		
FROZEN		
GROUND		
HAM		
LEAN		
LIVER		
MINCED		
MUTTON		
PICKLED		
PICNIC		
PLATE		

```
D N G U D N D E L K C I P P
N O C I N C I P E F N J L N
U S T O M U T T O N E A I B
O I L L R A S K D D T E L K
R N A E O N H M E E T D B F
G E E T A Z E N I O N W M B
V V G N E N N D R U N I N E
T S A O R A U P D E N O B T
E C S C C K D A Z C C R E S
K C U T L E T O E A I L P L
S L A R K C R D B B L O I Y
I R S O E F E S E I H V E C
R U M P E D K Y F C E J D B
B S K S W E E T B R E A D O
```

Puzzle #154: IMPORT-ANT

BANANA
BELT
CAMERA
CAR
CHEESE
CHINA

CLOCK
COCOA
COFFEE
COPPER
CRYSTAL
DATE

DIAMOND
FAN
FIG
GLASSWARE
GOLD
LACE
LUGGAGE
NUT
OLIVE
PAPER
PERFUME
PETROLEUM
RADIO
RUBBER
RUG
SILK
SILVER
STEEL
SUGAR
TEA
TIN
WATCH
WOOL

```
R E P P O C R W V W J D D O
N B R I H U P B O T Q A N L
E U D C B R E E W O T T O I
G A T B A E R C R G L E M V
R A E G N V A A K F O X A E
W R U A A L W L R R U L I E
C S F N N I S F E T V M D F
R L A I A S S P I N V M E F
Y U O H M K A N Y G K C G O
S G C C Z P L P D L C A V C
T G O A I A G E I K O M L H
A A C H R L N S E T L E B A
L G J E S E E H C T C R W P
P E T R O L E U M M S A E J
```

Puzzle #155: BOOT CAMP

R V X N H J Z Z K M P Z K T H M K
M   P
S O F L S Q X H C R Q E Q U Y F K

ARMY	READY	TIRED
BASIC	RECRUITS	TOUGH
BUNK	RIFLE	TRAINING
COMPANY	RIGOROUS	WATCH
COURSE	START	WORK
DAWN	STUDY	
DRILL		
DUTY		
EARLY		
EXAM		
EXERCISE		
FIGHT		
HARD		
HIKE		
INSTRUCT		
ISSUE		
LEARN		
MARKSMAN		
MEALS		
NAVY		
ORDER		
PLATOON		

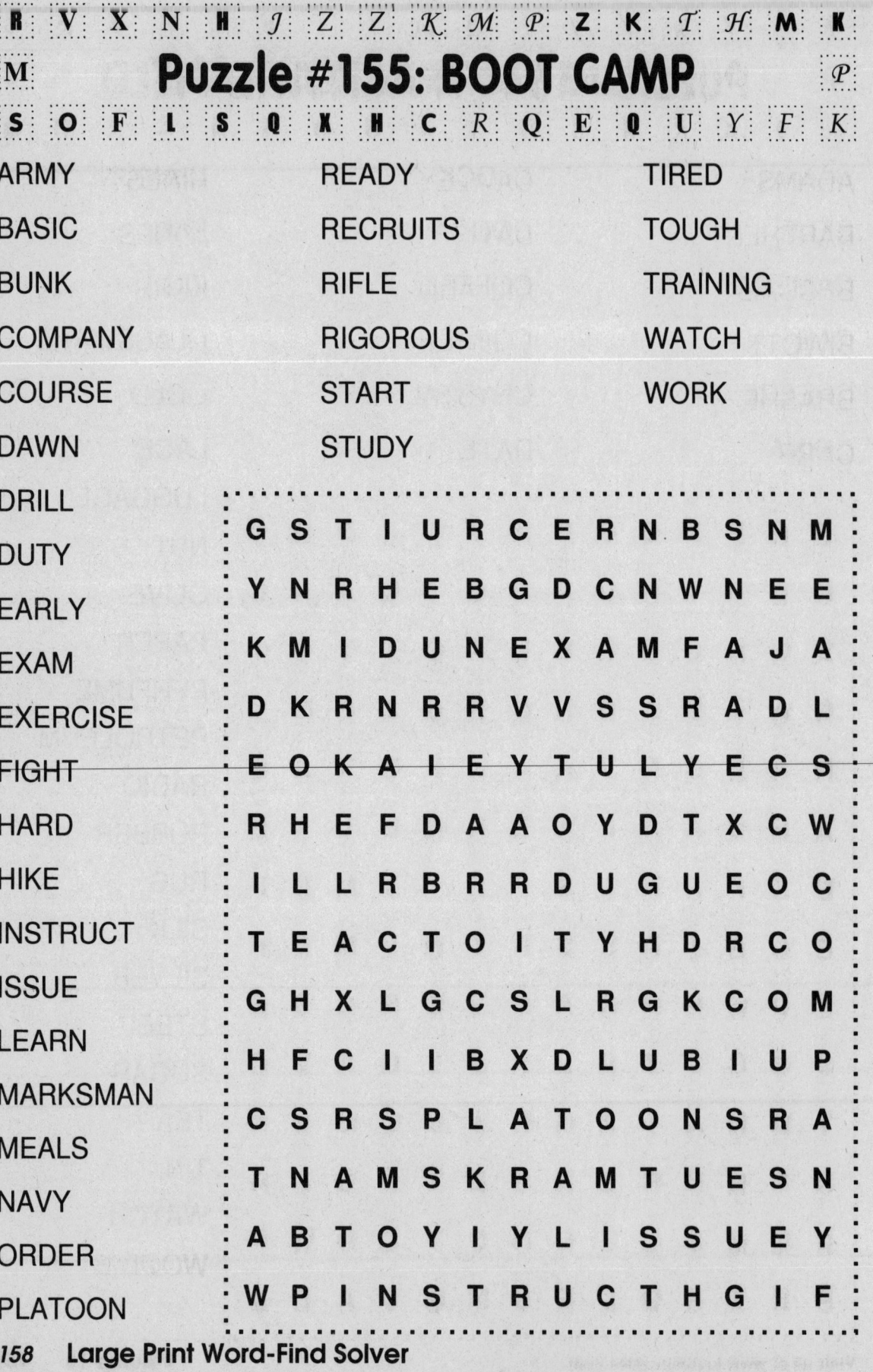

```
G S T I U R C E R N B S N M
Y N R H E B G D C N W N E E
K M I D U N E X A M F A J A
D K R N R R V S S R A D L
E O K A I E Y T U L Y E C S
R H E F D A A O Y D T X C W
I L L R B R R D U G U E O C
T E A C T O I T Y H D R C O
G H X L G C S L R G K C O M
H F C I I B X D L U B I U P
C S R S P L A T O O N S R A
T N A M S K R A M T U E S N
A B T O Y I Y L I S S U E Y
W P I N S T R U C T H G I F
```

Puzzle #156: TRACK AND FIELD

ADAMS	CAWLEY	HINES
BARTHEL	DAVIS	JONES
BECCALI	DILLARD	KERR
BIWOTT	ELLIOTT	LARRABEE
BRASHER	FRENKEL	LARVA
CARR	HAHN	LONG
		LOOMIS

```
L B L O O M I S P I R I N E
L E I I Q H N O T T A P H D
A W H W T Y U S E U O L I R
R W O T O R B E C C A L I S
R R D T R T N I W M L T I Y
A H A E T A T N E A O V S E
B S K C J L B R R L A M O L
E O E S O F E D A D A S L W
E P W N C D R V H D Y A J A
K O G E I H N E A T R Z O C
T R N T N H O H N V I V N P
U T H V A S A L A K P M E H
R E M I G I N O Z H E M S P
B R A S H E R T T O I L L E
```

LOUES
MEREDITH
OWENS
PATTON
PORTER
REMIGINO
RITOLA
SCHOLZ
SMITH
SPIRINE
TYSOE
TYUS
VASALA
WINT
WOTTLE

Puzzle #157: IN THE COAL FIELD

ANTHRACITE

BEDS

BINS

BITUMINOUS

BLACK

BOGS

BURN

CANNEL

CARBON

CHARCOAL

COKE

COLOR

DECAY

DEPOSITS

EXPLOSIVE

FIELDS

FOSSILS

FUEL

FURNACE

HARD

HOLE

LAYERS

LIGNITE

MINES

ORES

PEAT

PLANT

RESINS

ROCK

SHALE

SHOVEL

SOFT

SOIL

TUNNEL

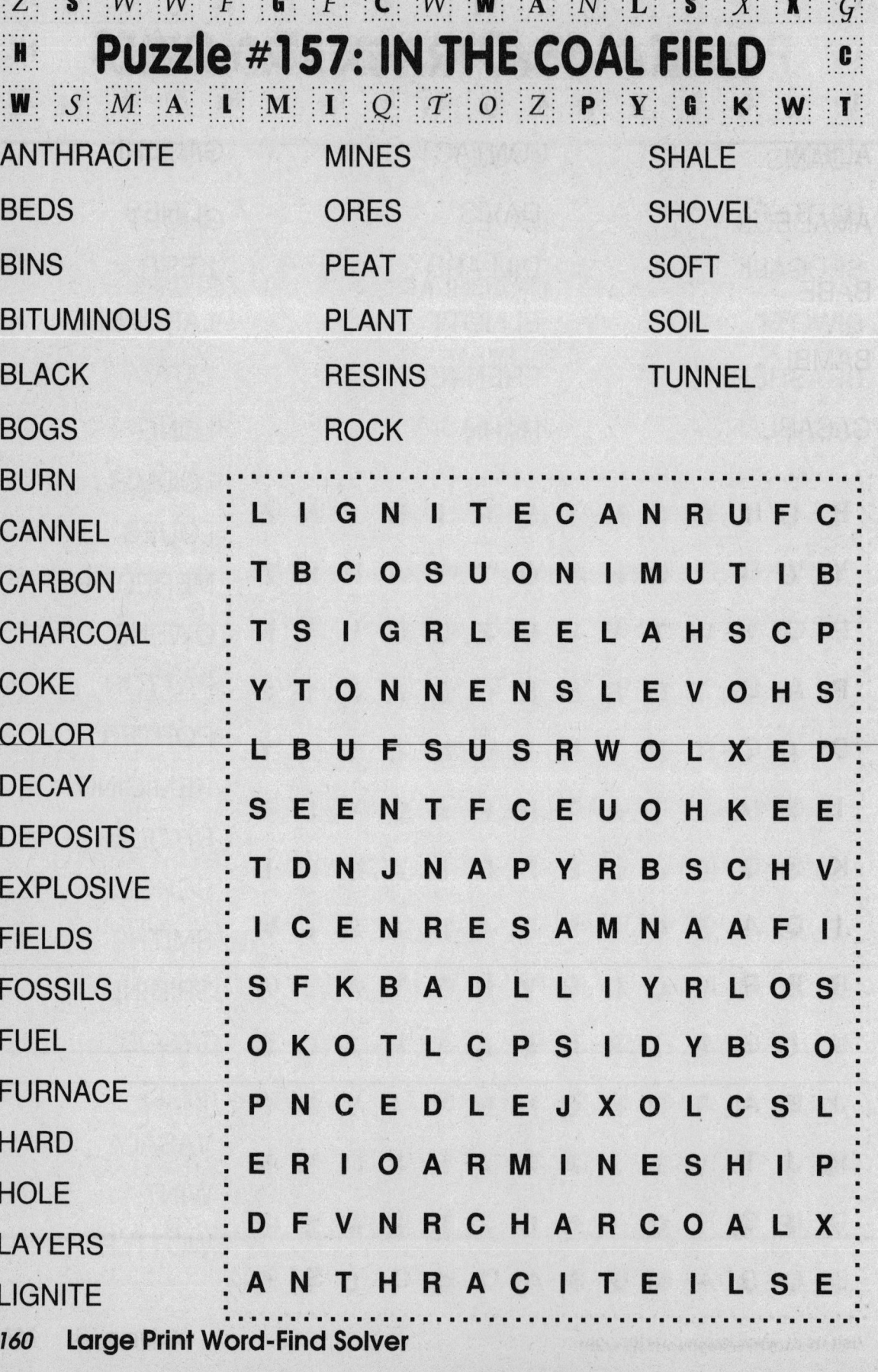

```
Z S W F G F C W A N L S X X G
H                             C
W S M A L M I Q T O Z P Y G K W T
```

```
L I G N I T E C A N R U F C
T B C O S U O N I M U T I B
T S I G R L E E L A H S C P
Y T O N N E N S L E V O H S
L B U F S U S R W O L X E D
S E E N T F C E U O H K E E
T D N J N A P Y R B S C H V
I C E N R E S A M N A A F I
S F K B A D L L I Y R L O S
O K O T L C P S I D Y B S O
P N C E D L E J X O L C S L
E R I O A R M I N E S H I P
D F V N R C H A R C O A L X
A N T H R A C I T E I L S E
```

Puzzle #158: ONE-WORD MOVIES

ALIEN

AMADEUS

BABE

BAMBI

CASABLANCA

CONTACT

DAVE

DRACULA

DUMBO

FANTASIA

GANDHI

GHOST

GLORY

GOLDFINGER

HAIR

HIGHLANDER

IKIRU

JAWS

JULIA

KAGEMUSHA

LAURA

NOSFERATU

PSYCHO

RAN

REBECCA

SHANE

SPARTACUS

VERTIGO

```
P I H D N A G V E R T I G O
Y V R E I C U B A D R T P H
P C V L E S A I U G S A Q I
P A U T H B S M O W B M N G
D J C A S A B L A N C A F H
I O N C T O D J O Q H D S L
K E Q N E F H S O S T E U A
I D A G I B F G U L C U C N
R F R N L E E M T W A S A D
U I G A R O E R I S T U T E
J E A A C G R B X E N T R R
R J T H A U M Y N R O F A A
D U Q K L A L I E N C G P D
D C S A B U R A O H C Y S P
```

H M S F D D L F I G O Y M R K I C
C　　　　　　　　　　　　　　　　P
A W T M E I W W H I I D G P W N F

BARRYMORE	POWER	TAYLOR
BOGART	RAFT	TRACY
COOPER	ROGERS	WAYNE
CRAWFORD	RUSSELL	WYMAN
DAVIS	STEWART	YOUNG

FLYNN
FONDA
GABLE
GARLAND
GRABLE
GRANT
HAYWARD
HEPBURN
HOPE
KELLY
KERR
LADD
LOY
NIVEN
O'HARA
POWELL

```
D E J T R B R O L Y A T R L
H O H A R A Q F P O W E L L
S O K E K A O H P U P A N Q
V T P E K N W P E O R A F T
D F R E D E Z E O P M Y O H
Q R L A F N R C T Y B Z R W
D L O L G E R O W S Q U N A
Y D Y F W O D O M V I I R Y
T N J O W D B R G Y V V W N
N A P G A A Y G A E R X A E
A L I L A C R S N W R R S D
R R T C A B O C C U Y S A Z
G A G R A B L E J H O A U B
E G T R U S S E L L T Y H A
```

Puzzle #16Ø: GIRLS OF HAWAII

ALAMEA

ALIKA

AMAUI

HALIA

IKIA

INOA

KAI

KAMEA

KAMIYA

KANOA

KAWENA

KINI

KONA

LAHELA

LAKA

LANA

LANI

LEI

MAKANI

MALIA

MAMO

MANA

MOANA

MOHALA

NANA

NOMA

OLINA

PEKE

PUA

RAPA

SUKEY

SUSE

WAINANI

WANIKA

```
L A I S M N Q J Z Y Z P X U
L E N A N W K I K I A U S N
B A L A H E L A L I K A O A
K I N I N A W N M A E M A K
A L B W H E L K S I A O N O
O A A O N I A L A A Y H A L
U H E A S Y N U K N E A M I
K V B A E Q I E M A O L N N
E D T K X M N O V L E A X A
E K U I L C A A K I N A W V
R S E L U N K L K I P O G J
B V U P A A A F A A M O U E
X O U S P K M W R A I S D E
A Z C K O N A A M K L R G J
```

Puzzle #161: THE LONE RANGER

S J R R B A R I U Q Z M N T X W Y
U Z
E A A B X E K C Y F R R O B I B O

BANDITS

BOLD

BRAVE

CAMP

CAPTURE

CHASE

DEFENDER

DISGUISE

ESCAPE

FIGHTS

FRIENDSHIP

GANGS

"HI-YO SILVER"

HORSE

INTRIGUE

JUSTICE

KEMO SABE

LOYALTY

MASK

OUTLAWS

PLOTS

POSSE

RESCUE

SCOUT

TONTO

TRAP

VILLAINS

WEAPON

WILD WEST

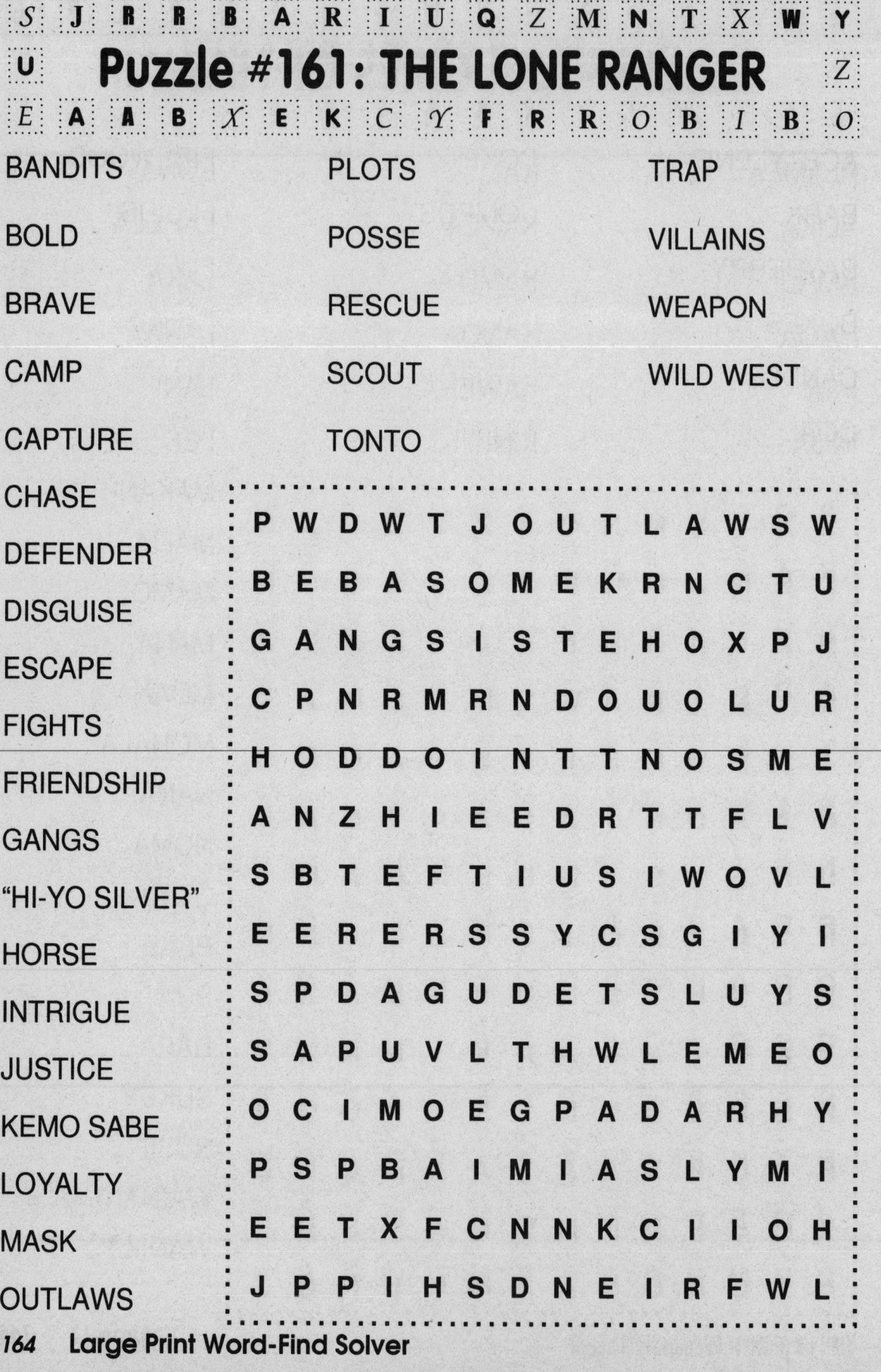

```
P W D W T J O U T L A W S W
B E B A S O M E K R N C T U
G A N G S I S T E H O X P J
C P N R M R N D O U O L U R
H O D D O I N T T N O S M E
A N Z H I E E D R T T F L V
S B T E F T I U S I W O V L
E E R E R S S Y C S G I Y I
S P D A G U D E T S L U Y S
S A P U V L T H W L E M E O
O C I M O E G P A D A R H Y
P S P B A I M I A S L Y M I
E E T X F C N N K C I I O H
J P P I H S D N E I R F W L
```

Puzzle #162: BURNABLE

ACETYLENE

BARK

BAYBERRY

BOXES

CANDLE

COAL

COKE

COMPOST

CORK

CORNSTALKS

ETHER

FATS

FIREWOOD

FLUIDS

FUEL

GASES

GRASS

KEROSENE

OLD TIRES

PAPERS

PEAT

PETROL

RAGS

SAWDUST

SHAVINGS

STUMPS

TALLOW

TINDER

TRASH

TWIGS

WEEDS

WICKS

YULE LOG

```
S C C W I C K S P M U T S W
K A K D O O W E R I F S O G
L N T R V S E R I T D L O R
A D K A N R F A T S L L L A
T L S R E P A P G A E A R G
S E C H T P B N T L O E G S
N S T O T W I A U C N E D S
R E A R M V I Y Y E L I D L
O R A R A P G G S B U E O Z
C S E H G A O O S L E R U K
H E S D S T R S F W T R R F
B X K E N E L Y T E C A R X
X O S O K I C U P O B W F Y
D B M D C A T S U D W A S P
```

Puzzle #163: MANAGING MONEY

AUDITS	REAL ESTATE	STOCK
AUTO	RENT	TAXES
BANK	SALES	TREND
BILLS	SCHOLARSHIP	TRUST
BONDS	SELL	WILL
BROKER	SHELTERS	
BUY		
CASH		
CLAIMS		
COST		
ESCROW		
FEES		
FILES		
GIFTS		
GUARDIAN		
HEIR		
HOUSING		
LEND		
LOAN		
LOSSES		
NOTES		
PLANS		
RATES		

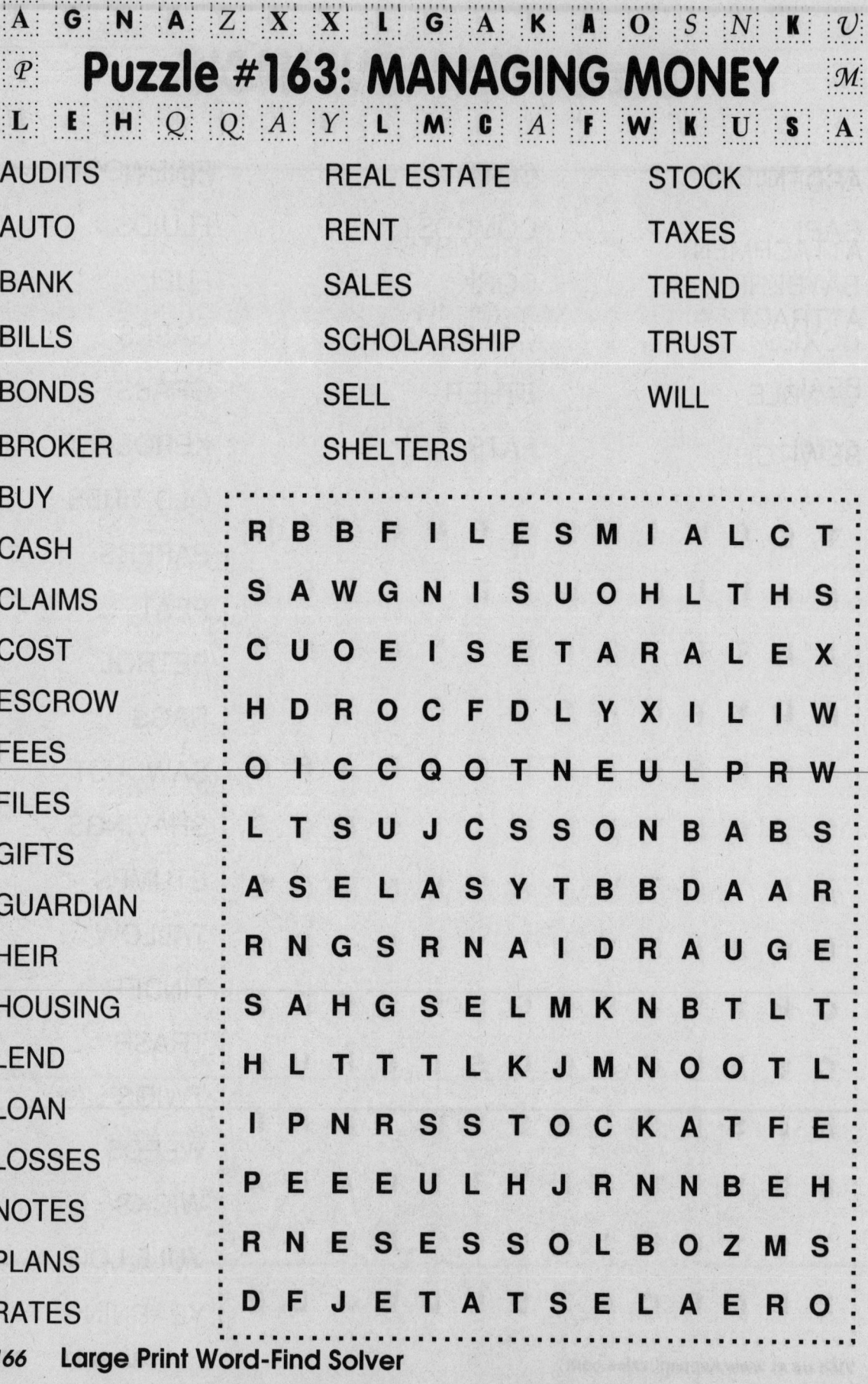

```
R B B F I L E S M I A L C T
S A W G N I S U O H L T H S
C U O E I S E T A R A L E X
H D R O C F D L Y X I L I W
O I C C Q O T N E U L P R W
L T S U J C S S O N B A B S
A S E L A S Y T B B D A A R
R N G S R N A I D R A U G E
S A H G S E L M K N B T L T
H L T T T L K J M N O O T L
I P N R S S T O C K A T F E
P E E E U L H J R N N B E H
R N E S E S S O L B O Z M S
D F J E T A T S E L A E R O
```

Puzzle #164: LOVE STORY

ARDENT

ATTACHMENT

ATTRACT

BEAU

BEWITCH

CARE

CHEMISTRY

CHERISH

CLOSE

CONSTANT

COURT

DEAR

DESIRE

DEVOTION

EMBRACE

FERVENT

FONDNESS

HEART

HUG

INTRIGUE

KISS

NESTLE

PASSION

PET

SHARE

SUIT

TENDER

UNION

WOO

YEARNING

```
T E U G I R T N I I W P I H
C P D D H R D Y V T K D C C
A K B E A U E O N C E T H H
R H T E A A G E O S I E T U
T N H N R R M U I W R R N C
T V E N A H R R E I P C E H
A N I S C T E B S W A W D E
E N E A T D S H U R S R R M
G M T V N L W N E N S Y A I
D T B E R D E V O T I O N S
A I T R K E Q S M C O O H T
J U Y E A I F Z O Z N A N R
T S T B P C S D V L R I F Y
Z F O N D N E S S E C G E U
```

Puzzle #165: DOWN ON THE FARM

BALE

BARN

BEETS

CATTLE

CHICKENS

CLOVER

CORN

CROPS

CULTIVATION

DRAINAGE

DROUGHT

FLEECE

FROST

GOATS

GREENHOUSE

HARVEST

HORSES

IRRIGATION

LIVESTOCK

MARKET

PLOW

REAP

RIPEN

SCARECROW

SEEDS

SHEEP

SILO

SQUASH

STEER

THRESH

```
E E K E S U O H N E E R G N
S G B T L U C O B Z K M R C
T C A E H A C R S C L A O N
A H S N E G B Q O F B R H O
O I R D I T U T R P N K O I
G C R E E A S O R E S E R T
O K E L S E R T R I E T S A
F E V H V H S D P D P T E V
R N O I H O M A S E K E S I
L S L X R S E M L H I C N T
C B C F S R I T N W E E V L
H A R V E S T L F Y O E X U
I R R I G A T I O N J L P C
I W O R C E R A C S T F P K
```

Z Q K C J U T B L F S I R S I C B
T
E N G I R K T H X Z M K Y P Z Q P

Puzzle #166: STAINED GLASS

CHIP

COPPER

CREVICE

CUTTER

FILE

FLUX

FOIL

GESSO

GLASS

GROZING IRON

INDIA INK

JOINT

KILN

LEAD

MARKER

MAT KNIFE

NOTCH

OLEIC ACID

PATINA

PIECE

POLISHING

PROTRUSION

RULER

SKETCH

SOLDERING
   IRON

SPONGE

STEEL WOOL

TAPE

TAP OUT

VISE

WEDGE

WRAP

```
N O R I G N I R E D L O S C
O L H E W M H L E Y P T M T
I E C I V E R C C L E A A Q
S I F I L E D O T E U P R J
U C O I J Q P G L E E R K W
R A S F N P T W E B K N E F
T C S S E K O P A M I S R N
O I E R S O T L D A D V E M
R D G D L A T A I N I J T Q
P A T I N A L D M S O C T U
I Q O S P O N G E I H T U L
E F V O K I L N N N I J I C T
C X U L F N R T P M W N N H
E T T N O R I G N I Z O R G
```

Puzzle #167: SNOWSHOES

J

BEAR PAWS

CENTER

CHISELS

CLAMP

CORDS

CROSSBARS

CURVES

FEET

FITTINGS

FLAT

HOLE

LACING

LASHED

LENGTH

MARK

MEASURE

NAIL

NEOPRENE

NETTING

PAIR

RAISE

REAM

SANDED

SAPLING

SLIDE

SLIT

SNUG

STEP

STRAIGHT

TAIL

THONG

TRIM

VARNISH

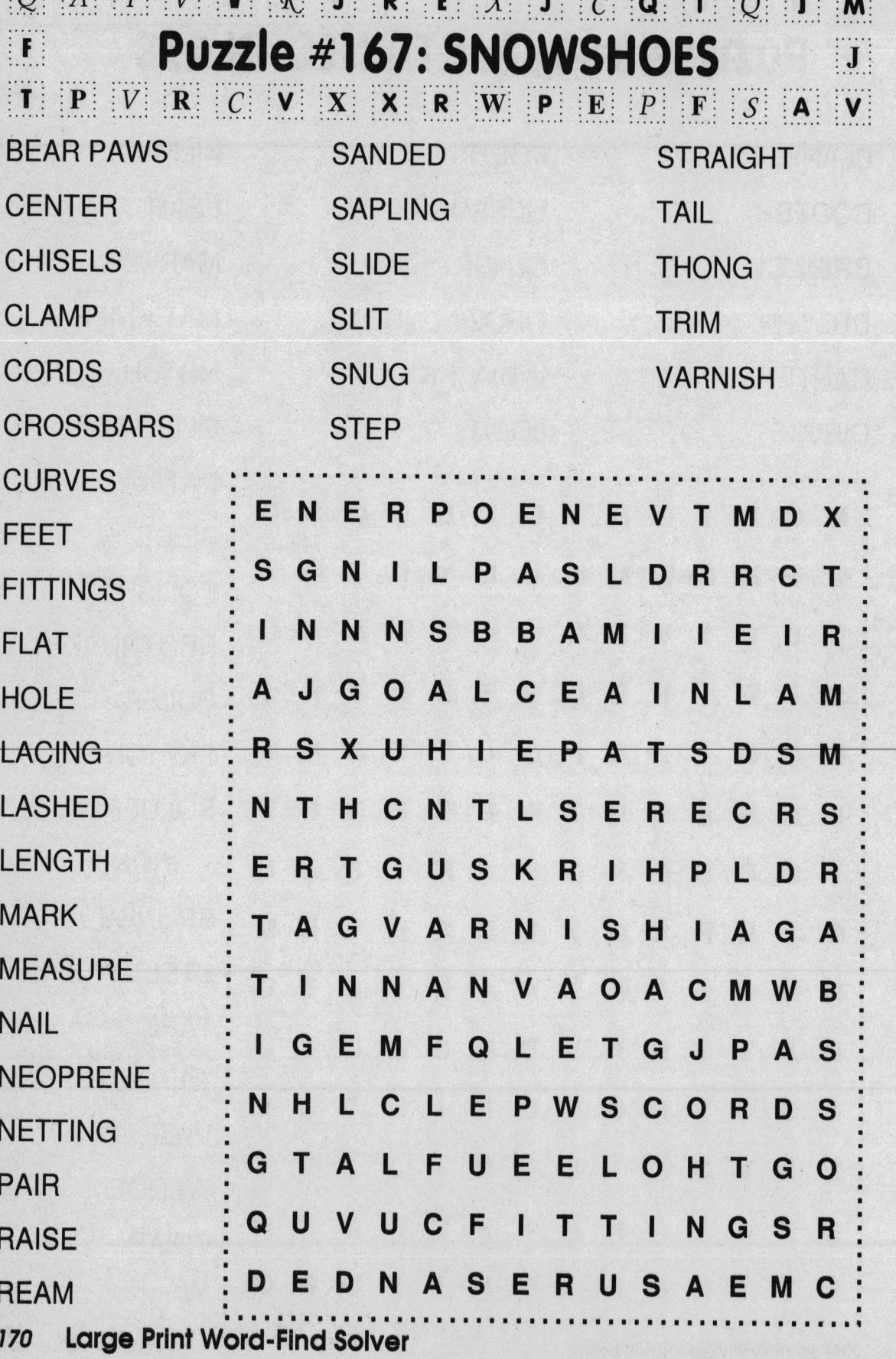

```
E N E R P O E N E V T M D X
S G N I L P A S L D R R C T
I N N N S B B A M I I E I R
A J G O A L C E A I N L A M
R S X U H I E P A T S D S M
N T H C N T L S E R E C R S
E R T G U S K R I H P L D R
T A G V A R N I S H I A G A
T I N N A N V A O A C M W B
I G E M F Q L E T G J P A S
N H L C L E P W S C O R D S
G T A L F U E E L O H T G O
Q U V U C F I T T I N G S R
D E D N A S E R U S A E M C
```

Puzzle #168: THE EQUESTRIAN SET

BLANKETS

BOOTS

BRIDLE

BRUSH

CANTER

CIRCLE

CROP

FEED BAG

FENCE

FILLY

GAITS

GALLOP

GRACE

HABIT

HANDLER

JUDGE

MANE

MARE

PACE

POLES

PRANCE

RAIL

REAR

REINS

RIBBONS

RINGS

RUNS

SEAT

SHOES

SHOWS

SIRE

STABLES

STALLION

SUGAR

TIME

TROT

WALK

```
M F H A N D L E R E T N A C
T I M E T F E E D B A G W B
N L S C I R C L E H K G Y R
P L W T N N O I L L A T S I
O Y O Z E J K T A L O T G D
L M H I U K B W L S O N N L
E A S D P P N O H O E B I E
S R G C R Q P A B A R A R S
U E P L A S E L L U B S T N
G R I A N N N C S B F I C O
A A U R C I A H A E P R T B
R D E N E E M O N R O E D B
G A I T S R B C I P G Q R I
R S T A B L E S E O H S B R
```

Puzzle #169: FOLLOW THE RECIPE

AMBROSIA

BANANA

BEAT

BUTTER

CRESS

DATE

DIPS

DISH

DRIED

FILL

FLOUR

KABOB

LAYER

LIQUEUR

MEASURE

MINCE

MOUSSE

OLEO

ONION

PATE

PEARS

PUNCH

RIBS

ROUND

SALAD

SALT

SEED

SODA

SPOON

STARCH

STIR

TASTE

TURN

YEAST

```
Q S V T O D T M H C N U P I
T T L N O O P S F L J S K E
S A R O S P I D M I B G S Z
S R S E N D R C E Q L O E O
H C T T Y I U V A U T L E A
B H S D E A O C S E U L D M
P E A R S M L N U U O Y I B
N I E I G S F I R R B N A R
R S Y E O X S S E R C D N O
U T K D Z C B O D E E H A S
T I A P H I L I G N K T N I
P R B A R R R E T T U B A A
I W O T M E S S U O M O B D
R S B E A T S A L A D Z R Q
```

Puzzle #17Ø: A MATTER OF BUSINESS

ACCRUE

AGENT

BOND

CHART

COST

CREDIT

CYCLES

DAILY

DATA

DEBIT

DIVIDENDS

EARN

EXPERTS

INTEREST

ISSUE

LEASE

LEDGER

LETTER

LOSS

MARKET

MINUS

NET

OFFER

OFFICE

PAPER

PAY

PRICE

PROFIT

RETAIL

SHARE

STOCK

STORE

TAPE

TOTAL

TRADE

WHOLESALE

```
E R E T A I L S T O R E O O
S U T I S Z U S N S E L F F
T B R S E N O C E D H H F F
O S U C I C P Y G H E A E I
C E E M C I R C A P P P R C
K D S R D A I L Y A M E A E
R N I S E B C E Y T T X M T
E T T V O T E S B R E P A P
G R I N I L N T Y A K E T P
D E D B T D O I T H R R R R
E T E U E T E A D C A T A O
L T R Z A D D N Q V M S D F
V E C L E A S E D N R A E I
E L A S E L O H W S T N E T
```

Puzzle #171: WINDOW WORLD

J U D Q O L V X C R I E V R Q I H
S   J
B X J S O N Z M Z Q H G F A Q F Q

AWNINGS

BAYS

BLINDS

BRACKET

CORNICE

CURTAINS

DORMER

FRAME

GLASS

GLAZE

INLET

JAMB

LATTICE

LEAD

OPENING

ORIEL

ORIFICE

PANES

PICTURE

PLATE

SASH

SCREENS

SEAT

SHADES

SHUTTERS

SILL

SKYLIGHT

STAINED

TRANSOM

VIEW

```
E V Q D I S K Y L I G H T S
B D S I L L G T T E S M V H
U A B B N L O E E M A R F A
J S Y M A L K P T L S D B D
X T D S A C E S E A H I O E
L A S Y A J N T L N L R Y S
S I K R X E S A K E I P D H
E N B E E E T P W F I N K U
C E I R N T I R I N I R G T
I D C A I C E C A L I G O T
N S P C T M E Z B N W N A E
R H E U R R Z N A B S E G R
O Q R O P Z U S M L S O I S
C E D O C H R C L Z G E M V
```

A E B G A L L N V J C Y U S Y P S

E   O

Q Z Y Y W Y G C T Q N A W T G M W

Puzzle #172: BUILDER'S SUPPLIES

- BRAD
- BRICKS
- CEMENT
- DOOR
- DRAIN
- DRY WALL
- FLOORING
- GATE
- GLASS
- HINGE
- JOIST
- KNOB
- LADDER
- LATHE
- LOCK
- NAILS
- PANEL
- PANES
- PIPES
- PLASTER
- PLUMBING
- PUTTY
- RAILING
- RISERS
- ROOFING
- SAW
- SHINGLE
- SHUTTER
- SIDING
- SPACKLE
- TILE
- VISE
- WALLBOARD
- WINDOW

```
G T S I O J N A R I S E R S
S N R I E R E T S A L P P S
B E I O P U T T Y C G T L A
R M N D O V N T A N P C U L
I E K A I F X A I G I N M G
C C C S P S I R I L P R B J
K J E N H B O N D L E V I F
S S R I R O O R G T S G N E
H P E A L E Y W T L N P G P
I A D F H W O U O I K N A W
N C D T A D H C L D I N A Z
G K A L N S K I O H E S O E
L L L I D R A O B L L A W B
E E W Q W R R D R A I N L D
```

Puzzle #173: FLYING HIGH

AIRPORT

AVGAS

AVIATOR

BANK

BEAM

CABIN

COURSE

CREW

FLAP

FLIER

FLIGHT

GALLEY

GYRO

HANGAR

JET LAG

JOYSTICK

LIFT

NOSE

PILOT

PLANE

PONTOON

PYLON

RADAR

RADIO

RUDDER

RUNWAY

SEAT

SONIC BOOM

SPEED

SPIN

STALL

TAIL

TAKEOFF

TAXI

TURBOJET

WING

```
P Y X R U N W A Y E L L A G
R X I D C T R O P R I A T P
T O L I P A S P E E D W E E
V F T G Z T B H J I P E J B
X L N A S T A I L L L R O J
G I P Y I T I E N F A C B O
W G Q Y F V A X S D N A R Y
R H N I L V A L A H E Y U S
E T L O G O C R L T G V T T
D S L A S O N I C B O O M I
D P S K U E T A K E O F F C
U I A R N P O N T O O N L K
R N S L H A N G A R A D I O
B E A M F Q B I G A L T E J
```

Puzzle #174: T.S. ELIOT

ANGLICAN

"ASH

  WEDNESDAY"

AVANT GARDE

BRITISH

CRITIC

DRAMA

ESSAYS

EZRA POUND

"FOUR

QUARTETS"

"GERONTION"

HARVARD

"MARINA"

MISSOURI

NOBEL PRIZE

OLD POSSUM

OXFORD

PLAYS

POEMS

POET

"PRUFROCK"

SORBONNE

SWEENY

"THE HOLLOW

  MEN"

"THE WASTE

  LAND"

```
A B Y N S D N U O P A R Z E
S C A A O O L D P O S S U M
T U D A W B R I T I S H C A
E H S Y N P E B O G F W I R
T N E M W O L L O H E H T I
R A N W D E I E P N P V I N
A C D A A M S R O R N S R A
U I E U M S H I U X I E C F
Q L W H A A T F T O F Z G M
R G H Y R N R E K Z S O E T
U N S V O O O D L T V S R P
O A A R C P U S Y A L P I D
F R E K F R S W E E N Y J M
D G N A V A N T G A R D E F
```

Puzzle #175: PHOTOGRAPHY

AGING

ALUM

BATH

BLEACH

BUFFER

CAMERA

CANDID

CARTRIDGE

CRYSTAL

CUTS

CYCLE

DUBBING

FILM

FIXINGS

FLASH

FRAME

GHOST

IMAGES

INKS

LENS

MAGNIFY

OPACITY

REFLECT

RETOUCH

RUSHES

STILL

STUDIO

SWITCH

TABLE

TRANSFER

VERTICAL

```
I V Q F C A M E R A B A O R
T N N R I P N F L L W G E E
L S K U O L R U E M E I S F
A C O S E A M A S L V N T L
C R P H M S C E C B E G R E
I Y A E G H G Y A L N E A C
T S C S F A C T E I C G W T
R T I A M I H T B T C D O M
E A T I N C X B I B Z I S A
V L Y G U D U I U W D R T G
C S B O C D I F N U S T I N
B U T A P U F D T G N R L I
Z E R Z T E T S Q H S A L F
R H T T R A N S F E R C I Y
```

Puzzle #176: SKEET

ACTION

BAKER

BARREL

BOLT

BORE

BREECH

CLAY PIGEON

CLIP

DROP

ENFIELD

FIREARM

GAGE

HENRY

JOHNSON

KENTUCKY

LANDS

MAGAZINE

MANNLICHER

MINIE

MONDRAGON

MUZZLE

"PULL!"

REPEATING

RIFLING

ROSS

SHARPS

SIMONOV

S.M.L.E.

ST. ETIENNE

TARGET

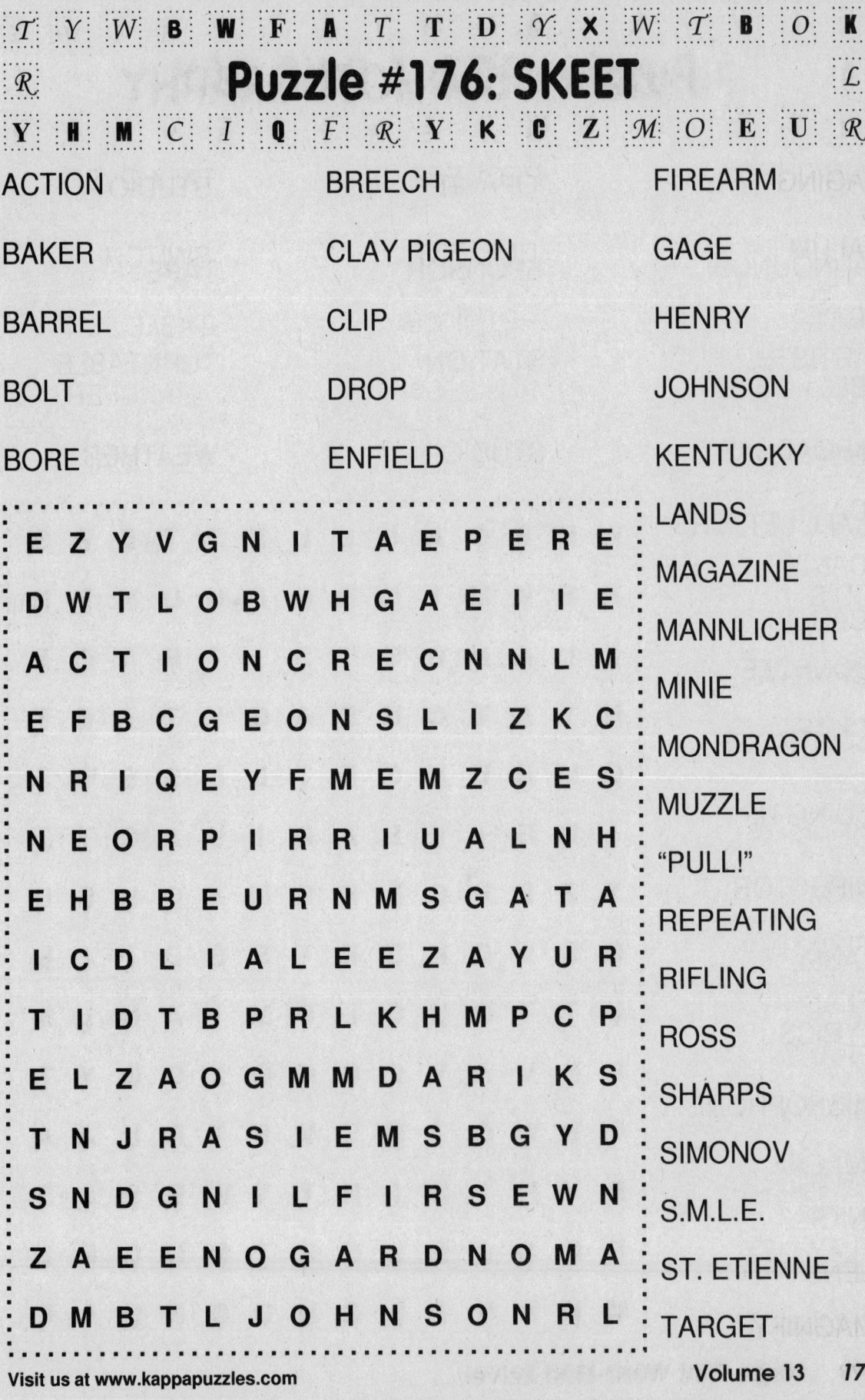

```
E Z Y V G N I T A E P E R E
D W T L O B W H G A E I I E
A C T I O N C R E C N N L M
E F B C G E O N S L I Z K C
N R I Q E Y F M E M Z C E S
N E O R P I R R I U A L N H
E H B B E U R N M S G A T A
I C D L I A L E E Z A Y U R
T I D T B P R L K H M P C P
E L Z A O G M M D A R I K S
T N J R A S I E M S B G Y D
S N D G N I L F I R S E W N
Z A E E N O G A R D N O M A
D M B T L J O H N S O N R L
```

Puzzle #177: A DJ'S DAY

AIR CHECK

ANNOUNCE

ARTISTS

BROADCAST

CALL LETTERS

CD'S

CONSOLE

CONTROLS

CUING UP

DIRECTOR

LABEL

LYRICS

MICROPHONE

MUSIC

PLAY LIST

PRODUCTION

REQUEST

SPONSOR

STATION

STUDIO

TALK OVER

TAPE

TURNTABLE

WEATHER

```
W R B C A L L L E T T E R S
K E K M I C R O P H O N E R
L L A N R S T S I T R A C E
N Y A T C N D A G V T I E F
O M R B H C E T L D S S W S
I R B I E E A R I U A C T T
T Z E P C L R R M X C U S U
C S A Q K S E T S S D I I R
U T T O U C L P M I A N L N
D D V A T E O M O X O G Y T
O E W O T N S V F T R U A A
R V R I S I N T T W B P L B
P H A O S L O R T N O C P L
M H R H I E C N U O N N A E
```

B V S K U C G W F N M L X S O Z G
M # Puzzle #178: PLAYGROUND HOOPS Y
F O T O B M T X M H L N U A Q L A

ACTION	CHALLENGE	GAME
ADVANTAGE	CONFIDENCE	HALF COURT
BUDDIES	FAST PACE	HUSTLE
CALLS	FRIENDS	OUTDOORS

```
U M W A T W E N T Y F O U R     PALS
B S M D F S W L J C V Q E H     POINTS
U E M V L A D A T I A M R O     ROUGH
D C C A Y D S N C S U L O I     RUGGED
D N P N E L P T E T U P L E     SCORE
I E L T O T O M P I I H R S     SHOOT FOR IT
E D G A R R A Y J A R O N R     STRATEGY
S I A G Y G G P R X C F N O     TEAMS
T F D E U E Z O O S E E D O     THIRTY-TWO
N N S M T R U O C F L A H D     TWENTY-FOUR
I O H A E G N E L L A H C T     VICTORY
O C R T H I R T Y T W O X U     WARMUPS
P T I R O F T O O H S D L O     WINNERS
S W A R M U P S R E N N I W
```

Puzzle #179: WITH THE "WIND"

BAG

BLOWN

BREAKER

BURN

CHILL

CROSS

DOWN

EAST

FALL

FLOWER

FOLLOWING

HOWLING

INSTRUMENT

JAMMER

LASS

NORTH

PIPE

PUFF OF

SECOND

SHIELD

SHORT

SOCK

SOUTH

SPEED

SQUALL

STORM

SURFING

SWEPT

TRADE

TUNNEL

WARD

WEST

WHIRL

WOOD

```
B Q E A G N S R B I W S S T
T S J A W O N H A O O T D L
P I B H S R S M O C O R E A
U U I T U T P D K R A E L S
W R F B R H E M M W T K S S
L L A F G A E A L T S A S U
R M H X O N D L V U E E Q R
Y E U T K F I E X N W R U F
E Z W E U H S W R N W B A I
S P I O C O S E O E W O L N
S H I E L D S W C L M O L G
O C C P B F S Q E O L M D B
R H O W L I N G D P N O A L
C I N S T R U M E N T D F J
```

Puzzle #180: FOLLOW YONDER STAR

ANCHOR

BEAM

BOOM

CAPTAIN

CLEAT

COMPASS

COURSE

DINGHY

DRAFT

FAIRLEAD

GAFF

KEEL

KETCH

KNOT

LEACH

LUFF

MAINSAIL

MAPS

MAST

MOORING

PULLEY

REACH

RUDDER

SCHOONER

SEXTANT

SHEET

SKIPPER

STARBOARD

STERN

SWELL

TACK

TIDE

TILLER

YAWL

```
E K R U D D E R O H C N A U
D A E L R I A F C O S T M S
I S W E L L T T C T N O K T
T D R H L A E L E A O I W I
S R Y N C K E R T R P N F L
S A E K Y A N X I P O A K L
A F L N T H E N E T S H E E
P T L U O S G R R H S A L R
M M U U S O B N E S C P W G
O I P T C H E I H F T A G
C R S Y X N T C A D B F Y M
C A P T A I N S S M F O U T
M D R A O B R A T S T J O L
C O U R S E L I A S N I A M
```

Puzzle #181: AMUSEMENT PARKS

BARKERS

BINGO

BOOTHS

BUMPER CARS

CANDY

CAROUSEL

CHANCES

CHILDREN

DARTS

DOLLS

FOOD

FORTUNES

  TOLD

FUN HOUSE

GUEST STARS

MOVIES

MUSIC

PONIES

PRIZES

RAFFLE

RIDES

RINK

ROLLER

COASTER

SHOWS

SIGNS

SLOTS

SNACKS

SPIEL

STANDS

TICKETS

TOYS

```
D S T A N D S M A V P P F R
R O Y S A A U H M N O P O E
J L L R E S U O H N U F R T
K E T L I C V T I C K E T S
G S S C S I N E Q B B L U A
U U T N E H S A U S A F N O
E O O S G E T M H C R F E C
S R L D Z I P O H C K A S R
T A S I O E S I O X E R T E
S C R W R O L S C B R G O L
T P R C O D F E P A S G L L
A L A I R H I D S I N Y D O
R R O E N L S I M I E D O R
S S N A C K S R B V X L Y T
```

Puzzle #182: ABOUT AUTOS

AXLE

BATTERY

BRAKE

BUMPER

DOOR

FENDER

FILTER

FRAME

GAUGE

GEAR

HANDLE

HEATER

HORN

HOSE

HUBCAP

IGNITION

KEYS

LOCK

MIRROR

MOTOR

MUFFLER

PISTON

PUMP

SEAT

SHIFT

SIGNAL

SPARK PLUG

TANK

TIRE

TRUNK

VALVE

WHEEL

WIPER

```
S O H U B C A P N G E A R T
P N C B A T T E R Y G O J H
H F O T X P T Q H A O O E H
N O I T I N G I U D T V A K
I R R L S S I G N A L N E N
E F G N T I E A E A D Y F U
L P M U P E P S V L S R N R
R R U S L B R Z E L A M K T
H E E N R P Q R P M O N M I
W D P A L O K H E T A C C H
I N K M A E R R O T F L K L
P E K X U L E R A S A I A Y
E F L X F B M H I P E E H M
R E L F F U M E W M S M H S
```

Puzzle #183: FIDDLER'S JAMBOREE

ACTIVITY

ANNUAL

AUDIENCE

AWARDS

BOW

CHAMP

CONTESTANTS

CONVENTION

ENTER

FAST

FIDDLER

HOEDOWN

JAMBOREE

JUDGE

LOUD

MUSIC

NATIONAL

PLAY

REELS

RHYTHM

RIBBONS

SHOW

SKILLS

SOLO

SPEED

STAGE

TROPHY

TUNES

WEEKEND

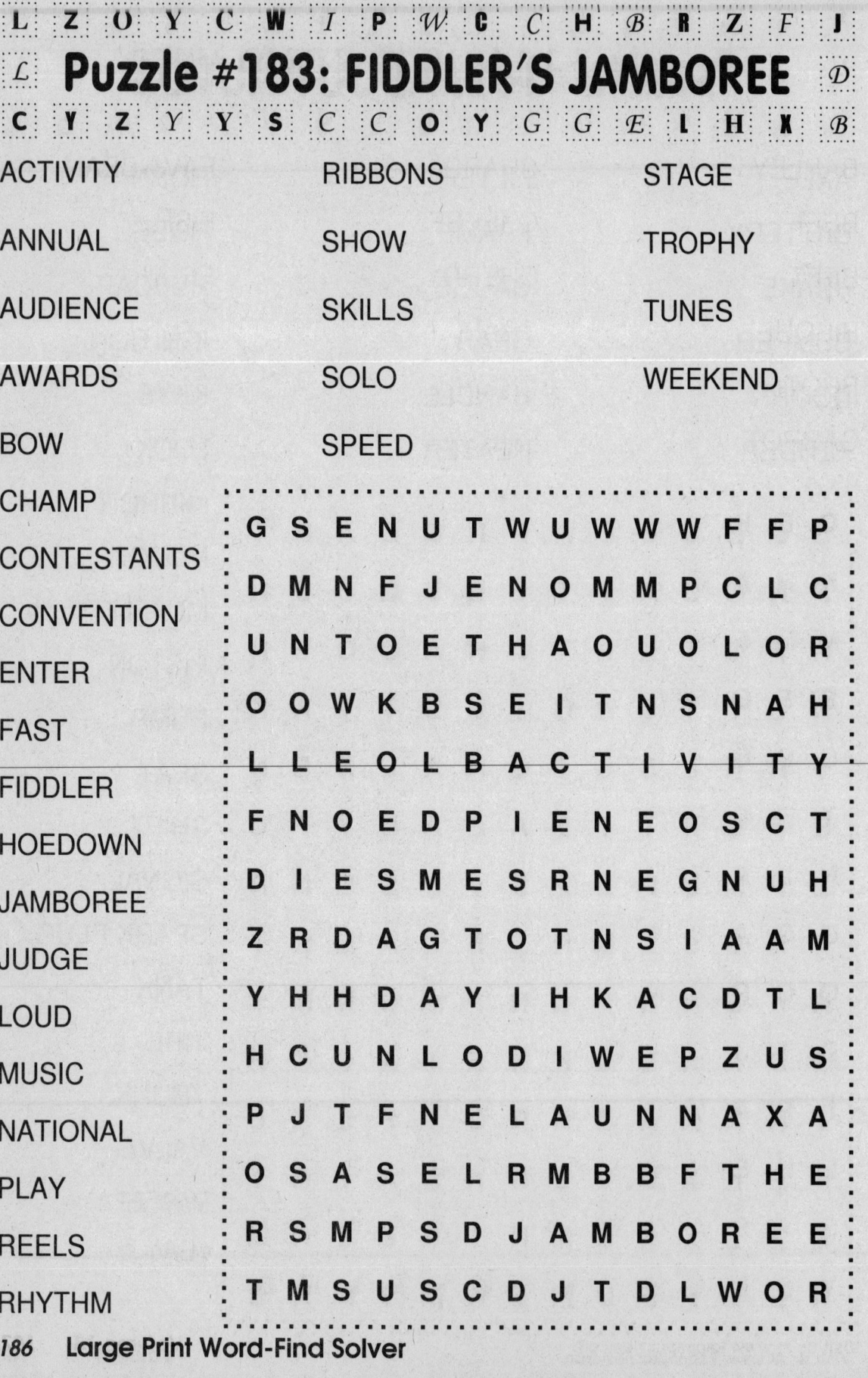

```
G S E N U T W U W W F F P
D M N F J E N O M M P C L C
U N T O E T H A O U O L O R
O O W K B S E I T N S N A H
L L E O L B A C T I V I T Y
F N O E D P I E N E O S C T
D I E S M E S R N E G N U H
Z R D A G T O T N S I A A M
Y H H D A Y I H K A C D T L
H C U N L O D I W E P Z U S
P J T F N E L A U N N A X A
O S A S E L R M B B F T H E
R S M P S D J A M B O R E E
T M S U S C D J T D L W O R
```

BARLEY	CHARD	FAVA BEAN
BEEF	CHEESE	FISH
BEET	CHERRY	FRUIT
BISQUE	CRAB	GAME
BROTH	CREAM	GARLIC
CARROT	CREOLE	HERBS

```
C E K G B A F A V A B E A N
K H A E R M H E C R Q W M X
M M E K L V T S O H Y N Z T
E F O R E O F T A T A G U C
C D G A R C H R V K A R S H
T R L R S Y I N U R N B D E
N L A T Q Q O R L I R K M E
O C A B A I B I P E T N U S
O O P S N A C P H O L S S E
D T J O R R R M C F I S H U
L P A L R B E I H R V D R Q
E U E M M K O R T E E B O S
S Y S A O W L H O A R A O I
V B L L S T E S K E E L M B
```

KASHA
LAMB
LEEKS
LIVER
MUSHROOM
NOODLES
OATS
OKRA
ONION
PEAS
PORK
RICE
SALT
SHRIMP
TOMATO
TURNIP
VEAL

Puzzle #185: EXPLORERS

AMUNDSEN	MACKENZIE	PONCE DE
BALBOA	MARQUETTE	LEON
BARENTS	PALMER	STANLEY
BERING	PEARY	WILLIS
BURTON	POLO	
BYRD		
CABOT		
CARTIER		
CHAMPLAIN		
COLUMBUS		
COOK		
CORONADO		
CORTES		
DE SOTO		
HUDSON		
HUMBOLDT		
LA SALLE		
LEWIS		
LIVINGSTONE		

```
P A H Q P Y E L N A T S X O
A A C O R N E S D N U M A P
L R L A V O T K G H G L T O
I O E M B N D N Z U W E U N
V P Y B E O I A B M J W W C
I A C R M R T U N B J I N E
N O A O E A R H D O L S C D
G B E B L T R E U L R O I E
S L C L O U S Q I D R O B L
T A C N L O M S U T S Y C E
O B K O T A C B E E R O Z O
N P T O O Y S S U D T A N N
E I Z N E K C A M S C T C R
O C P C H A M P L A I N E H
```

ABBOT	BROTHER	DEACON
ALDERMAN	CARDINAL	DEAN
AMBASSADOR	CHIEF	DOCTOR
BARON	COUNT	DUKE
BISHOP	DAME	EARL

```
R D B R O T H E R E T S I S
E N O B H J N T S E I R P V
T A P C U E F O W V N B J H
S M R D T E C U C H K V C I
I R G L I O A N L A B B O T
N E O H M N R A I R E N U Y
I D C Y D B D O J R E D N P
M L R R A Y I S I E P O T V
H A O Z E M N S U R R L R P
J L T M K U A Q H A E A D D
N S A I N F L D B O B P U L
H D N A E Q F P X B P K U L
W G E L T N E D I S E R P S
L D S A M B A S S A D O R V
```

ENVOY

JUDGE

KING

LADY

LORD

MAYOR

MINISTER

PRESIDENT

PRIEST

PRINCE

QUEEN

RABBI

SENATOR

SISTER

SUPERIOR

Puzzle #187: ARCHERY

AIMING	SHAFT	TEAM
ARCHERY	SHOOT	TILTS
ARMS	SPINE	VANE
BLUNT	SPLINTER	WEIGHT
BOWS	TABS	WRIST
CAST	TACKLE	
CLUB		
DRIFT		
EYES		
FACE		
GLOVES		
GUARDS		
HITS		
HOLD		
LIMB		
LOOSE		
OVERDRAW		
PINCH		
PIN SIGHT		
PLUCK		
QUIVER		
RELEASE		
REST		
RULES		

```
P Y J N B O W S U J P P R N
I C O V E R D R A W M L Y Z
N F L N T O O H S T N U L B
S S A U W S Y T E L K C A T
I V I C B R A H Z J A K E S
G D F M E B I C G J X N D S
H V I H S U G S T F I R D P
T L C S T M A E T P A L R L
O R M S H W A W S U O V U I
A R E C T I E E G H D R L N
A R N F M I S E V O L G E T
E I A I G O H R E L E A S E
P H N H O L X A Q U I V E R
S G T L M E Y E S T L I T R
```

Puzzle #188: AUTUMN SCENE

ACORNS

APPLES

AROMA

ASTERS

BARE TREES

CIDER

COLLEGE

COLOR

COOL

CRISP

FALL

FIELD HOCKEY

FOLIAGE

FOOTBALL

FROST

GRAIN

HARVEST

HAYRIDES

LAWN

LEAVES

NIPPY

OAK

PAINT HOUSE

RAKING UP

REAP

SCHOOL

STARTS

STROLL

```
F B G Y E K C O H D L E I F
H A Y R I D E S S E Z R S V
R S E E R T E R A B C Z C U
K E V D Q L E V W C S J H Y
J F A N P T E X R T O F O E
T O X P S S C A R E F O O S
R P A A P X K O G A G O L U
R S S K S I L E L R H T S O
N E V I N L L L A O A B T H
I U D G R L Z I Z A R A A T
P R U I O C N I R W V L R N
P P N C C W H O Z Q E L T I
Y N O C A T M F R O S T S A
N F O L I A G E V F T E F P
```

Puzzle #189: "DOWN"

CALL

CAST

COUNTRY

CUT

DRAFT

DRAG

FALL

FIRST

GRADE

HEARTED

HILL

PERCENT

PLAY

POUR

PUT

RIGHT

SLOW

SOUTH

STAGE

STAIRS

STATE

STREAM

SUN

SWING

TAKE

TO EARTH

TOWN

TRACK

TRODDEN

TURN

UNDER

UPSIDE

WIND

WRITE

```
U Q S T A G E K A T S H Y Q
C O U N T R Y X F W W T K B
T O E A R T H X I A O T W S
N B S O U T H N V C L Q H T
E E O T S J G A R D S L O A
C N D A S E T I R W C W P I
R U C D M R T T Y N N U D R
E S N T O D I A W R T Y T S
P I P D U R E F T T X T C M
W Y P L E R T T H S R U A P
V N L O A R N G R A D E L T
I I L P U Y I K C A R Y L T
H R T F A R D K C T E S D G
J C C J M E D I S P U H N S
```

Puzzle #190: PARTY TIME!

ACTIVE

BAND

BARBECUE

BASH

BLAST

BRUNCH

CAKE

CATERERS

CHUMS

CLEAN UP

COMBO

DRINKS

EAT

FETE

FOOD

FRIENDS

GAMES

GIFTS

GROUP

HAPPY

HAVE FUN

HORS
    D'OEUVRES

ICE CREAM

MEAL

MUSIC

NIBBLE

PATIO

PIZZA

POOL

POUR

PROM

PUNCH

SOCIABLE

TOAST

```
J Z E U C E B R A B I Z E S
A T O A S T M O N X C V L E
M P U N A E L C P O I P B R
Y L F H A F L R M T A R A V
G P I L Z F O B C T H E I U
S R P C B M O A I C A D C E
S I O A E B P O N T V R O O
D T N U H C L U D J E I S D
N D F H P E R A P H F N E S
E A N I L B C E S U U K M R
I Z P B G H C A A T N S A O
R Z B O U L B A J M K C G H
F I O M U S I C K D E E H I
N P S H V R C A T E R E R S
```

Puzzle #191: VISIT TO TURKEY

ADANA

ADIYAMAN

ANATOLIA

ANKARA

ANTIQUITIES

BOGHAZKOY

BURSA

CITADEL

DARDANELLES

DIYARBAKIR

ERZURUM

GAZIANTEP

ISTANBUL

IZMIR

KARS

KAYSERI

KONYA

LAKE VAN

MINARETS

MOSQUES

MOUNT

ARARAT

SEYHAN RIVER

SIVAS

TARSUS

TIGRIS

TOKAT

```
R E V I R N A H Y E S U D J
Z H S A V I S J O A N A D A
M O S Q U E S U K I R A P Y
N D E T O K A T Z D R N K N
V M O U N T A R A R A T A O
P E E N N S N N H N T I R K
A E B R I A E E G S B Q S A
I U T R Z L V L O T J U D Y
L Z G N L U E E B E S I L S
O I M E A D R U K R Y T B E
T T S I A I R U A A V I N R
A K Q T R S Z T M N L E H I
N D I Y A R B A K I R S U S
A C A R A K N A G M P D I D
```

Puzzle #192: AT HOME ON WHEELS
F

AXLE	DECOR	HATCH
BATH	DINETTE	HOLD
BEDS	EXHAUST	HOOKUP
BUNK	FANS	HOSE
COACH	FOLD	LANTERN
DECK	FURNACE	LATCH

```
A S K F O L D I N E T T E P
N X T N M X D J D L B W U H
S R L O I L T X R L L K S B
B Y E E R S F E C A O W E E
B E S T U A R D T O E H B C
S O D A N A G C H L P R O A
H H H S B A H E O U D A R N
R X O L H U L U M E C S D R
E O L W W C N P C H E L R U
D O O A E G T K T A L E A F
R T T F E R B A T H E V W D
S E L I B O M Z H S D A Y Q
R Y T I N A V D E C O R E A
W H E E L S E R I T M T X D
```

LOUNGE
MOBILE
MODEL
PUMP
REAR
ROLL BAR
ROOF
SEAT
SHOWER
SINK
STORAGE
STOW
TIRES
TRAVEL
VANITY
WARDROBE
WATER
WHEELS

Puzzle #193: VEGETATION

ANNUAL	PARK	TWIG
BEAN	SHRUB	VEGETATION
BERRY	TIMBER	VINE
BIENNIALS	TOADSTOOL	WEED
BLADE	TREE	WOOD
BOTTLEBRUSH	TURF	
BULB		
BUSH		
DALE		
FERN		
FLORA		
GLEN		
GRASS		
HERBARIUM		
HOUSEPLANTS		
JUNGLE		
LEAF		
LEGUME		
LICHEN		
MEADOW		
MOSS		
MUSHROOM		

```
O Y K B M G R A S S W T E B
G V R W I E N B D E R V L U
N E A R B E A R E E W U A L
B G P M E B N D E A B J D O
O E I F M B L N O F N L Y O
T T M R M O O A I W Y A O T
T A U U S U S Q D A L Q V S
L T J T S T I S L E L I H D
E I U L W H H R G A N S H A
B O N I I R R U A E U F I O
R N G E U C M O D B L N E T
U F L B L E H R O O R U N K
S L E A F G K E R M O E R A
H O U S E P L A N T S W H A
```

Puzzle #194: HIGHWAYS AND HAZARDS

BREAK DOWN

BUS

CAR

DEBRIS

DITCH

ENTRANCE

EXIT

EXPRESS

FLAT

FUMES

HEAT

HIGHWAY

HORN

ICE

LEFT LANE

LIMIT

OUT OF GAS

PASS

PHONE

POTHOLE

RAIN

RIDE

SHOULDER

SIGN

SKIDS

SPEED

STALL

STOP

STREET

TIRE

TOLL BOOTH

TOW FLEET

TRIP

TUNNEL

WET

WIND

```
V N W O D K A E R B K J Z S
T O W F L E E T P A M R P R
O U T O F G A S O G C E I T
P E T U N N E L T V E D A Q
W H M D L T E H H D E L T A
S E O I I F Z B O L F U O V
S T M N T T U E L R Y O L S
T I R L E S C A E A N H L S
T R A E I I T H W D S S B E
A N I R E S T H N D V S O R
E U B P G T G I I I S A O P
H E B O V I W K R I A P T X
D M W T H X S Q G E D R H E
R W B S O E E N T R A N C E
```

Puzzle #195: AT THE SYMPHONY

BAR

BASSOON

BATON

BELLS

BONGOS

BOW

BUGLE

CELLO

CORNET

CYMBALS

DRUMS

FLUTE

FRENCH HORN

GONG

GUITAR

HARP

LOW

MARIMBA

MINOR

NOTES

OBOE

ORGAN

PIANO

REED

SAXOPHONE

SCORE

SOLO

SYMPHONY

TEMPO

TONE

TROMBONE

TRUMPET

TUBA

VIOLIN

```
M M W D R S A X O P H O N E
A J H O B B E K S I C B R N
R H N X A U S O R E X L E O
I I N T S C G A L A N U E B
M O O W O N T L V E B X D M
B N T R O I O H E I O T E O
A A E B U B B A S S O O N R
Y I S G T T P R Y N B L B T
G P N W F U E P E O A E I T
T S O L O X B P B O L G E N
S M U R D L D A M L P N R G
P T C Y M B A L S U R M O O
E W F R E N C H H O R N E L
Y N O H P M Y S C Y G T A T
```

Puzzle #196: BORN IN OCTOBER

ATLAS

BEATTY

BROWNE

CHASE

CRONKITE

GISH

HALL

HAYES

HAYWORTH

HESTON

KLINE

KNIEVEL

LABELLE

LANDON

LAVIN

LENNON

LITHGOW

MOORE

NAVRATILOVA

O'NEILL

OSMOND

PAGE

PICASSO

RICH

ROBBINS

SAJAK

SLICK

TEWES

VIDAL

```
K W M H E T I K N O R C P H
G H L H M N R H P L L Q T K
H C S O W O W Y A A A Q S N
M I O N B O L O B Y G D L I
G R J B G E Y E R C E E I E
E E I H N R L D N B H S C V
D N T N K L N L Y I B A K E
S I O A E O N I I T L K S L
L N J T M G L P V E T K E E
H A O S S A C I P A N A W Q
S A O U N E O B T J L O E E
D T L D V F H L F B Q S T B
A V O L I T A R V A N E B C
Y N D C Y S H T R O W Y A H
```

Puzzle #197: CANNING TIME

APPLES

BEETS

BLANCH

BRUSH

CANNER

CANS

CLAMPS

COLD PACK

COOKER

DIPPER

FILL

FRUIT

GLASS JARS

HOT BATH

JAM

JELLY

KETTLE

LABEL

LADLE

MEASURE

PARE

PEACHES

POTS

PRESSURE

PROCESSING

RACK

SALT

STEAM

TEST

TONGS

```
A C L T Q E M W P Z H W Z C
P B R R E C R E P T I U L L
P H S E A S A U Y A O B A A
L O S N P C T C S L C N S M
E T S U H P K O C A L T G P
S B J E R N I L P O E E U S
P A S O L B F D C A O M J F
M T L A O M J P M A A K R P
A H B T H C N A L B N U E A
R E E C E S X C O L I N V R
L L I F E U T K E T T L E E
W N G N I S S E C O R P O R
Q P R E S S U R E L D A L P
G L A S S J A R S B X F H X
```

Puzzle #198: JOURNALISTS' JOB

ANALYZE

ASK

BROADCAST

CALL

CHECK

CLARIFY

COMMENT

CONFIRM

EDIT

EXPOSE

FILE

INFORM

INQUIRE

LISTEN

MEET

OBSERVE

PHOTOGRAPH

PRINT

PROBE

PROOFREAD

PURSUE

QUOTE

RESEARCH

REVEAL

SHOW

SPEAK

TAPE

TELL

TYPE

UPDATE

VERIFY

WRITE

```
L A E V E R E P N E T S I L
A N A L Y Z E X R M T E Z F
U P D A T E R P P I K I E O
V E R I F Y I Z Y O N J R M
P X D T A S U P X T S T U W
H E C N P S Q R R C S E B P
O B L E O V N O Y C P H R C
T V A M B K I B H A C O O C
O K R M S K P E T R O N A W
G Q I O E U C F A F F L D V
R U F C R K I E R I L Q C G
A O Y S V L S E R E D K A R
P T U R E E A M T X H M S Q
H E W M R D M R O F N I T A
```

Puzzle #199: BATIK PRINTS

BANDANNA

BASIN

BATIK

BEESWAX

BLOT

BOWL

COTTON

CRAFT

DIP

DOWEL

DRESS

DRIPS

DRY

DYE

FABRIC

GINGHAM

GRAPH PAPER

GRID

HANDKER-

   CHIEF

IRON

JAVA

LINEN

MOTIF

NAPKIN

PARAFFIN

PATTERN

PRINTS

RINGS

SOAK

SQUARES

STAMPS

WOOD

```
X E C J W N I F F A R A P D
N T D O I D D R D N N O R I
R Y O S B I O P B C E Y J R
E D A L R I O W Q O R I I W
T B B G B I B E E S W A X C
T A N N A D N A B L P L F Q
A S P M A T S G N E N I L T
P I S Q U A R E S W B B R R
D M C S H N I K P A N L K D
N O T T O C J S T N I R P S
S T I I T A G I N G H A M S
V I Q D V O K C I R B A F E
R F U A G R A P H P A P E R
F E I H C R E K D N A H I D
```

Puzzle #200: MUCH ABOUT TV

ACTOR

AERIAL

AUDIBLE

AUDIO

BEAM

CABLE

CAMERA

CARTOON

CHANNEL

CLOSE-UP

COMMERCIAL

CORDS

CUES

MUSIC

NEWS

PANEL

PLAY

PLUG IN

RATING

REPEAT

SCAN

SCREEN

SEND

SETS

SIGHT

SOUND

SPOT

TAPE

TELECAST

TELEVISION

TUBE

TUNE

VIDEO

VIEW

WATCH

WESTERN

```
H C T A W C A R T O O N S A
L A I R E A V C S A I E U L
A O F E R V I E W G T D T Q
I K E B Y S N A U S I A C N
C C N D U D C L T B E A M O
R O R M I T P H L P M U G I
E R E Y O V G E E E T L C S
M D T R C I K R R E E E C I
M S S N S A D A B S L N L V
O E E N I P B U P C E N O E
C W W T A T T L A R C A S L
S O U N D C A Z E E A H E E
U N E U M Y S P W E S C U T
E L R A T I N G E N T O P S
```

Puzzle #201: HOUSE BEAUTIFUL

ADDITION	PANEL	REMODEL
ASPHALT	PATIO	SIDING
ATTIC	PLAN	SKYLIGHT
BATH	PLASTER	WINDOW
BOARDS	POOL	
BRICK	PORCH	
CABINETS		
CARPET		
CEMENT		
DOOR		
FAMILY ROOM		
FIXTURE		
FLOOR		
FORMICA		
FOUNDATION		
GARAGE		
HOUSE		
LIGHTS		
LOAN		
MONEY		
NAILS		
PAINT		

```
P S K Y L I G H T N E M E C
O I T A P U S V I H O U S E
R F O U N D A T I O N V R T
C M O O R Y L I M A F U V E
H C C A B I N E T S T P G P
M B O F L O O R C X L A P R
T B R R G Y I R I I R I S A
H L O I W N T F E A T T A C
B O A T C O I M G T H T Y N
D A W H N K D D O G S A A R
G N T L P I D N I N N A L P
X E O H O S A L I S E A L V
F O R M I C A P R W Q Y Z P
P Z K P A N E L E D O M E R
```

Puzzle #202: TEACHING

ACADEMICS	COLLEGES	EDUCATION
ASSIGNMENT	COMMITMENT	ELEMENTARY
CHALK	DEGREES	GOALS
COACHES	DISCUSSIONS	GRADES

```
C K Y R A T N E M E L E X T
S O K P U X A O D S W P N N
H D A T H S Q U S E L E S E
I T O C C H C E S A M A N M
G R A H H A G T N T F A O N
H H O B T E N S I K C O I G
S P O I L E S M H A R N S I
C Y O L D E M I D E A L S S
H N O U E O S E B L C W U S
O C T R C S M E K B P U C A
O S G W M I T W D L A O S G
L E B X C K C U E A A U I G
D J I S A N W H D X R H D T
P H I L O S O P H Y Q G C Y
```

HELP

HIGH SCHOOL

IDEALS

METHODS

PHILOSOPHY

PLANS

ROOM

STUDENTS

STUDY

TABLES

TUTOR

Puzzle #203: FANCY "FOOT" WORK

R

BALL

BATH

BEST

BOARD

BRAKES

BRIDGE

DOCTOR

GUARD

HILLS

HOLD

LEFT

LIGHTS

LOCKER

LOOSE

NOTES

OTHER

PATH

PLATE

POST

PRINTS

PUMP

RACE

REST

RIGHT

SOLDIER

STEPS

STONE

STOOL

TENDER

UNDER

WARMER

WEAR

WORK

WORN

WRONG

```
B R A K E S E T O N T S E B
D K L N X W R I G H T C S T
V R R O R M S V P E A L L S
J U A O O O P R N R L I P O
G E N O W S W D E I G E M P
C G U E B R E N H H T J U E
S B L N O R O T T S T S P S
B P O T D T S S G F T O D O
R P C R S E G P S N E L K L
I O K E R U R P I T O L E D
D U E M A J L R A H O P R I
G P R R W G P L A T T O P E
E L D A W M P T A E H A L R
P F L W Q C X C G B W A B R
```

Puzzle #204: HITTING THE SLOPES

BOOTS	GOGGLES	LESSON
BUNDLE	HAT	LIFT
COLD	HILL	MOUNTAIN
FAST	HOT	PLOW
GEAR	CHOCOLATE	POLE

PRACTICE

RACE

RESORT

SCARF

SKIING

SKIS

SLOPE

SNOW

THERMALS

TICKET

TOW

TRAVEL

TRIP

VACATION

WEEKEND

WINTER

```
N W T R I P O L E G L A N M
S M E S L A M R E H T I Q H
G T I E S C W A W V A S F O
W K O C K D R O P T A N X T
S G A O S E L M N Q S R H C
N R P L B P N U K S E I T H
F O O D H Y O D P L L V T O
N P I W W M T R R L G M R C
E O B T R S E I A W G Q O O
T D S U A T K V C Y O B S L
I A X S N C F I T K G T E A
F C H I E D A F I C E C R T
S R W L M L L V C N A T H E
K P R Y K U F E E R G U M N
```

Puzzle #205: THANKSGIVING DAY

BASKETBALL

BUS

CAKE

CHURCH

DESSERT

DINE

DRESSING

DRIVE

FEAST

FESTIVE

FLY

GUESTS

HOPE

NAP

NOVEMBER

PARTY

PIE

PRAY

READ

RELATIVE

RELAX

REST

RIDE

SALAD

SKATE

SKI

SNOW

TRAIN

TRAVEL

TRIP

VISIT

WASH DISHES

YAMS

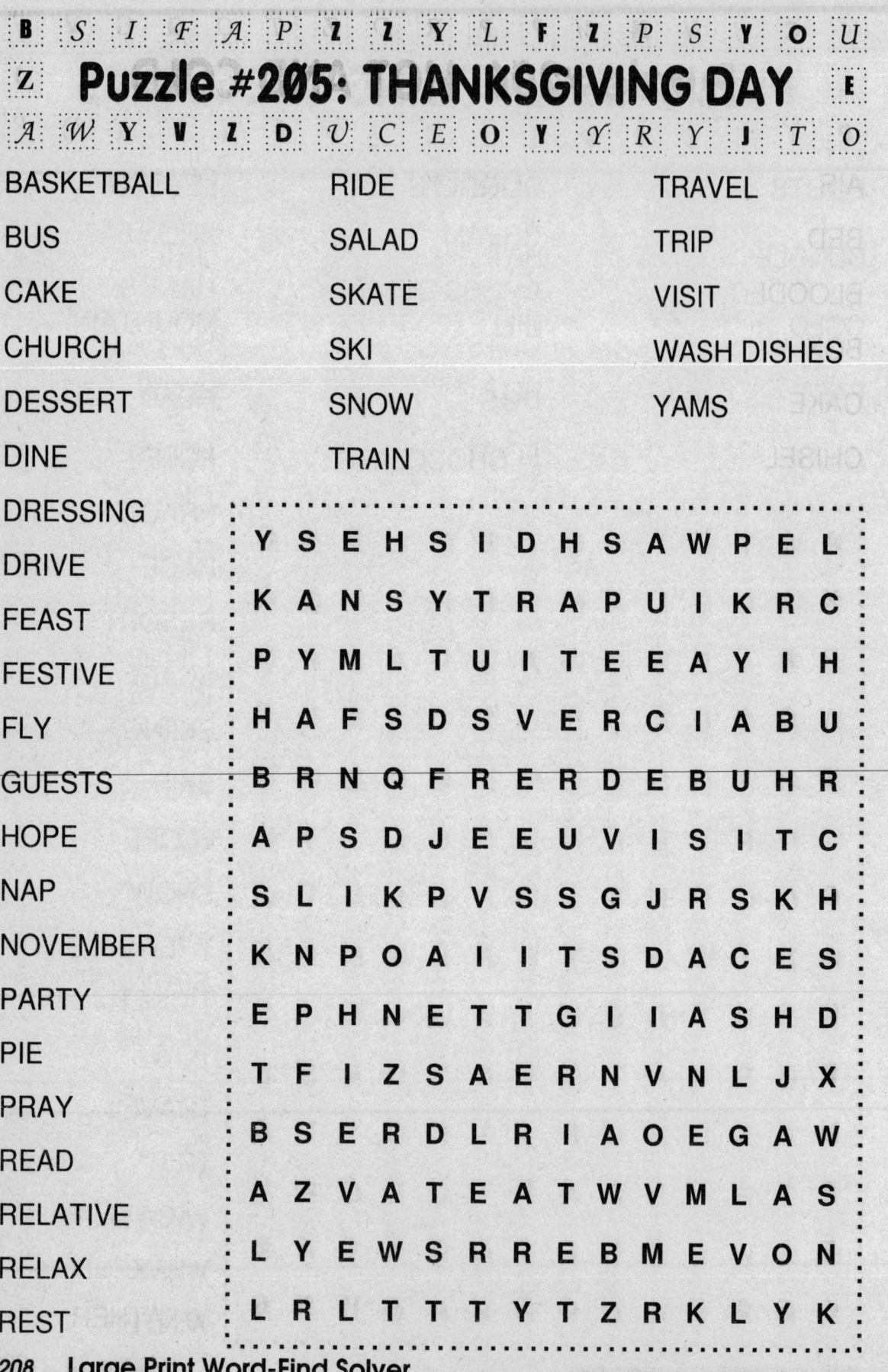

```
Y S E H S I D H S A W P E L
K A N S Y T R A P U I K R C
P Y M L T U I T E E A Y I H
H A F S D S V E R C I A B U
B R N Q F R E R D E B U H R
A P S D J E E U V I S I T C
S L I K P V S S G J R S K H
K N P O A I I T S D A C E S
E P H N E T T G I I A S H D
T F I Z S A E R N V N L J X
B S E R D L R I A O E G A W
A Z V A T E A T W V M L A S
L Y E W S R R E B M E V O N
L R L T T T Y T Z R K L Y K
```

Puzzle #206: HOT AND COLD

AIR

BED

BLOODED

BOX

CAKE

CHISEL

COMFORT

CREAM

CROSS BUNS

CUTS

DOG

FOOT

FRAME

FRONT

HANDS

HARBOR

HEAD

HOUSE

LINE

PACK

PEPPER

PIE

PLATE

POTATO

PRESS

ROD

ROOM

SNAP

SPRINGS

SPUR

STEEL

STORAGE

TEA

WATER

WAVE

WEATHER

```
A A E H S E S T O R A G E B
X I H T P N D O E M P M L R
P R U N E I V H A S A O P S
W C Q O P L T E N R O E C Q
T A N R P A R A F D M R T W
Y O K F E C P D E F O D S A
C O T W R D K D F S O T G T
A R C H I S E L S R E O R E
K C A P H P H B T E D O T R
E X G H O A U O L Y F L V P
M K C T A N R B U M S P U R
E V A W S N A B O S O Q M E
E T A L P K D C O X E O E S
O S P R I N G S Z R B W R S
```

Puzzle #207: IN THE HOBBY SHOP

ALBUMS

BASKET

BATTING

BEADS

BUNTING

CANVAS

CEMENT

CORD

EPOXY

FRAME

FRINGE

GESSO

HINGES

JUTE

KITS

LIQUID GLUE

MUSLIN

PAINT

PAPER

PENS

RAFFIA

RINGS

SEQUINS

SKEINS

STAIN

STENCIL

STONES

STRING

TASSELS

TESSERAE

THIMBLE

TILES

TWINE

```
N N U E U L G D I U Q I L K
O I S J S N E P M U S L I N
S A U D I P S S S A V T S T
S T Z T A H S E K Q S A S E
E S N P T E L G G E V Z L S
G U E W Q I B B N N I P E S
B R I U T E Y R A I I N S E
T N I A P N A C S T R H S R
E N B O A F E S E T T D A A
S H X A F L B M T G R I T E
N Y G I S V B A E O N I N J
E M A R F K T U C C N I N G
T H I M B L E R M P Z E R G
G G L I C N E T S S P A S F
```

D Z F H K M V S D N K H P S T G B
D

Puzzle #208: FERTILIZERS

W

T C U Q A K M Y P L K G T A O R D

APPLICATION

BAG

BONE MEAL

BULBS

BUSHES

CARE

CHEMICALS

COW MANURE

GARDEN

GRASS

GROWTH

HEALTH

HEDGES

HERBICIDE

LAWN

LIME

LIQUID

PHOSPHORUS

PLANT FOOD

ROSES

SHRUBS

SLOW

   RELEASE

SPIKES

SPREADER

SPRING

SUMMER

TREES

VEGETABLES

```
W E I S P H O S P H O R U S
R U S L L G T S E G D E H E
O P I A R A G L S L L X B L
S M L O E N C E A A G J U B
E E W A I L E I W E R A L A
S T H R N R E N M M H G B T
H S P S T T D R M E O H S E
E S H C U I F S W N H P S G
X D A R U B E O E O N C U E
N R Z Q U K S D O B L X M V
E D I C I B R E H D G S M D
R L I P C A S P R E A D E R
B Y S N G C O W M A N U R E
A P P L I C A T I O N U J G
```

Puzzle #209: CONSULT THE EXPERTS

ACCOUNTANT

ADVISER

ADVOCATE

CARPENTER

COACH

CONSULTANT

COUNSELOR

DECORATOR

DOCTOR

ELECTRICIAN

GOLF PRO

GUIDE

GURU

LAWYER

LEADER

MANAGER

MENTOR

PASTOR

PLUMBER

POLICE

PRODUCER

SAGE

TEACHER

```
G D N A I C I R T C E L E L
M R O T S A P O C W C C C A
T E A C M R G L T P T O Q W
N T N A T O Y E D M A N S Y
A N X T L O A S A C A S H E
T E A F O C R N H D N U P R
N P P D H R A U V O R L O L
U R X E V G T O I U U T E T
O A R N E I C C G M A A C Z
C C U R U A S E B R D N I I
C E V X T Z D E O E Z T L L
A U D E D I R C R Y G E O K
P R O D U C E R A O G A P A
Y M F G J D I L L S A F S C
```

Puzzle #210: FUN 'N' GAMES

BALL

CARNIVAL

CHESS

FAIR

FEAST

FETE

FIELD

FIRESIDE

FISHING

GOLF

HAYRIDE

HOLIDAY

LARK

MOVIES

OUTING

PARTY

PLAY

POLO

POOL

PROM

RODEO

ROMP

SAILING

SCENE

SKIS

SONG

SPORTS

SPREE

STARGAZING

STEREO

TOYS

TRAVEL

TRIP

```
O G N I H S I F S T R O P S
E N S C A R N I V A L E W Y
R I D E O M Q T L R O M P O
E T E D I R Y A H T O S U T
T U C E T V R S Y S P E P S
S O G F R K O C C A T X A T
I P I N I P O M S E R T R A
F L O G I R S N F F N Y T R
C A B S Y L E F K T A E Y G
H B I A Z W I S R D B O J A
E K L R L E O A I M E S T Z
S P H R L L V L S D O O R I
S F B D D E O T O N E R I N
Z H M X L H Q R G P Y Q P G
```

Puzzle #211: IT'S A JUNGLE!

ANIMALS

BAMBOO

BIRDS

CANOE

CLIMATE

CROCODILE

FERNS

FIELD

FLOWER

FRUIT

GORILLA

HUMID

INSECTS

ISLAND

JAGUAR

LIZARDS

LUSH

MACAW

MANGO

MONKEYS

PALM

PLANTS

SAFARI

SNAKES

SOIL

TRAIL

TREES

UNDER-

GROWTH

VEGETATION

VINES

WATER

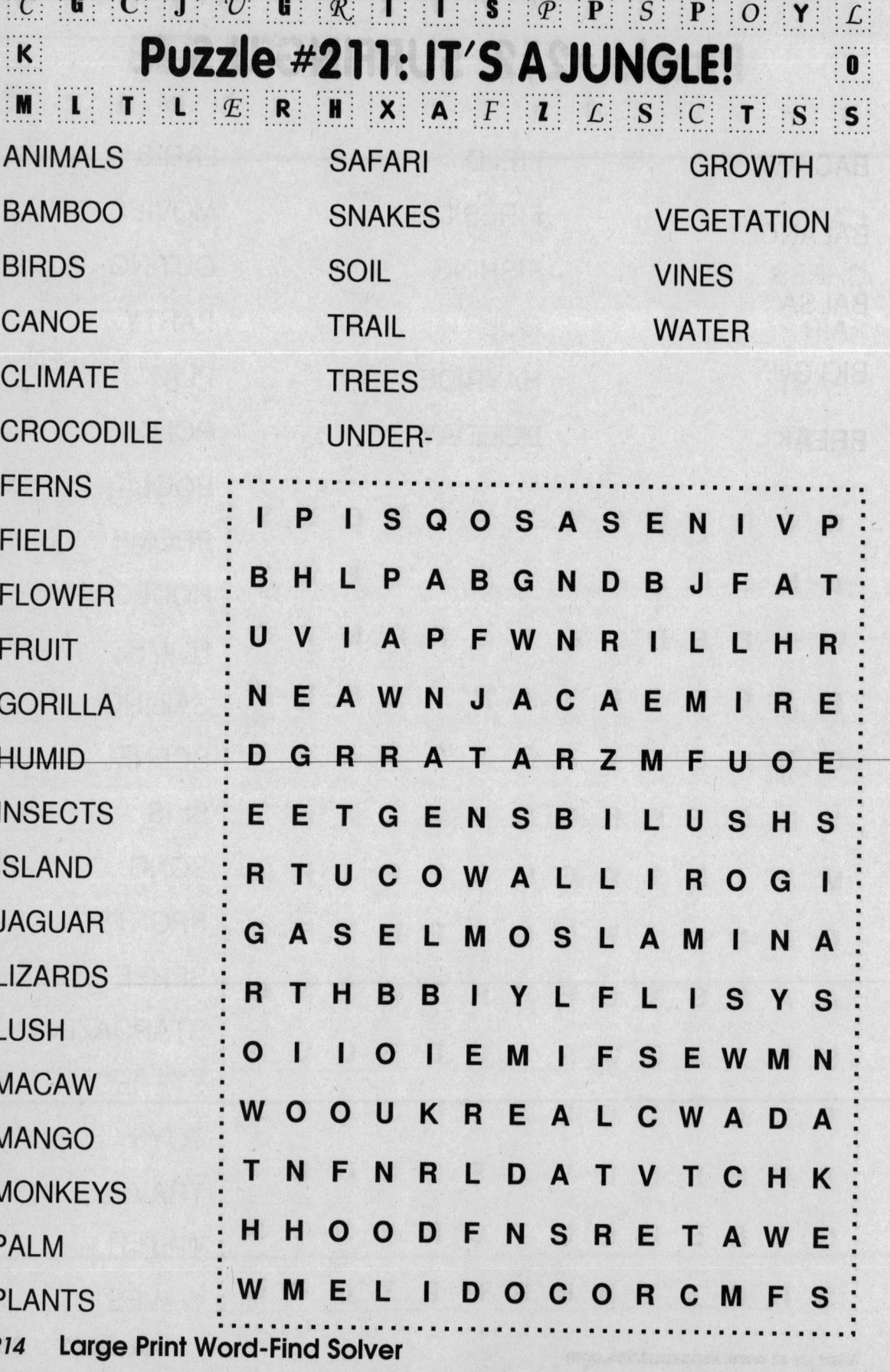

```
I P I S Q O S A S E N I V P
B H L P A B G N D B J F A T
U V I A P F W N R I L L H R
N E A W N J A C A E M I R E
D G R R A T A R Z M F U O E
E E T G E N S B I L U S H S
R T U C O W A L L I R O G I
G A S E L M O S L A M I N A
R T H B B I Y L F L I S Y S
O I I O I E M I F S E W M N
W O O U K R E A L C W A D A
T N F N R L D A T V T C H K
H H O O D F N S R E T A W E
W M E L I D O C O R C M F S
```

Puzzle #212: SURFING U.S.A.

BACKWASH

BALANCE

BALSA

BIG GUN

BREAK

BUMP

CORNER

CREST

CURRENT

DUMPER

FALLS

FAST

GYMNASTICS

HANGING TEN

HAWAII

HOWLER

MOMENTUM

PADDLE

REFLEX

RIDE

RIPTIDE

ROLL

SHORE

SKIM

SPORT

SWIMMERS

TAKEOFF

THRILL

WATER

WAVES

```
R I P T I D E C U R R E N T
A N I F F O E K A T E B F R
W Y Z A W T W C N T R R Y O
B A C K W A S H N I S E V P
G C V Z Q A T E D A S A H S
Y D O E J S H E R M L K F S
M A X R S S M P R C T A R M
N E T G N I G N A H B E B O
A X N B K E H P R D M C N M
S B E S U O R I U M D U S E
T T A L W M L M I L G L R N
I C K L F L P W X G L O E T
C G E S S E S J I A H O O U
S R O I R A R B F S Z J R M
```

Puzzle #213: ENJOY HALLOWEEN

ANTICS

APPLE

CAKE

CANDY

COOKIES

COSTUMES

DISGUISES

EERIE

FROLIC

GAMES

GHOST

   STORIES

JOKES

LAUGH

MASK

MISCHIEF

MUSIC

NIGHT

PARTY

PRETEND

PRIZES

SCARE

SHOUT

SILLY

SPOOKY

SURPRISE

TREATS

TRICKS

WITCH

```
N D Y S S D X L U C D D T R E M H
C                                 Y
Q P A X X N V D O C F Z A O F G E

Q S D S P S E S I U G S I D
P E N F E I H C S I M U J C
A I E U G A M E S T G O E O
R R T I C A Z C Y B K Q A S
T O E T R I S L T E D S I T
Y T R L R E L C S Q J W A U
K S P P P I E O I Z I Y S M
O T I W S L C E R T C D U E
O S Z Q P E R K C F N N R S
P O T P L A I H S I S A P Q
S H A A C W P K J H O C R P
Q G U S E A C S O M U S I C
E G S C H R K U E O Z W S B
H H N I G H T E I V C N E L
```

Puzzle #214: LET'S GET SOME EXERCISE

ARCH
ARMS
BARBELLS
BEND
BOUND
BOWL
CLASP

CLIMB
DANCE
FITNESS
HAMSTRING
JOG
JUMP
KARATE

KICK
KNEEL
OPEN
PANT
POUND
PULL UP
PUNCHING BAG
PUSH
REACH
REST
ROLL
ROTATE
RUN
SKIP
STRENGTH
STRETCH
STRONG
SWIM
TOES
WAIST
WALK
WORK
YOGA

```
P D P U N C H I N G B A G I
U J N J E C N A D S B O W L
L B O E R K H N P T S I A W
L G A A B O U O K R T T N P
U N S R P O U N W E F S A S
P I U E B N E L I N I N E T
F R N R D E J F P G T G F R
Y T G L L U L I S T N S A E
B S N M M E K L W H E H R T
M M O P T S L L S O S R M C
I A R A S Y A O T U S E S H
L H T F O A W R P H W A W I
C O S G C B L W O R K C I K
R K A R A T E C E T D H M T
```

Puzzle #215: HOLIDAY PREPARATIONS

ANGEL

BAKING

BUSTLE

CANDY

CAROLS

CHRISTMAS

FAMILY

FEAST

FESTOON

FRIENDS

GALA

GIFTS

GLASSES

GOOD WILL

GREET

INVITE

LETTER

LIGHTS

LIST

NOEL

PARTY

PIES

ROAST

SANTA

STAR

SWEETS

TOAST

TOYS

TREAT

TREE

TRIM

WASSAIL

WREATH

```
Z L R E V B E T U T A O Z L
L X E T R E U E E Z S Z I I
X A T O R O T S A E F A S G
F T T T N I A U T H R N O H
S A E N V G M S T L J G S T
A E L N A S L A T B E R T S
M R I L L S E L Y L I M A F
T T A P A R L C I N Z G R S
S P C L W N A I O W L J D T
I B A K I N G O A A D N S F
R X R R D S T E S S E O Y I
H S O Y T S T S L I S W O G
C Y L W E Y E W R W N A T G
U L S F C S P F S T E E W S
```

Puzzle #216: UP IN A BALLOON

ALLOYS
ALPS
BASKET
CRUISE
DESIGNS
DUST
ESCAPE
FLIGHT
FUEL
GUSSET
HOT-AIR
HULL
LAUNCH
LICENSE
LIFTOFF
LOCK
LOOKOUT
POST
NOISE
PACKS
PANELS
PARACHUTE
PIBALS
PILOT
PLUNGE
POWER
RACE
SEAMS
SILK
SOLO
SPEED
SPORT
SWING
WAVE
WIND

```
C A S L O O K O U T P O S T
E S I U R C T F F O T F I L
E V L A U N C H U P P L C P
G T A S P E E D G U A O V N
N U U W E S N E C I L C W O
I R S H T E K S A B L K K I
W E D S C L P I L O T F H S
S W G F E A W S P O R T R E
S O L N K T R P S C R Q P G
E P A L U N D A H O T A I R
A X I S U L P N P F C S C X
M S O F U H P E I S U Q U E
S L A B I P L L E W E E J D
O D E S I G N S S Y O L L A
```

Puzzle #217: BACKGAMMON

ACEY-DEUCEY

ALTERNATE

BAR

BEAR OFF

BLACK

BLOT

BUILD

DICE

DISKS

DOUBLES

DOUBLING

ENTER

GAME

GAMMON

HOME

INNER TABLE

LUCK

MOVE

OUTER TABLE

PLACEMENT

PLAY

POINTS

RACE

RAIL

RESIGN

RISK

ROLL

SETUP

STONES

TRAP

TURN

WHITE

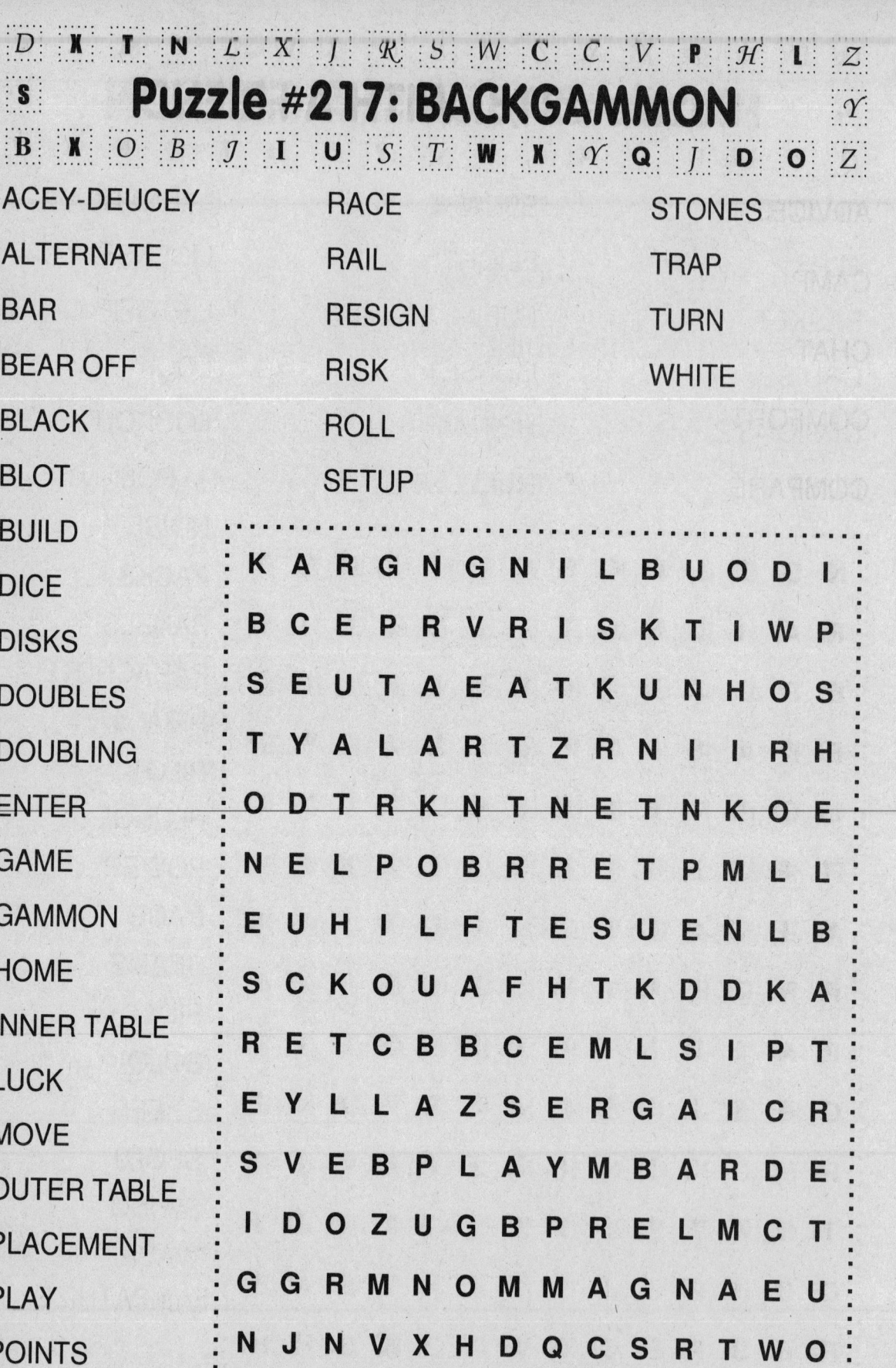

```
K A R G N G N I L B U O D I
B C E P R V R I S K T I W P
S E U T A E A T K U N H O S
T Y A L A R T Z R N I I R H
O D T R K N T N E T N K O E
N E L P O B R R E T P M L L
E U H I L F T E S U E N L B
S C K O U A F H T K D D K A
R E T C B B C E M L S I P T
E Y L L A Z S E R G A I C R
S V E B P L A Y M B A R D E
I D O Z U G B P R E L M C T
G G R M N O M M A G N A E U
N J N V X H D Q C S R T W O
```

Puzzle #218: WITH A FRIEND

ADVICE

CAMP

CHAT

COMFORT

COMPARE

CONFIDE

CONSOLE

DINE

DISCUSS

ENJOY LIFE

FEEL AT EASE

FEEL

RAPPORT

GO OUT

HAVE FUN

HELP

JOKE

LAUGH

LOVE

PARTY

PLAN

PLAY

RELY ON

RESPECT

SHARE

SHOP

SMILE

SOOTHE

SYMPATHIZE

```
N S E Z I H T A P M Y S L F
F A H C A M P C D W E W N E
E P L A U G H D C V L H O E
E K A P R A P O I Z I L Y L
L G O R T E M M B S T C L A
R P M J T F Z P M Q C S E T
A E N J O Y L I F E J U R E
P R D R I A L N W G L I S A
P A T I Y E S D U E O R O S
O P A J F O I N A F V O N E
R M O K O N K N L T E Y U P
T O H T E L O S N O C V L T
C C H P J J C C F V Y E A E
R E S P E C T V P O H S H H
```

Puzzle #219: BREAD MAKING

BAKING

BOWL

BREAD PANS

CHEESE

CORNMEAL

DOUGH

EGGS

FLOUR

FRENCH

FRUIT

GLUTEN

HEAVY

LOAVES

MATZO

MILK

MIXER

NUTS

ONION

PASTRY

  BOARD

PITA

RAISIN

RECIPES

RISING

RYE

SALT

SEEDS

SHAPES

SOGGY

SUGAR

TEXTURE

TORTILLA

WHEAT

WHITE

YEAST

```
D R A O B Y R T S A P C O D
S H A P E S N S U G A R C W
F G L U T E N O F O G O W B
U M L T R A I S I N R E H A
S R I E O Y T H R N R P I K
S F T X H Z C S M I O Y T I
O L R T E N T E E E S W E N
G W O U E R A A S P H I T G
G J T R I L S E M E I S N N
Y F F E T T E S A H A C U G
V L W O B H D T G E G T E M
A O R Q C E L G Y L S U I R
E U B R E A D P A N S L O P
H R L S S E V A O L K M S D
```

Puzzle #220: NICE THINGS

AWARD

BABY

BONUS

CAT

FREE TICKET

FRIEND

GIFT

HUG

KINDNESS

KISS

LACE

MUSIC BOX

NEST EGG

OVATION

PET

PROMOTION

RAINBOW

RAISE

REBATE

ROSE

SMILE

SUNSHINE

TRUE LOVE

VALENTINE

WALTZ

WATERFALL

WINDFALL

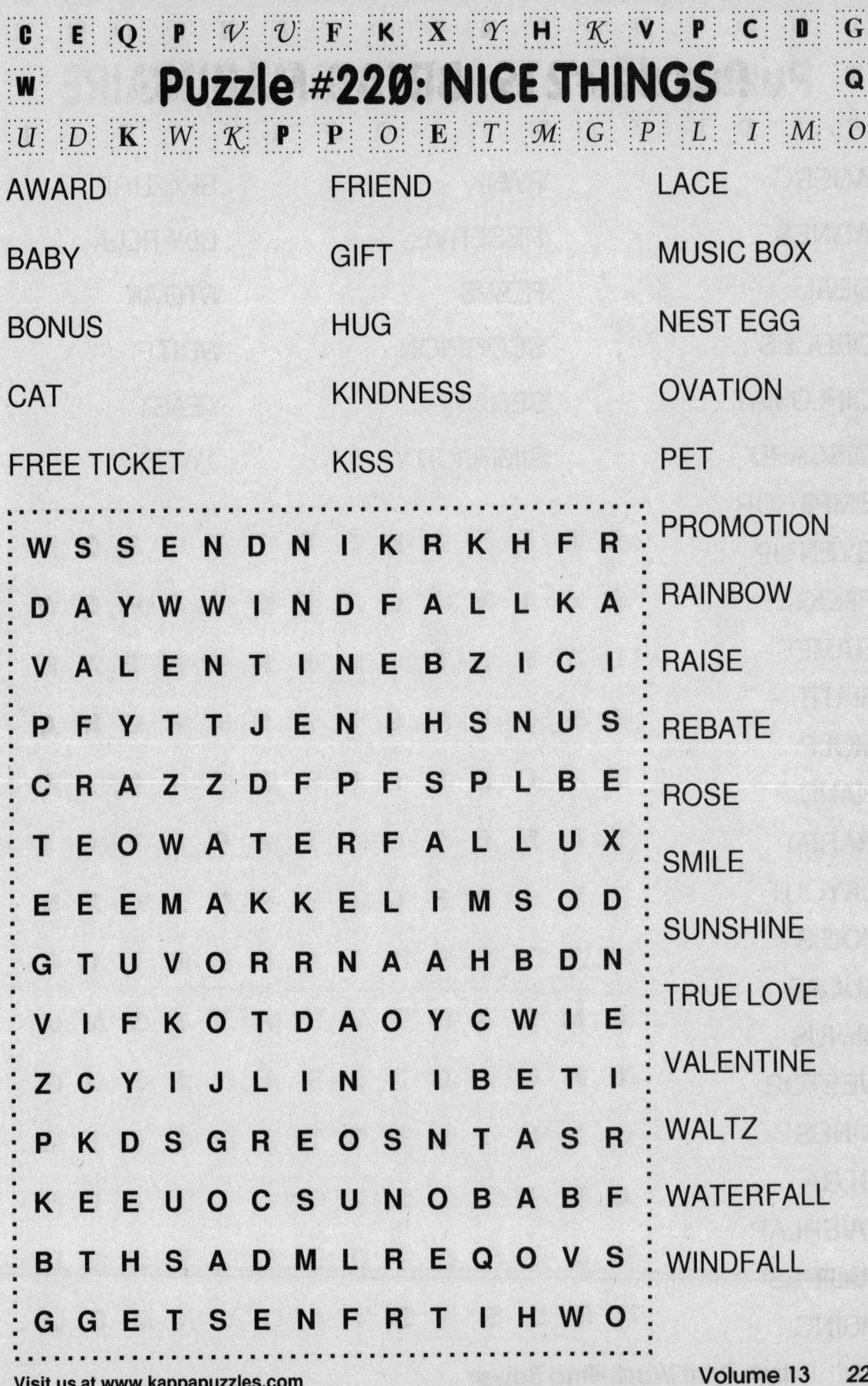

```
W S S E N D N I K R K H F R
D A Y W W I N D F A L L K A
V A L E N T I N E B Z I C I
P F Y T T J E N I H S N U S
C R A Z Z D F P F S P L B E
T E O W A T E R F A L L U X
E E E M A K K E L I M S O D
G T U V O R R N A A H B D N
V I F K O T D A O Y C W I E
Z C Y I J L I N I I B E T I
P K D S G R E O S N T A S R
K E E U O C S U N O B A B F
B T H S A D M L R E Q O V S
G G E T S E N F R T I H W O
```

Puzzle #221: A HAND OF SOLITAIRE

ACES

AGNES

DEAL

DEUCES

DIPLOMAT

DISCARD

EMPEROR

EVEN UP

FROG

GAMES

GATE

GOLF

HAND

HARP

LAYOUT

LOUIS

LUCAS

MINUS

NESTOR

NINES

OLGA

OVERLAP

PAIR

PLOT

RANK

RESERVE

ROWS

SCORPION

SENATE

SIMPLICITY

SKILL

SLY FOX

STOCK

SUIT

TENS

TWOS

```
D R D E S M S G T X I R S U
E O I V A Q T E O R O W S V
U T P R C I N F N R H P E C
C S L E U S Y A S A F O M O
E E O S L L G T N D T N A D
S N M E S N O D E R Q E G I
I E A R E C F A P N A C E S
U E T S K I L L O R E L O C
O M Q A M P A I R V A V J A
L P K A G I P T E Y E H A R
S E N I N R N N O R O G E D
O R A E O K U U L L F L O G
W O R C K P T A S Z P P G X
T R S S I M P L I C I T Y A
```

Puzzle #222: BARKING BABOON

ACT

AFRICA

BABOON

BARK

BOND

BUD

BUSH

CHACMA

CHEETAH

FACE

FAMILY

FOOD

FRUIT

FUR

GROOM

GROUND

GRUNT

HARE

HERD

LEAVES

LEOPARD

LION

LIZARDS

OPEN

RANGE

SACRED

SCORPIONS

SEED

SHOOTS

SOCIAL

STRUCTURE

TREE

WOODLAND

YELLOW

```
B F A M I L Y F R N F B B N
A C I R F A B A O S U U O G
B C T B G C N I F O S F R S
O L T R H G L A X H D O O V
O U E K E E C K W U O C S W
N W R Z R E R E O M I A U O
C H A C M A O D L A C C B O
C L H R B N G P L R L U A D
H I G K N R F S E E D G R L
E Z D R O R T D Y N N T R A
E A Q U U O D L E A V E S N
T R N I O N R L E O P A R D
A D T H O S T R U C T U R E
H S S B W S N O I P R O C S
```

Puzzle #223: DIG WE MUST

AGATE

ALABASTER

AQUAMARINE

BENTONITE

BERYL

CINNABAR

COAL

DIAMOND

DOLOMITE

EMERALD

FELDSPAR

GALENA

GARNET

GOLD

IDOCRASE

JADE

LEAD

MARL

MELANITE

MICA

NEPHRITE

NITER

OLIVINE

OPAL

RUBY

SALT

SAPPHIRE

TELLURIUM

TITANITE

```
O L I V I N E R I H P P A S
A Y B U R G D N A B Y S D C
L R F L O M E N E G N A W I
A E O L A P I N O M A L D N
B B D R H P T D U M P T A N
A G L R E O O I O E A Q E A
S R I E N T R I T C U I S B
T T A I M U I I I A R A D A
E E T P L E N M M C N A D R
R E N L S A R A O E Q I S G
P E E R L D R A L L D S T E
V T T E A I L A L A O A W E
T Y M I N G G E E D B D J H
V K N E N O O L F Q X B M Z
```

Puzzle #224: WHERE TO WORK

AUTOMAT	CAMP	DINER
BAKERY	CARNIVAL	DRUGSTORE
BANK	CASINO	FACTORY
BREWERY	CLUB	FARM
CAFETERIA	DAIRY	GARAGE

GRILL

LABORATORY

LAUNDRY

LIBRARY

MARINA

MUSEUM

PARK

RANCH

STABLE

TAVERN

TEAROOM

THEATER

WAXWORKS

```
A Y B X P D R U G S T O R E
A K R P D M R W M X B P E E
N X D O U A A E P M R W N H
I H T S T X I C T C E W I L
R L E A W C L R X A W I D I
A U A O V A A T Y R E K A B
M I R B U E A F C N R H Q R
G K R N O M R A F I Y Z T A
S A D E O R S N T V R U D R
B R R T T I A H L A B R H Y
Y P U A N E C T E L B A T S
Z A A O G N F B O U I L N D
M O O R A E T A L R R R I K
U Q Q R K N X C C D Y V G E
```

M L J A D L H G O N X G Z R K J J

V **Puzzle #225: APPETIZERS** S

R Q Q D H S V T D K H C Z Z Z B P

BACON BITS	ONION	SPINACH
BOWL	PAPRIKA	TOMATO
CAPERS	PICKLE	TOSS
CARROT	PIMIENTO	TUNA
CHEESE	RAISINS	WATERCRESS

CHICKEN

CRAB

CROUTON

CUCUMBER

DILL

DRESSING

EGG

ESCAROLE

GARLIC

GELATIN

LEAF

LEEKS

LOBSTER

MACARONI

OIL

```
W A T E R C R E S S V J Z O
N J N L O B S T E R E H I T
O T N E I M I P F I I L E A
I E G R E B M U C U C Q B M
N S L E N E K C I H C T Q O
O H K O L D R E S S I N G T
C C C E R A Y T E D S E L M
N A R A E A T C U L Q O A A
B T P O N L C I I N K C T K
A O O E U I L S N L A C C I
Q R L L R T P W E R R R I R
G R E L O S O S O C A A G P
R A I S I N S N M B X C G A
F C M U U D I C H E E S E P
```

Puzzle #226: A ROLL OF THE DICE

BANK

BETS

BONES

CALL

CASH

CHANCE

CHIPS

CROUPIER

CUBES

DICE

ELEVEN

FELT

FIELD

GAMBLE

GAME

HOUSE

IVORY

LIMIT

LOADED

MONEY

NATURAL

NUMBER

ODDS

PASS

PLAYERS

POINT

SEVEN

SHAKE

SHOOTER

SNAKE EYES

STREAK

TABLE

THROW

TOTAL

```
C C R O U P I E R E B M U N
E L B M A G N U V D C P O B
S K S H O O T E R I H S V G
T B A C S I F I V C I X P C
E H C H H A V O M E P A A S
B S R U S A C O J I S L D S
E P U O B A N K R S L D E D
N L G O W E P C K Y O E D L
A A B H H G S O E A L S A E
T Y M A B A H N I E E T O I
U E E O T M F E V N O R L F
R R Q A N E N E O T T U T E
A S T N L E N B F L T X L S
L P O T S E Y E E K A N S X
```

Puzzle #227: ANIMAL SOUNDS

ARF
BAA
BARK
BAY
BLEAT
BOWWOW
BRAY
BUZZ
CACKLE
CAW
CHATTER
CHIRP
CLICK
CLUCK
COO
CROW
CRY
GROWL
GRUNT
HEEHAW
HISS
HOOT
HOWL
LOW
MEOW
MEW
MOO
NEIGH
OINK

PANT
QUACK
ROAR
SNORT
SQUEAL
TRILL
TWEET
TWITTER

WARBLE
WHINE
WHINNY
WOOF
YAP
YELP
YOWL

```
W A W A R B L E L K C A C E
A B R A O R L P H K C I L C
H A L F T Z A W N T E E W T
E R R M R Y Z I O L E P J B
E K E L O R O U O R A W A C
H W T E N I H W B N G A Y A
G O T P S T W I T T E R O P
I W A K B O W O O F H O W L
E W H K R L T I O W W M L E
N O C C C O E Y M H O C F Y
Y B C O O A A A I G H E R A
M C W H G R U N T I N C M B
H I S S B O N Q R T R I L L
C L U C K Y C P L A E U Q S
```

Puzzle #228: FROM THE FLORIST

ASTER	CANNA	FLAG
BEGONIA	CARNATION	GARDENIA
BLOOMS	CROCUS	GARLAND
BOUQUET	DAISY	GENTIAN
BUDS	DAPHNE	IRIS
CALLA	FERN	LILAC
		LILY
		LOTUS
		MAGNOLIA
		ORCHID
		OXEYE
		PANSY
		PEONY
		PETUNIA
		PINKS
		POPPY
		ROSE
		TULIP
		VERBENA
		VIOLET
		WREATH

```
P O P P Y P S A A D B B B Q
B Y W S S U E N N O F T D C
A E N K C I E T U N L B A A
B A N O C B R Q U U A O I R
P I R H R E U I A N G C S N
P C W E P E S D D L I L Y A
G Y V I T A V O N E L A C T
B L O O M S D J R A Y A F I
B E G O N I A U D I L E C O
Y E S W R E A T H I R R X N
N A I T N E G U L N H B A O
O O M A G N O L I A U C T G
E G A R D E N I A D S B R X
P V I O L E T P S U T O L O
```

Puzzle #229: THE LEGISLATURE

BACK
BALLOT
BILL
BLOC
BOLT
BOOTH
CARRY
DEBATE
DONKEY
DRAFT
ELEPHANT
ENDORSE
ENROLL
FLOOR
GAVEL
ISSUE
LABOR
LEAD
LOBBY
LOSE
OFFICE
PASS
POLL
QUORUM
RALLY

RIDER
RIVAL
RUNS
SENATE
SERVE
SLATE
STAND

TERM
UNION
VETO
VOTE
WARD
WINS

```
Y E K N O D R Q L D X Y W B
L I Q S L D I N R Y R R A C
L F U L S N H A U U W C L O
A P O R E A F A W A K L T L
R P R I L T P I R B O L J B
E E U V E S N D U R O R R S
C V M A P S O C N B I O E B
I R T L H L I E S D O N T Y
F E O E A A N G E L A O B H
F S L A N T U R F T T B B I
O P L D T E R M E E O X I S
F G A V E L N U V L S V L S
L A B O R D E B A T E O L U
E E N D O R S E U Z Y E L E
```

Puzzle #230: BOARDING STABLE

ALFALFA

BEDDING

BROOM

BRUSH

CARE

CLEAN

COMB

DRIVE

EXERCISE

FEED

FENCE

FORK

GRAIN

GROOM

HANDLER

HOSE

LOCKERS

LUNGE

MANAGER

MANGER

OATS

PADDOCK

RIDE

RING

SCOOP

SHOES

SHOVEL

STALL

SWEEP

TACK

TRAILS

TRAIN

TROUGH

VET

WATER

```
D A L F A L F A C O M B E B
E X E R C I S E M S E X W A
S L I A R T H J N D W G A R
T N A E L C A G D C H E T J
A C L P V O P I U K E Z E J
O O V O G I N P O O C S R P
P E M R C G R M D D R A K A
T F O D C K P D M T M T T S
I O O A E A E A W A R B T C
M G R R D E N R N E R A R L
C E B D K G F A S U L I I U
S H O V E L G O S L D O N N
L C K R E E H H S E O H S G
K N I A R G H A N D L E R E
```

D **Puzzle #231: PHOBIAS** C

G C L T M G L O Z B F P X G G X T

ACRO	PANTO	TELEO
AELURO	PHARMACO	THEO
AERO	PHASMO	TOPO
AGORA	PHOTO	TOXICO
ALGO	POTAMO	XENO
ANDRO	PYRO	
ANTHRO		
BACTERIO		
BATRACHO		
BIBLIO		
CARDIO		
CIBO		
CLAUSTRO		
CYNO		
DEMONO		
DERMATO		
HAGIO		
HEMO		
HYPSO		
LYSSO		
MELISSO		
NOSO		
NYCTO		
ORNITHO		

```
V A T O X I C O O M S A H P
C P A E L U R O R N I T H O
L O H E D Y Z U D E O V D N
P P C O T O S B N M A E N O
H O J L T E E S A N R Y H M
A T I N A O L T O M C A A E
R B A R N U O E A T G L M D
M P A P E P S T O I G E X O
A B Y T A T O T O O L E B R
C R I G R S C O R I N I N H
O C O B O A M A S O C T O T
M R M N L E C S B P H N R N
A L O J H I O H W E Y N C A
N C A R D I O R O C J H A B
```

Puzzle #232: FRENCHMEN

AMPERE

BALZAC

BINET

BOYER

BRAILLE

CARTIER

CHEVALIER

COTY

COUSTEAU

DEBUSSY

DE GAULLE

DIOR

DREYFUS

DUMAS

FAURE

GAUGUIN

HUGO

LAFAYETTE

LA SALLE

LESSEPS

MATISSE

MITTERAND

MOLIERE

PASCAL

RENOIR

RODIN

SARTRE

VOLTAIRE

ZOLA

```
G E T T E Y A F A L I J D C
A R C A R T I E R L H U M H
U E E A F D Y R F Y M V W E
G I R S Z S E R I A T L O V
U L T E S L L G S O U O H A
I O T U P I A A A A N R C L
N M B O S M T B S U L E E I
I E A F N A A A P A L O R E
D Z B O Y E R A M F L L Z R
O I G C O U S T E A U L E N
R U O Z D C F X R B I N E T
H C Q R A M I T T E R A N D
E E L L I A R B T P Y B T B
L L E S S E P S U F Y E R D
```

Puzzle #233: A VIOLIN

BASS BAR

BELLY

BRIDGE

BUTTON

CASE

CUTS

DELICATE

DYES

EXPRESSION

FINGERS

HOLD

INSTRUMENT

LEARN

LESSONS

LISTEN

MAJOR

MINOR

MUSIC

PEG BOX

PINE

PLAY

RESONANCE

RIBS

ROSIN

SHAPE

SHARP

SOLO

SOUND

STRINGS

TONE

TUNING

VARNISH

```
E T O N E R X D L O H F S S
X N P R O X A I T T S T R H
C O I S W I S B N U R E E A
I B B P O T S E S I N T S R
S E E P E U M S N S A I O P
U P L N T U N G E C A S N F
M A L D R O S D I R I B A G
Y H Y T T E R L C N P C N L
T S S T Y O E P M S C X C E
M N U D N D E Y T A O U E S
I B R I D G E U S M J L P S
H Q M A B V C E T Q N O O O
G Q Q O E H S I N R A V R N
W T X M F L R F I N G E R S
```

Puzzle #234: MOTHER NATURE

ARCTIC

AURORA

BLIZZARD

CANYON

CAVE

CHASMS

CORAL

COVE

CRAG

CRATER

DUNE

ECLIPSE

FIRE

FOREST

HEAT

INLET

ISLETS

JUNGLE

LAVA

MINERALS

OASIS

OCEAN

REEF

RIVER

ROCKS

SALT

SEASON

SOIL

STORM

SUNRISE

SUNSET

SURF

SWAMP

TIDES

TREES

WAVE

WIND

```
W R E T A R C F O E D A V M
A L L P A U R O R A V N T I
V S G M I U C O R A L S I O
E A N A S E E G L T C E D W
C L U W L S S B H R I V E R
L T J S E I L L I E T A S P
I S A Y T R A I C E C C C S
P E S E S N R Z H S R R S O
S R O T H U E Z A L A S E C
E O S C O S N A S G U R A P
N F I S E R I R M N O N S C
U E S O R A M D S C Y G O G
D E A I I S N E K O Q V N M
R R O L F A T S N T E L N I
```

Puzzle #235: MOUNTAIN CLIMBING

ANCHOR

ASCENT

BLUFFS

CAMPS

COMPASS

CRAMPONS

CREST

DESCENT

DETERMI-

   NATION

EXPEDITION

FOOTHOLDS

GOGGLES

GULLIES

HOOK

ICE AX

LEDGES

MAPS

MORAINE

PACKSACK

PEAKS

PITON

PRECIPICES

RAPPEL

ROPES

ROUTES

SLINGS

SLOPES

STAMINA

SUMMIT

TENTS

TRAVERSING

```
F O O T H O L D S U M M I T
D D X R R E D E B R E V R B
V E K A T A T G O G G L E S
T O T V E U P H E H P A I G
E S C E O C C P O R A S Y N
N E Z R R N I O E Y C E B I
T I N S A M K C M L K P L L
S L O I W M I M A P S O U S
E L T N A P P N T S A L F C
G U I G I R I O A S C S F R
D G P C O M O K N T K E S E
E G E P A C A M P S I A N S
L S E T N E C S E D K O E T
C S S E X P E D I T I O N P
```

Puzzle #236: THE CIRCUS SCENE

ACROBAT
ACTS
AERIALISTS
BATON
CAGE
CLOWNS

COSTUME
DOGS
HORSE
HOT DOG
JUGGLER
LEOPARD

LION
MAKEUP
MONKEY
MUSIC
NOISE
PARADE
PEANUTS
PONY
POPCORN
RIDER
RINGMASTER
ROAR
ROPES
SAWDUST
SEATS
TAMER
TENT
TIGER
TUMBLER
UNICYCLE

```
R S T P I N R O C P O P U S
T E M A K E U P L I T P E N
H P M G B H Q E A I S A Y R
A O B A O O O W G C T U U I
E R T R T P R E R S T N M N
R R S D A J R C U I I S O G
I E Y R O E C D A C D I P M
A L D E L G W A Y T L E A A
L G O B K A C C G T C P R S
I G M T S N L B Q E O I A T
S U J G R E O T A N S B D E
T J O O X J W M Y T I I E R
S D A P E A N U T S O X O G
P R L V C O S T U M E N V N
```

Puzzle #237: THE MAILMAN COMETH

ADDRESS

AREA CODES

CARDS

CARRIER

CHUTE

CITIES

DOGS

DOOR

ENVELOPES

HAIL

HEAT

HOUSES

INSPECTOR

LETTER

MAGAZINE

MAIL

NOTICES

NUMBERS

POSTAGE

RIDE

ROADS

ROUTE

SAMPLES

SHADE

SNOW

SORTING

STAMPS

STEPS

STORMS

TRANSFER

UNIFORM

```
X H N U M B E R S M R O T S
R H Y S E L P M A S C S R E
L I A M E K A K R C I E A D
I H D T I D S O M P T S G O
A E U E D E T K M T I U N C
H H N R C C G R E E E O I A
C S E I E F O L G X S H T E
R S T P Z F C A R R I E R R
S O S A I A T C A R D S O A
N N U N M S G S Y K O N S R
I X U T O P T A H G D A O Z
Y J A P E W S E M A P O D S
R E F S N A R T P Z D T G S
H E N V E L O P E S R E R S
```

Puzzle #238: THE CRAPS TABLE

ACTION
BACKBOARD
BANK
BETS
CASINO
CHANCE
CHIPS

COLOR
COUP
DEALER
DICE
DOUBLE
ELEVEN
FIELD

FREE
GAMBLER
GAME
HAZARD
LAYOUT
LINE
LOADED
MONEY
NATURALS
ODDS
PASS
PAYS
PLACE
POINT
RAIL
RIGHT
ROLL
SEVEN
SHOOTER
STAKE
STICK
TABLE
THROW
TOTAL
WINNER

```
B J T L L S N N B T A B L E
F G N E L T B A E C O L O R
U C I L O A C C T V H C G G
B T O B R K T I H U E E A K
P H P U B E O O H A R S M C
Q G M O P N T N T A N A B I
O I A D J U X I G H Z C L T
D R E T O O H S E K Y A E S
D A S Y A P W A R L N D R Y
S I A S P I H C R E L A E D
T L O A D E D E V E N N B T
E E S P L A C E I T O N P J
B S N E N I L F E M A G I M
B Z U L D E E R F T H R O W
```

Puzzle #239: LABOR DAY

AGENT	SCHOOL	UNITED
ANNUAL	SPEECH	VALET
CHEF	SWIM	WAGES
FACTORY	TEACHER	WEEKEND
FAIR	TRAVEL	WORKERS
FLAG	UNION	
FLORIST		
GUARD		
GUIDE		
LABOR		
LAWYER		
MAID		
MARCH		
MASON		
MINER		
MODEL		
MONDAY		
MOVER		
NURSE		
PILOT		
RACE		
RIDES		
ROOFER		

```
G A L F H C E E P S I Q V E
H Q S C R E W E E K E N D T
T L R C D E S R U N Y I S Q
U A L I H U F D R A U G W R
M S A L I O N O D G S L I W
H M B A A O O N O R F A M M
F J O U I G O L E R F F A X
M R R N P M E K U E A S F R
T S U N M V R N H C O E Z E
O E E A A O I C T N M G C Y
L D L R W T V O L I K A P W
I I T A E B R E N X R W W A
P R N D V Y V E R M O D E L
T E A C H E R F L O R I S T
```

Puzzle #240: THE PAINT STORE

L X C E V E T F D M S K X M V R P

BRUSH

CAN

CASEIN

CAST

CHART

COLOR

EDGER

ENAMEL

EXTERIOR

FINISH

FLAT

GLOSS

GLUE

GUARD

HANDLE

HARD

INTERIOR

KAOLIN

LACQUER

LEAD

LIDS

LINSEED

MURAL

PADS

PANEL

PIGMENT

ROLLER

SEAL

SIZE

SOLVENT

STAIN

STIR

TAPE

TEMPERA

VARNISH

```
L A C Q U E R E G D E P O D
T G F H S I N R A V Y O R I
S L I N S E E D O S T A I N
Z T A L F H Z P E L U W B T
H F I N I S H I A G O P H E
T M U R A L O V S T A C S R
S T N I L O A K V N I D U I
O G E I C O G T E C A R R O
L L K M E C L L N P A L B R
V O H C P S H E U E D N W Z
E S A A D E A A M E M A I S
N S L I R S R C R A V G E A
T M L E L D N A H T N A I L
E X T E R I O R O L L E R P
```

Puzzle #241: COLLEGE DAYS

BOOK

CLASS

COED

COLLEGIATE

COURSE

DEAN

DEGREE

DESK

DIPLOMA

DORM

EXAM

FOOTBALL

FRATERNITY

FRESHMAN

GRAD

HOURS

JUNIOR

LABORATORY

LECTURE

LIBRARY

MAJOR

SEMESTER

SENIOR

SOPHOMORE

SPORTS

STADIUM

STUDENT

STUDY

TERM

TEST

TEXT

YEAR

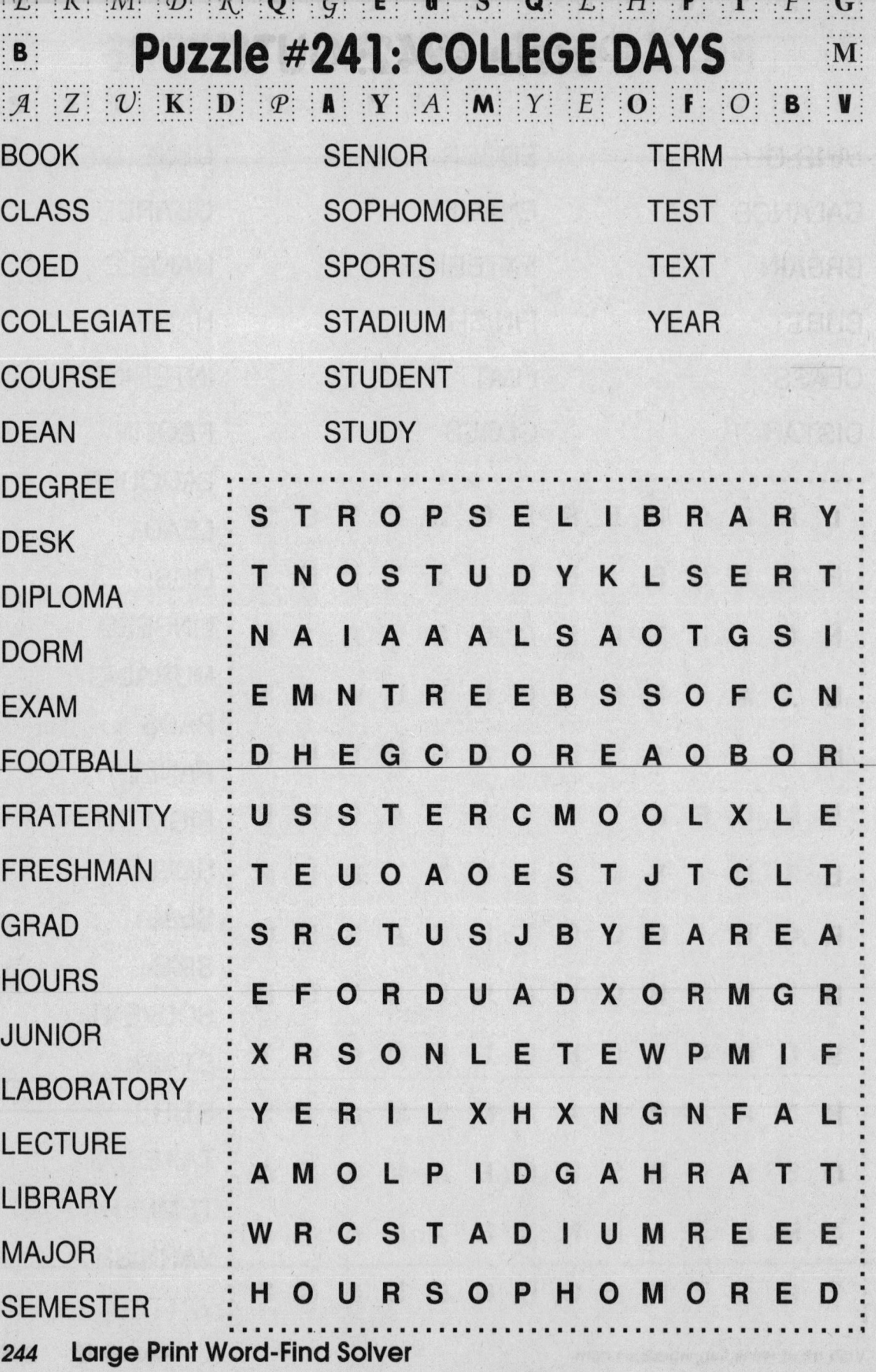

```
S T R O P S E L I B R A R Y
T N O S T U D Y K L S E R T
N A I A A A L S A O T G S I
E M N T R E E B S S O F C N
D H E G C D O R E A O B O R
U S S T E R C M O O L X L E
T E U O A O E S T J T C L T
S R C T U S J B Y E A R E A
E F O R D U A D X O R M G R
X R S O N L E T E W P M I F
Y E R I L X H X N G N F A L
A M O L P I D G A H R A T T
W R C S T A D I U M R E E E
H O U R S O P H O M O R E D
```

Puzzle #242: OUT!

-AND-OUT	FIELDER	MANEUVER
BALANCE	GOING	MANNED
BREAK	LANDER	MODE
BURST	LASTED	NUMBER
CLASS	LINE	-OF-DATE
DISTANCE	LYING	POST

REACH
RIDER
RIGHT
ROOT
RUNNING
SHINE
SHOOT
SIDE
SKIRT
SMART
SPAN
SPOKEN
SPREAD
STARE
STATION
TURN
WATCH
WITTED

```
L R D R E V U E N A M S S T
H H E S B T I E K J P Y S R
N C T D T R A V C R G R A I
U A T W I A E D E N U C L K
M E I A E R T A F B A L C S
B R W S W R D I K O Y L R L
E W L P Y P A S O I E E A R
R C E A N R U T N N D S U B
D T N N N S X G S L T N G S
S E U A I D H E E E N N P T
H D N O T L E I D I I O R P
O I U N D S F R N O K A Y O
O S G O A N I G G E M N G S
T H G I R M A D N S R O O T
```

Puzzle #243: FOLLOW THE LEADER!

AUTOCRAT

BOSS

CAESAR

CALIPH

CAPTAIN

CZAR

GUIDE

IMAM

INCA

KHAN

KHEDIVE

KING

LAMA

LORD

MANAGER

MIKADO

MOGUL

MONARCH

PASHA

PILOT

POTENTATE

PRESIDENT

RULER

SHAH

SHOGUN

SKIPPER

SOVEREIGN

SULTAN

TETRARCH

TSAR

TYCOON

TYRANT

```
K G P K P R E S I D E N T E
C E H S L W K A D N W G H T
O A F J S R A H O S N I C A
N S L U G O M S E I S E R T
S G U I D E B A K D K R A N
M H T L P R Y P A T I E R E
N O O O T H O C M A P V T T
M O N G L A N L I R P O E O
A M O A U I N I K C E S T P
N D X C R N P Z A O R C S I
A S R A Y C L Q D T H V M X
G G Z A K T H A O U P A C L
E C R A S E A C M A M A H M
R E L U R T T Y R A N T C S
```

Puzzle #244: GOLDEN ANNIVERSARY

AFFECTION

BELLS

CAKE

CAMERA

CARDS

CELEBRATION

CHEERS

CHILDREN

DAUGHTERS

DECORATIONS

EMBRACES

FEAST

FRIENDS

GIFTS

GREETINGS

HALL

HUGS

HUSBAND

JOKES

KISSES

LOVE

MEMORIES

PARTY

SONGS

SONS

SPEECHES

STORIES

TOASTS

WIFE

```
U F N O L U S O N S T F I G
S A E D I C S E H C E E P S
E U R A E M J R S U X I H G
C N D E S C E O E S Y Q U N
A O L S M T O M K E I T S I
R I I D S A W R O E H K B T
B T H N L L C C A R S C A E
M C C E L E B R A T I O N E
E E J I E E S L O R I E D R
F F J R B P O R L S D O S G
I F U F A V I C G A G S N E
W A P R E E A U S C H N A S
A F T A S K H N S T S A O T
K Y S R E T H G U A D X L S
```

Puzzle #245: A PARADE

BAGPIPES

BAND

BANNER

COSTUMES

CROWD

DANCERS

DRUMS

FEATHERS

FLAGS

FLOATS

FLOWERS

GALA

GLITTER

GROUPS

HORNS

HORSES

JUDGES

MARCH

MASKS

MUSIC

NOISE

POMP

REGALIA

RIBBONS

RIDERS

SPANGLES

THEME

UNIFORMS

```
V R E T T I L G D R U M S S
J U I G Z B F E A T H E R S
R S E P I P G A B K G E E K
E S I O N W L P F D D M C U
G E H C R A M E U I E G N V
A L F O G Z J J R H R L A C
L G L F R T T M T O B C D O
I N O Z T N N D U A Z S J S
A A W P I H S P N S T M N T
Q P E M O K S N C A I O C U
V S R R S M E G O R B C C M
Z I S A B R P L A B O S C E
P E M J Y F F Z I L S W Z S
S X U N I F O R M S F W D S
```

Puzzle #246: VIENNESE PALACE

AUSTRIA

BALLROOM

BANQUET

CHAMBER

CONCERT

CRYSTAL

EMPEROR

ESTATE

FOYER

FRESCOES

GARDEN

GOLD

GROUNDS

HILLTOP

LAWN

MIRROR

PATHWAY

PERGOLA

PORCELAIN

PORTRAIT

RICHES

SERVANTS

SILK

STATUE

THRONE

TOUR

ZOO

```
G S E D G P O R C E L A I N
R F T X L C U O A A G K Z F
O E U A C O R Z Z A A B A R
U J Y H T N G Y R N A I O E
N E K O X U L D S N R R C S
D G S W F T E F Q T R H T C
S B Z T R N S U S I A I T O
T Y A S A I E U M M A L H E
N A L L L T A L B R S I N S
A W O K L H E E T E L O W Z
V H G D H R R R H L R O A A
R T R E C N O C T H D X L B
E A E T N P I O T B I E Z B
S P P N K R P E M P E R O R
```

Puzzle #247: BAKED GOODS

BREAD

BUNS

COBBLER

COFFEECAKE

COOKIE

CREAM PUFF

CRUMB

CUSTARD

DOUGH

ECLAIR

ENCHILADA

FLOUR

JELLY ROLL

LOAF

MATZO

MUFFIN

PASTRY

PIES

PIZZA

PONE

POTPIE

QUICHE

SCONE

STRUDEL

SUGAR

TACO

TART

TORTE

TURNOVER

WAFFLE

YEAST

```
E E J O B Q F D W T U N C C
R N V E C L A I R P A C U O
E O C K L E O F K A W R S F
V P T H R L L E C S A E T F
O I C B I O Y M I T F A A E
N Q A R U L C R O R F M R E
R U H R U O A R O Y L P D C
U I K G O M T D Z L E U C A
T C I K U E B L A I L F O K
V H I F O O T R P M B F B E
O E F A C S D T A U P M B A
P I Z Z A U O T N G W I L E
N U C E T P Z S T R U D E L
U R Y E N O C S Q L G S R S
```

BALLET

BEARER

BED

BEETLE

BISCUIT

BOATMAN

BORNE

BUFFALO

CLOCK

COLOR

COOLER

COURSE

CRAFT

CRESS

FALL

FAST

FORD

FOWL

FRONT

GAP

GATE

GLASS

HAMMER

HEAD

HEATER

HOLE

LILY

LOGGED

MEADOW

MELON

PICK

SOFTENER

SOLUBLE

STRIDER

```
N O L E M C K R E D I R T S
H P B I S C U I T F R P V L
A H V R O R O E W F R O W G
M E O L E J U L L F A O F Q
M T C L F R R O A B F R N X
E E I A E Q A S C F U K C T
R L L H K H T E W C F L E S
Y L P B E L N T B O A U O I
B A L A O A C A E O D F B S
U B T G M R D G G L T A R V
N E G T E B N L B E T O E P
R E A S D Q A E N R L E A M
D O S B L S D E C O W G E E
B H P X S A R K C I P H K B
```

Puzzle #249: NEEDLECRAFT

BAGS

BASTING

BEADING

BIBS

BLOCKING

BUTTONS

FLOSS

HEIRLOOM

LACE

LINEN

MATS

MOTIF

NEEDLE

PANTS HEM

PILLOWCASE

REPAIRS

RUGS

SAMPLER

SCARF

SEAMS

SHUTTLE

STITCHING

TAILORING

TAPESTRY

TASSEL

THREAD

TOWEL

TRINKET

WOOL

YARN

```
E O S Z B F I S G U R U B N
L C S A L L C B E A D I N G
T R L A M A O S M A E S B T
T N C E R P G C E N W H E A
U E B F W A L R K F E K P I
H E U U B O H E S I N A S L
S D T Y O T T T R I N R B O
L L T W R T I L R T I G A R
I E O W A T O T S A S Q S I
N S N S C O S H P T J B T N
E T S H M Y E E B L A N I G
N E I O N M R R P G R M N B
L N P I L L O W C A S E G L
G M O T I F O E Y M T J Y S
```

AUDIT	DEFRAY	GAIN
BOSS	DEPOSIT	HOLD
COWORKERS	DISCUSS	INCOME
DEAL	EXPENSE	LIABILITY
DEBT	FUND	LOAN
DEFAULT	FUTURES	MEAL

MEDIA

NOTE

ORDER

PLAN

PRICE

RATE

REPAY

SALE

SECRET

SELL

SHARE

SPECIE

TAXES

TRADE

VALUE

VENTURE

WARES

WRITE-OFF

```
E S S U C S I D P S L A E M
X L E C C O W O R K E R S N
P F X D S Y I T S H A R E Z
E F A E P A E E C I R P A E
N O T A E R G A I N H A T W
S E L L C F P O I N C O M E
E T P E I E W E R R N E L V
D I S W E D R S F E D D Y D
E R T B P U A U T E D A D K
P W O B T L T I F I P R E D
O S M N E U A A D E D T O N
S Z E G R D U N R E A U A U
I V H E U L A V X R M O A F
T E S L T L I A B I L I T Y
```

Puzzle #251: U.S. AIR FORCE ACADEMY

BASES

BOARD

CADETS

CAMP

CANDIDATE

CAREER

COMPETE

DEAN

DUTY

ETHICS

EXAM

FLYING

GROWTH

HONOR CODE

ISSUES

LAWS

LOYALTY

NOMINATION

OFFICER

OUTFITS

PATROL

PILOTS

QUOTA

RADIO

RESCUE

REVEILLE

SPORTS

STAMINA

SWEAR IN

TRAIN

```
X S P O R T S Q F Y N C Q R
Y J P D H W U L B O A R D P
P T E J A O Y D U R B F P M
A A L L T I U T E H M S A A
N N L A N T F E B E W X T C
N G I G Y I R A E E E H R P
T R E M T O S I A T O V O I
E O V S A E L R S N H I L L
U W E V S T I C O S D I G O
C T R A I N S R O A U B C T
S H O F F I C E R Z W E K S
E T E P M O C C A D E T S Y
R C A N D I D A T E Y G Y F
F D N E N O I T A N I M O N
```

Puzzle #252: AFRICAN VIOLETS

ADMIRAL	BLUE SKIES	DUCHESS
AGATE	BLUSH	GARNET
BLUE BOY	DARK PLUM	IRENE
BLUE SCOOP	DROOPY	LITHIUM

```
H I S E O J V E U L B Y K S
P S P T G D M I M Y R T L E
I B U E N L A R I M D A P I
N G L L R A R E S P Z H I K
K A Y U B I Y S H N Z P N S
G R J O E O W D S D O O K E
I N V P B S A I R E E U B U
R E I E O R C O N C H R E L
L T U K K L O O A K A C A B
A L V P I P K L O I L A U A
B G L H Y V D A I P R E T D
E U A W Y L E Y D A K E Y T
M S V T O P A Z V O S X N E
T E P D E R M U I H T I L E
```

MARY WAC

MYRTLE

OLD LACE

PERIWINKLE

PINK BEAUTY

PINK GIRL

POLKA DOT

REDHEAD

RED PET

SAILOR BOY

SKY BLUE

TOPAZ

VIKING

Puzzle #253: HIGHER EDUCATION

ADAMS

ADELPHI

ALVERNO

BOISE

DRAKE

DREW

DRURY

DUKE

EMORY

FISK

HASTINGS

HOOD

HOWARD

KENYON

LAMBUTH

LANE

LEWIS

MALONE

MESA

MINOT

PUGET SOUND

RUST

RUTGERS

SCRANTON

SHAW

THIEL

TUFTS

TULSA

UNITY

WALSH

WAYLAND

WILEY

```
S R E G T U R F A L M I S K
H M Y N E U W H T S E E R T
D O A W K S S E B H L W S F
N X O D I L I M R E I U I A
U O U D A L Q O W D R E T S
O F N W R M E R B A D M L G
S J I R J U I Y D W A N A N
T P T Z E F R N A L O V D I
E S Y J O V O Y O T S R E T
G D U K E Y L N N T A N L S
U Y S K N A E A F W A J P A
P I A E N G R U O L A A H H
F R K D G C T H R F H H I J
D N H X S H T U B M A L S X
```

AMENDS	EVEN	HAPPY
BETTER	EYES	HASTE
CERTAIN	FACE	KNOWN
CHOICE	FORTUNE	LACE
CLEAR	GOOD	LAWS
DECISION	GRADE	LIVING
		MINCEMEAT
		MISTAKE
		MONEY
		NOISE
		OVER
		PEACE
		PROFIT
		PROGRESS
		PROMISE
		PUBLIC
		RIGHT
		SENSE
		SPLASH
		SURE
		TRACKS
		WAVES
		WISH

```
F S S E R G O R P E A C E A
O H A P P Y E N O M O V E R
R S P L A S H E K A T S I M
T E M A V W K N B N N P T N
U C T W I B E T T E R R W L
N O I S I C E D S A A O N I
E O H L A Y E M E C N M I V
W U A P B H C L K K S I A I
A I N M R U C S C U D S T N
V R E O E O P E R H O E R G
E I V F I N F E D H O V E S
S G E A D S D I C A G I C U
D H W C E Y E S T A R A C F
A T A E M E C N I M L G G E
```

Puzzle #255: NAVAL FORCES

BATTLE

BOATS

BRIDGE

CAPTAIN

CARRIER

CREW

CRUISER

DIVER

ENSIGN

GUNNERY

INSIGNIA

KNOT

LEAVE

MESS

MINE

PT BOAT

RADAR

RECRUIT

SEABEES

SEAMAN

SONAR

STRIPES

TACTICS

TANKER

TASK FORCE

TENDER

TORPEDO

TURRET

WATCH

YEOMAN

```
B A T T L E R E S I U R C C
C C J O N D S E E S W M O O
R O A S N C I S K G I N D G
E U I R R K O V E N D U E F
D G C E R N N V E M A I P Y
N T W F A I M I R R T T R U
E A A R S E E B A E S E O B
T S T T T D G R R T N E T N
I K C A A M R R A N P V R Y
U F H O C L U O U Q T A V E
R O T B T T B G J J D E C O
C R U T I S E A M A N L X M
E C J P C Q S T R I P E S A
R E I N S I G N I A H M R N
```

Puzzle #256: GIVE AND LET GIVE

ADVICE

AWARD

BATH

BIRTH

BOOST

CARE

CHANCE

CHARITY

COMMAND

CONCERT

DIRECTIONS

DONATION

FIRST AID

GIFT

GRANT

GROUND

HAND

KISS

LEAVE

LIFE

LIFT

LOVE

NOTICE

PARTY

PLEDGE

PRESENT

REWARD

SCHOLARSHIP

SENTENCE

SHOWER

TIME

```
F F R K E G C O N C E R T T
I T I E P Y I Y T L D R N N
R S G S W L T F T A O Q E E
S Y R Q F A E I T R W V S C
T B O O S T R D R F A A E I
A U U B J N A D G A I P R V
I M N H O H C K Q E H L P D
D K D T T L H H O C T C C A
J D I R E C T I O N S I O W
T C I A L C R E W O H S M W
E B V I M T N A R G H T M E
O E F N O I T A N O D A A L
S E N T E N C E H V C P N B
P I H S R A L O H C S W D D
```

Puzzle #257: NO TRIVIA HERE

CHIEF

CLOUT

CORE

CRUCIAL

CRUX

EXALTED

FATE

GIST

GOOD

GRAND

GREAT

IMPACT

INFLUENTIAL

LARGE

LEADER

MAIN

MAJESTIC

MATERIAL

MATTER

MUST

NOTABLE

PITH

POINT

POTENT

RANK

SALIENT

SERIOUS

SIGNAL

SOLEMN

URGENT

USEFUL

VALUE

VAST

VIPS

VITAL

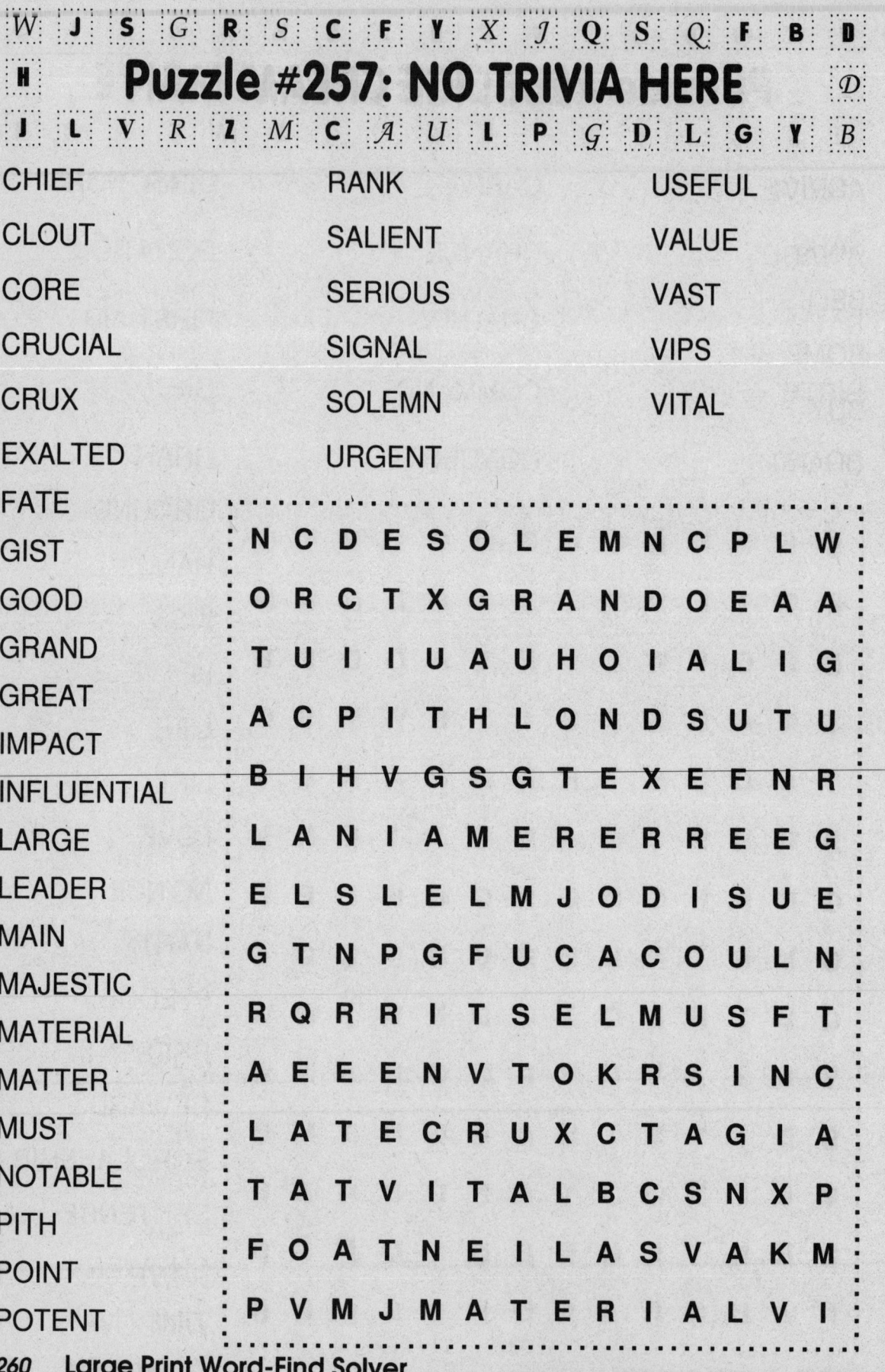

```
N C D E S O L E M N C P L W
O R C T X G R A N D O E A A
T U I I U A U H O I A L I G
A C P I T H L O N D S U T U
B I H V G S G T E X E F N R
L A N I A M E R E R R E E G
E L S L E L M J O D I S U E
G T N P G F U C A C O U L N
R Q R R I T S E L M U S F T
A E E E N V T O K R S I N C
L A T E C R U X C T A G I A
T A T V I T A L B C S N X P
F O A T N E I L A S V A K M
P V M J M A T E R I A L V I
```

Puzzle #258: ICE CREAM MAN

N W Q Z D S S S R P D K R O K I O
T I
B N N A K X J Q O L S A U E Z I H

ARRIVE	CHARGE	HEAR
BARS	CONE	ICE CREAM
BELLS	CROWD	ICES
BOMB POP	DIXIE CUP	JINGLE
BUY	DRIVE	KIDS
CHANGE	FROZEN	LINE

LIST
LOAD
MONEY
MUSIC
POPSICLE
RIDE
SAFE
SELL
SIGN
STICKS
STOP
SUPPLY
TASTE
TRUCK
VANILLA
WAIT
WAVE
WINDOW

```
S L I N E V K F W S L L E B
K E E S T M A E R C E C I R
C G L V S E G N A H C C J R
I R A L A T F V L X S D I K
T A S I T W A A M I F P N T
S H U E Y N M R S R S O G D
G C P B I O I E O M P T L I
O L P L N D L Z V O U S E X
Q O L E E C E C P I Y S W I
V A Y V I N T B C U R I I E
S D I S T C M R B R N R Y C
Y R P I W O O X U D A G A U
D O A W B W Z N O C G E I P
P W U B D X H W E R K D H S
```

Puzzle #259: WHAT SHADE IS THAT?

APRICOT

ASHES

AUBURN

BEET

BLACK

CARMINE

CEDAR

CERISE

CHARCOAL

COCOA

CORAL

FERN

FLAME

GOOSE

GRAY DAWN

IVORY

MARINE

MINK

MOTH

MUSK

ORCHID

PINE

POPPY

RIFLE

ROSE

ROUGE

RUSSET

RUST

SAND

SHAMROCK

STRAW

TEAL

TOPAZ

VENUS

YELLOW

```
K C O R M A H S F I V W E P
C H A R C O A L E T V S H O
R O S E B C A A R L O O L P
N N M N J E S R N O F P R P
W C S I T A A O G A U I A Y
A O V P C S N C F P T G R Z
D C P E H E D T L R H R E A
Y O D E N I S C A I B V W U
A A S I H U A K M C O A Y B
R B R C R R S C E O R Z E U
G A R M M X M A Q T T E C R
M O W I U Y I L S O T H X N
M L N U R S N B T E S S U R
Y E L L O W K S C E R I S E
```

Puzzle #260: CATTLE CALL

ASSETS
BEEF
BRAND
BREED
BULL
CATTLE

CORRAL
DROUGHT
DROVER
FEED
FENCE
FODDER

GRASS
GRAZE
HERD
HEREFORD
HIDE
HOME
HORSE
LASSO
MAVERICK
PASTURE
PENS
PRIME
PROFIT
RANGE
RIDER
ROAD
ROPE
RURAL
SILAGE
SILO
STEER
STOCK
TROUGH
WATER

```
C C P E N S T E S S A B Z R
L A S S O T D R O F E R E H
V T R I D E R E S Z B D D G
S T O C K E G O A I D F R P
F L M L E A E R U O L A O A
E E B U L L G F F G S O U S
N K C I R E V A M S H Q G T
C W S P R I M E D H H Y H U
E R A N G E O T C R I X T R
D P G T F V I O B E R D R E
N H O E E F R R R V U G E S
A F E R O R E Z E O R C E R
R B L R A E M O H R A Q T O
B F P L D U A Y B D L D S H
```

Puzzle #261: GUITAR

BEATS

BELL TONE

CHORDS

DAMPING

EBONY

FACE

FINGERS

GRACE NOTE

HAMMER

HARMONY

HEEL

LESSON

LOW D

MAPLE

MEASURE

NATURAL

PATTERN

PICKING

POSITION

REST

RHYTHM

RIBS

SIGN

SLIDE

SPRUCE

STRINGS

STUDY

STYLE

TABLE

TEMPO

THEORY

THUMBS

WOOD

```
O Z N F E D I L S E D O O W
K O R I W L E T A G L S Q N
H P E N B E A U R R T B G C
M M T G H E L A H Y U I A N
L E T E B B C P L A S T O T
B T A R D E E E A B M I A E
M P P S N A C L M M T M N N
E H I O U A M U L I S C E H
C T T C F R H P S T H B A R
U E H Y K T E O I O O R I D
R J L E H I P R R N M N Q R
P E M O O R N D Y O G W E L
S N S B W R S G N I R T S G
Z W S T U D Y Y L E S S O N
```

Puzzle #262: KEEP IT "UP"

BEAR
BORNE
BRAIDING
BREAK
BUILD
COUNTRY
DATE

GRADE
HILL
HOLD
HOLSTER
KEEP
LAND
LIFT

MAKE
MOST
NORTH
REAR
RIGHT
ROAR
ROSE
ROUSE
SETS
SIDE
SIGN
SPRING
STAGED
STAIRS
STANDING
START
STREAM
STROKE
SURGE
SWEEP
SWELL
THRUST
TIGHT
TILT
TOWN
TURNED

```
H S P R I N G N I D I A R B
C O A F M S W H T R O N Y Q
D R L A I O O S S T A G E D
L A K D T L S T E S D N A L
I E E R S R D C O U N T R Y
U R A T I Q T U R N E D K G
B T E A L L E W S K I P R R
S R T R L T F I L E E B O A
S S N I O R O U S E K S S D
U I H Z R A E B W P A T E E
T H G I R H R S H M E R G N
S T A N D I N G N O R E R R
T H R U S T L I T S B A U O
T I G H T E K O R T S M S B
```

AMERICA

BECALMED

BRIG

CAMPS

CAPE VERDE

COAST

COLUMBUS

DECKS

DEED

DERIDED

DRIFT

FLEET

FORTRESS

HAITI

HEMISPHERE

INDIES

ITALY

KING

KNIGHTED

LAND

"NINA"

ORIENT

"PINTA"

RIVERS

SAGA

SAILS

"SANTA MARIA"

SHIPS

SKILL

VIGIL

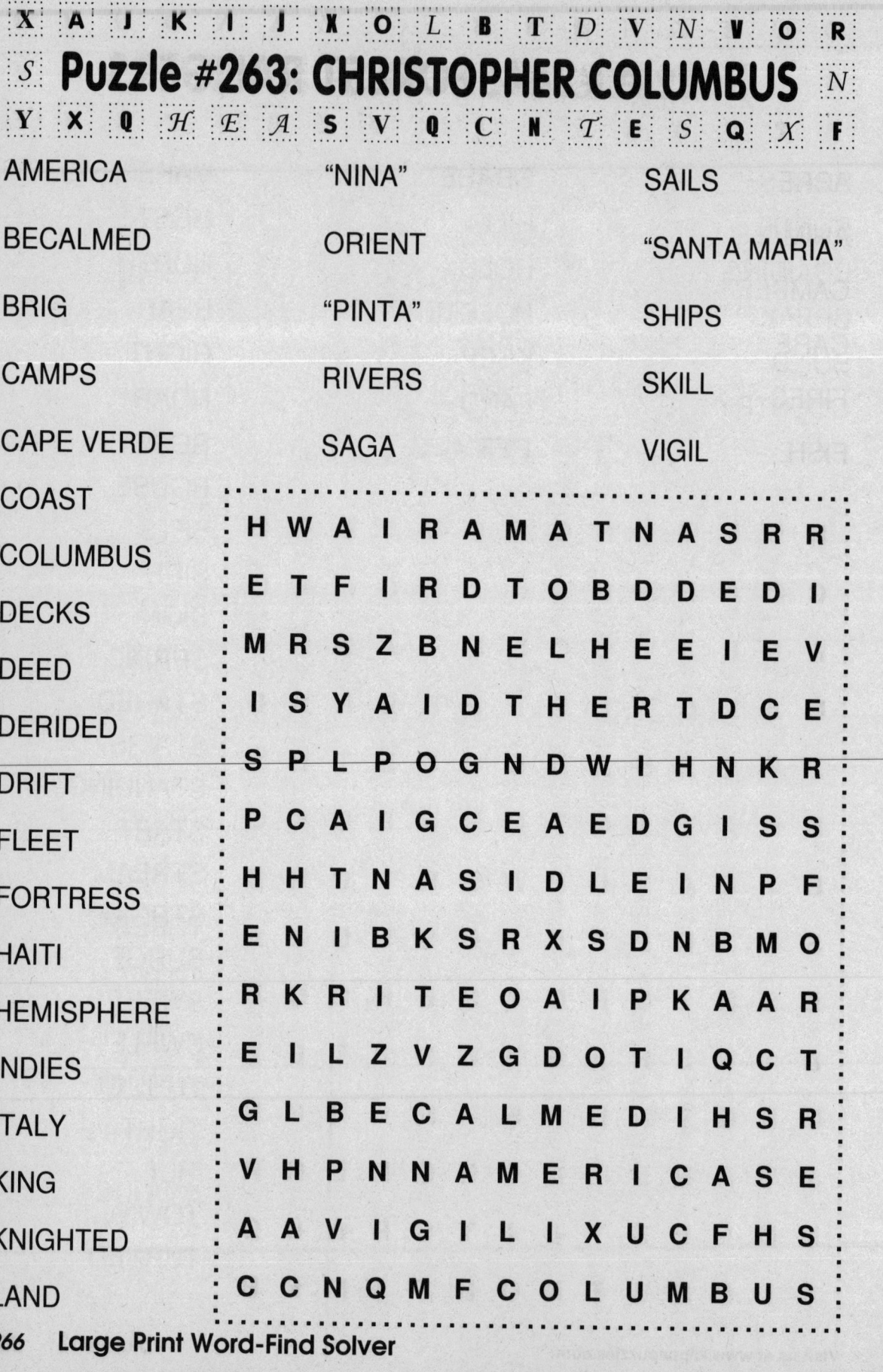

```
H W A I R A M A T N A S R R
E T F I R D T O B D D E D I
M R S Z B N E L H E E I E V
I S Y A I D T H E R T D C E
S P L P O G N D W I H N K R
P C A I G C E A E D G I S S
H H T N A S I D L E I N P F
E N I B K S R X S D N B M O
R K R I T E O A I P K A A R
E I L Z V Z G D O T I Q C T
G L B E C A L M E D I H S R
V H P N N A M E R I C A S E
A A V I G I L I X U C F H S
C C N Q M F C O L U M B U S
```

Puzzle #264: FOREST RANGERS

ACRES

ANIMALS

CAMPERS

CARE

FIRES

FISH

FOREST

GAME

LOOKOUT

PARK

PATROL

PERMITS

PRESERVE

PROTECT

REFUGE

RESOURCES

RULES

SERVICE

SOIL

STREAMS

SURVEY

TEAM

TIMBER

TOWER

TRACT

TRAIL

TREES

TRENCH

WATCH

WATER

WILDLIFE

WOODS

```
K U G W T R E S O U R C E S
C U O S A E F I L D L I W D
A F H Z M T O C M I Y L S O
M T I C W A E P A A O E S O
P R Y R N B E R A R E E E W
E A F E E E T R T R E T R T
R C D V V S R A T E K C V Q
S T S R P R P T R S S O I L
L U T E V R U T O E H G C L
A O I S E E O S S S F C E T
M K M E W B E T I E E U H O
I O R R I M O F E R R L G W
N O E P A I W A T C H O U E
A L P G W T H O S A T M F R
```

Visit us at www.kappapuzzles.com

Puzzle #265: UNPOWERED FLIGHT

"A" BADGE

ALTITUDE

AXES

BARS

"B" BADGE

BREAKS

BUILD

CAMERA

"C" BADGE

CLOUDS

CLUBS

DRAG

ENTRY

KITES

LESSON

LICENSE

LIFT

METER

MID-SLOPE

PANEL

PARTS

PATTERN

PILOT

PITCH

PLANES

PROP

ROLL

ROPES

SITE

SOAR

TAIL

TAKEOFF

TRAIN

WHEEL

YAWS

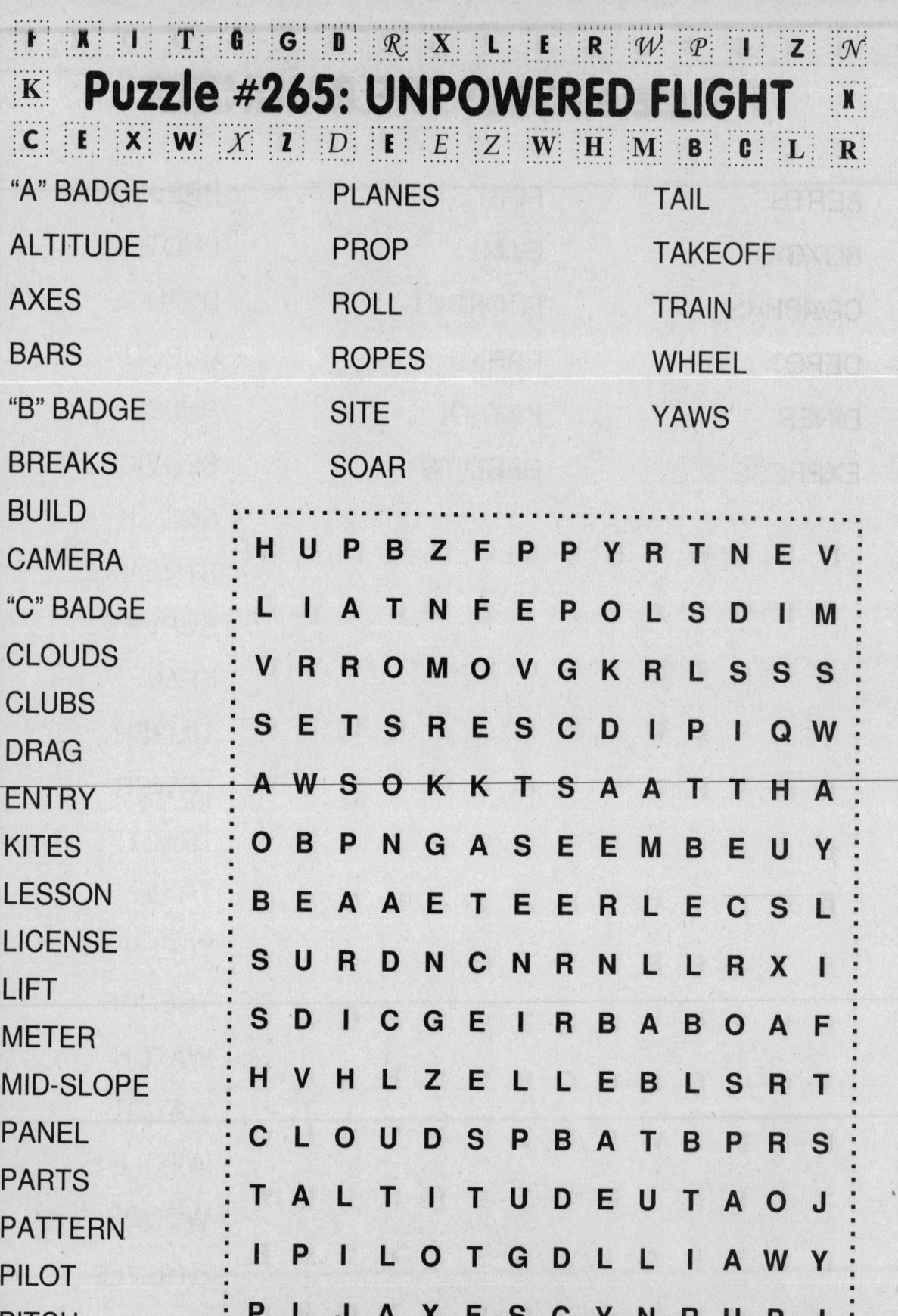

```
H U P B Z F P P Y R T N E V
L I A T N F E P O L S D I M
V R R O M O V G K R L S S S
S E T S R E S C D I P I Q W
A W S O K K T S A A T T H A
O B P N G A S E E M B E U Y
B E A A E T E E R L E C S L
S U R D N C N R N L L R X I
S D I C G E I R B A B O A F
H V H L Z E L L E B L S R T
C L O U D S P B A T B P R S
T A L T I T U D E U T A O J
I P I L O T G D L L I A W Y
P L J A X E S C Y N R U P J
```

Puzzle #266: THE RAILROAD

BERTHS	FIRE	IRON
BOXCAR	FLAG	LANTERN
COACH	FLATS	LINE
DEPOT	FREIGHT	LOCAL
DINER	FUEL	LOGS
EXPRESS	HANDCAR	MAIL

OILING
PARLOR
PASSENGER
PORTER
PULLMAN
RAIL
SCHEDULE
STEAM
THROTTLE
TICKETS
TRACK
TRAIN
TRESTLE
WATCH
WATER
WHISTLE

```
K R E G N E S S A P E E O R
L R S T A L F T H L L E E A
J E U K O X T C U T L T R C
T T U G C I T D S T A O A X
X R S F C A E E T W L R L O
W O A K W H R O E R X A S B
H P E I C T R T A L N C H E
I T L S N H S P M T I D T X
S J F O T H F E E U R N R P
T C H O C L C R V L A A E R
L Y P I A A N A E Q I H B E
E E R G N I L I O N L A R S
D O T H G I E R F C I I M S
N A M L L U P N K G F D H U
```

Puzzle #267: SPORTS LINGO

ALLEY

BACKFIELD

BIRDIE

BLOCK

BRASSIE

CADDIES

CLINCH

COURT

CRAWL

CROUCH

DIAMOND

DIVE

DOUBLES

DRIBBLE

DROP SHOT

GLOVES

GRIP

HOME RUN

HOOK

INFIELD

KICK

OUTFIELD

PARRY

PINS

PUCK

PUNT

RACKET

RING

RUSH

SPEED BAG

```
P C H N P L R E C A G H A Z
A J S C W I I D K O C G D Z
R D U A N S R I F U U L X V
R G R G S I C H O M E R U N
Y C A A B K L R L I R S T Z
D E R B S A C C F A N E S H
R B L S D E C N C I W V O E
O E A L T E I K P E L O A I
P I R G A P E D F S K L S D
S B D P U T D P D I P G C R
H L U C T J U I S A E L F I
O N K C O L B H V E C L R B
T P J P O U T F I E L D D O
D I A M O N D O U B L E S J
```

Puzzle #268: "DAY" WORK

APRIL FOOLS'	BREAK	EVERY
ARBOR	CAMP	FIELD
BEDS	CLOUDY	FLAG
BIRTH	DREAM	HEY
BOOK	ELECTION	IN COURT
		LABOR
		LIGHT
		MAY
		OPENING
		PAY
		RAINY
		RED-LETTER
		ROOM
		SCHOOL
		SOME
		SUNNY
		TIME
		VETERANS
		WASH
		WEEK
		WORK

```
Y B B O L E R C H J S Z R X
A P R I L F O O L S R O A M
P K G P R F D X B O A S M R
I H E V F T S G B R U W G E
T U E V W D H A E N A D S T
I B D U E E L L N A T C Y T
N R A B W R E Y R W H O Y E
C E Q O W C Y K L O P K H L
O A R G T H R M O E O F Q D
U K M I U T A L N O I M J E
R A O P Q E I I B E Y K F R
T N L Q R I N M L Q M L Y F
C G P D X G Y D E D A X X U
S N A R E T E V O G Y E H M
```

Puzzle #269: BOBSLED THRILLS

BOBSLED	SPEED	THRILL
BRAKE	SPILL	TIME
CHASSIS	SPORT	TURN
COAST	START	WEIGHT
COLD	STEER	WIND
COURAGE	SWIFT	WINTER
COURSE		
CREW		
CURVE		
DANGER		
FAST		
FLASH		
GLOVES		
HELMET		
HILL		
HURTLE		
ICE		
NERVE		
PUSH		
RACE		
RISK		
RUNNERS		
SLICK		
SLOPE		
SNOW		

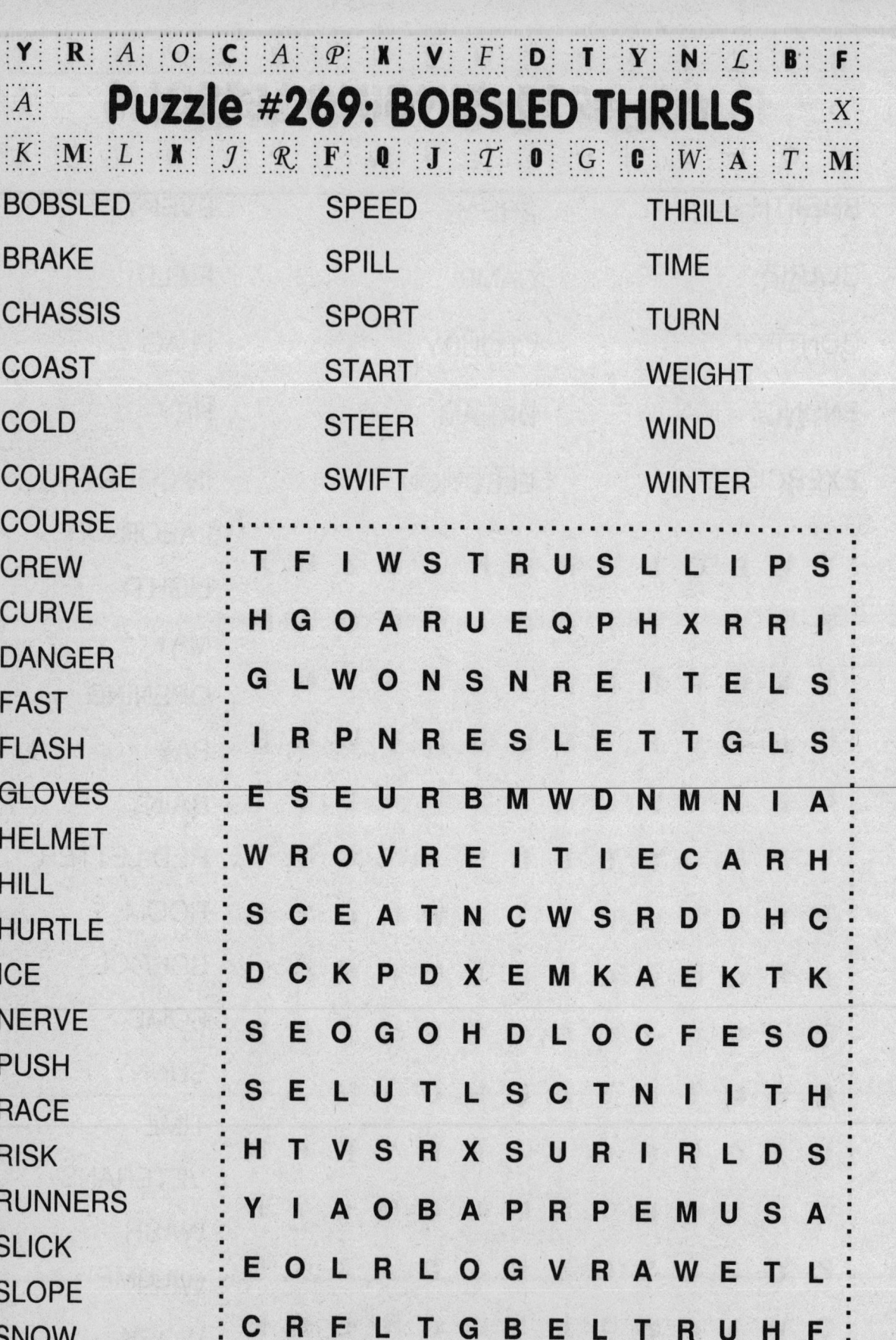

```
T F I W S T R U S L L I P S
H G O A R U E Q P H X R R I
G L W O N S N R E I T E L S
I R P N R E S L E T T G L S
E S E U R B M W D N M N I A
W R O V R E I T I E C A R H
S C E A T N C W S R D D H C
D C K P D X E M K A E K T K
S E O G O H D L O C F E S O
S E L U T L S C T N I I T H
H T V S R X S U R I R L D S
Y I A O B A P R P E M U S A
E O L R L O G V R A W E T L
C R F L T G B E L T R U H F
```

Puzzle #27Ø: SINGING LESSONS

BREATH

CLARITY

CONTROL

ENUNCIATION

EXERCISES

EXPRESSION

KEY

LYRIC

MELODY

METER

NOTES

PHRASING

PITCH

POWER

PRACTICE

PRECISION

QUALITY

RANGE

RESONANCE

RHYTHM

SCALES

SONGS

STUDY

TEMPO

TIMING

TONE

TRILL

VOICE

VOLUME

```
V E L Q A P S C A L E S Y Q
S N N Y U G I T T X J D B E
T O E U R A K T E O O Y G X
U I C V N I L R C L N N K P
D S N O C C I E H A E P R
Y I A I P I I M T R Y H F E
T C N C S M U A L Y R C Y S
I E O E T L E O T A H R E S
R R S C O R R T S I H T P I
A P E V B T I I U Y O Q O O
L W R A N V N L T N I N W N
C C S O N G S H L M E T E R
P X C C T I M I N G C Q R H
Q V A J E C I T C A R P B L
```

Puzzle #271: FORM A CARPOOL

BY TURNS

CHEAPER

COLLECTIVE

CONSIDER-

    ATION

COOPERATION

FRIENDS

GASOLINE

GROUP

INSURANCE

JOIN

LESS GAS

MEET

MONEY

NUMBER

PLAN

PLEASURE

RULES

SAFER

SAVE TIME

SAVING

SHARED

SHOPPERS

SLOW

TRANSIT

USUAL

VALUES

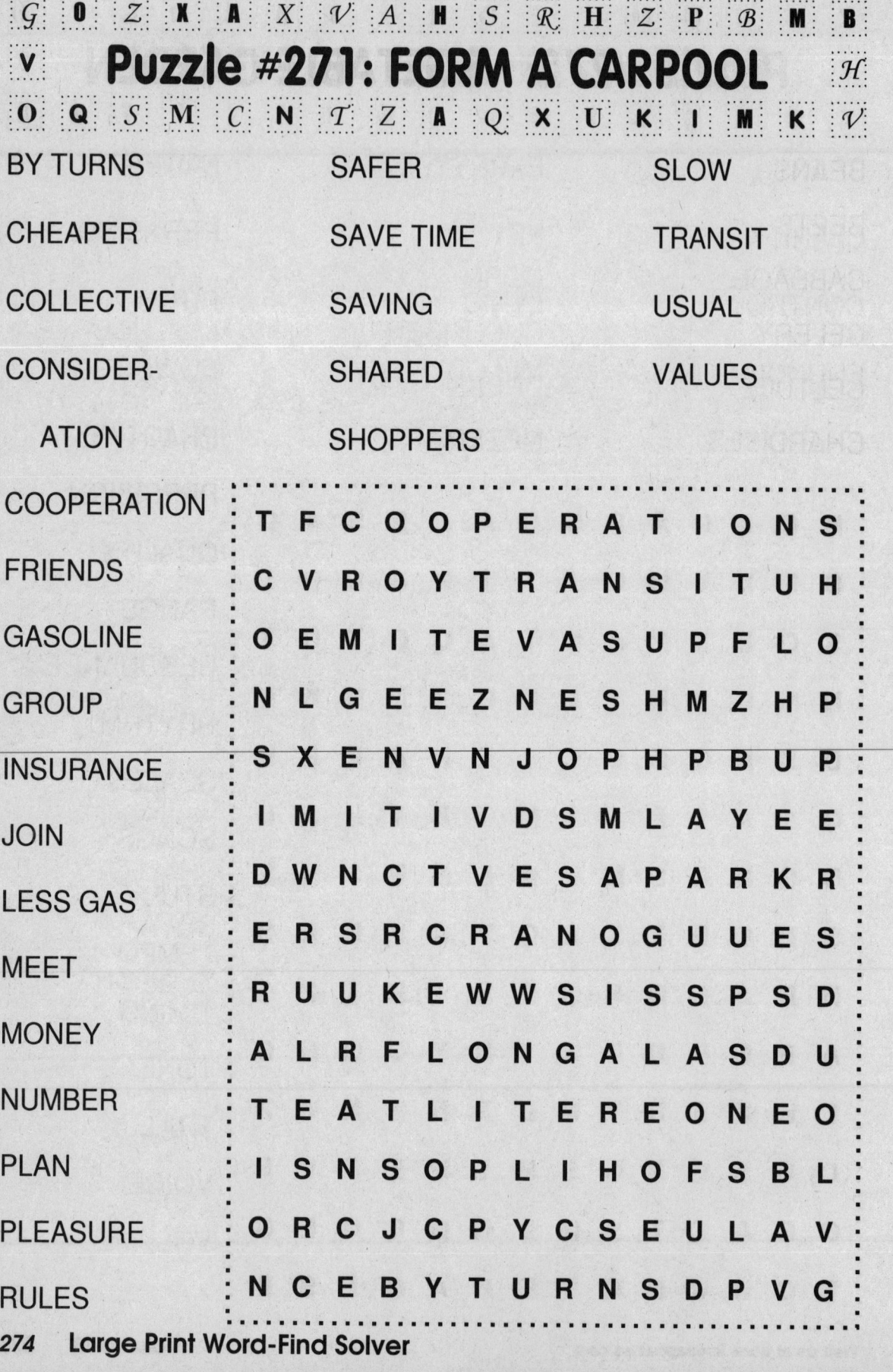

```
T F C O O P E R A T I O N S
C V R O Y T R A N S I T U H
O E M I T E V A S U P F L O
N L G E E Z N E S H M Z H P
S X E N V N J O P H P B U P
I M I T I V D S M L A Y E E
D W N C T V E S A P A R K R
E R S R C R A N O G U U E S
R U U K E W W S I S S P S D
A L R F L O N G A L A S D U
T E A T L I T E R E O N E O
I S N S O P L I H O F S B L
O R C J C P Y C S E U L A V
N C E B Y T U R N S D P V G
```

Puzzle #272: VEGETABLE GARDEN

BEANS	CHICORY	KALE
BEETS	CHIVES	LEEK
CABBAGE	CORN	LENTIL
CELERY	CUCUMBER	LETTUCE
CELTUCE	DRESS	OKRA
CHARD	GREENS	ONION

PARSNIPS

PEAS

PEPPER

PUMPKIN

RADISH

RHUBARB

ROMAINE

SHALLOT

SOYA

SPINACH

TARO

TOMATO

TURNIP

YAMS

```
H C A N I P S P I N S R A P
C T L E C T P I N R U T B I
S O O A C H O T A M O T R Y
N M R H K U I L H S I D A R
D K A N A P T C E R H J B E
O R V Y L G U L O T E J U L
D S N A E B V M E R T I H E
S C L D L S A Q P C Y U R C
H B A E R I O G R K P J C O
A B E B N E N Y R E I N H E
L K J E B T S O A E P N I Z
L V Z L T A I S I K E P V V
O R A T T S G L G N E N E G
T C U C U M B E R A O I S P
```

Puzzle #273: QUEEN OF THE GODS

ANVIL

CRONUS

CRYSTAL

STEPS

ENVY

GODDESS

HELPED

JASON

HERA

HERCULES

ILITHYIA

IMMORTAL

IRIS

IVORY

THRONE

JEALOUS

JUNO

LETO

LION

MAKE RAIN

MINERVA

NAG

OCEAN

OLYMPUS

PARIS

QUEEN

RHEA

ROYAL

SACRED COW

TETHYS

VULCAN

```
C R Y S T A L S T E P S Y G
I I E N O R H T Y R O V I Q
S U P M Y L O A N F N N V L
B N E W E A I J S E A I C I
T E O O R Y N A Z C R A F O
O E N S H O C A L H M R T N
G U T T A R L U E I V E H J
J Q I H E J V A N C L K E M
C L I D Y E D E T B O A R P
I R C R E S R E N R L M A N
W O O L I V N A P O O R W F
W S F N A S G R U L I M I H
H E R C U L E S P S E V M V
H H B O S S E D D O G H M I
```

Answers

Word-Find Solver 1

Word-Find Solver 2

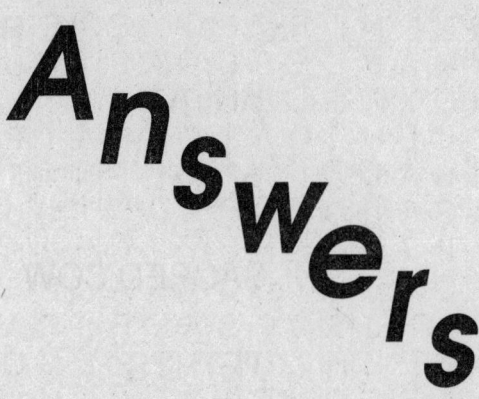

Word-Find Solver 3

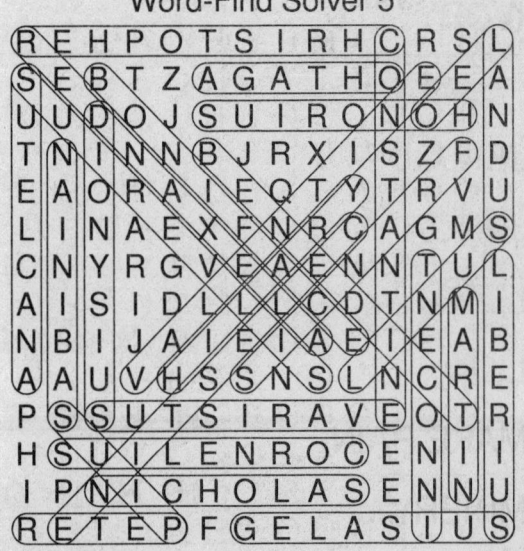

Word-Find Solver 4

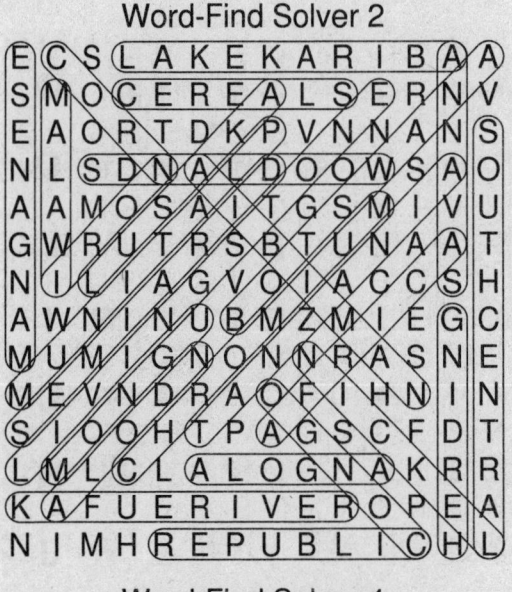

Word-Find Solver 5

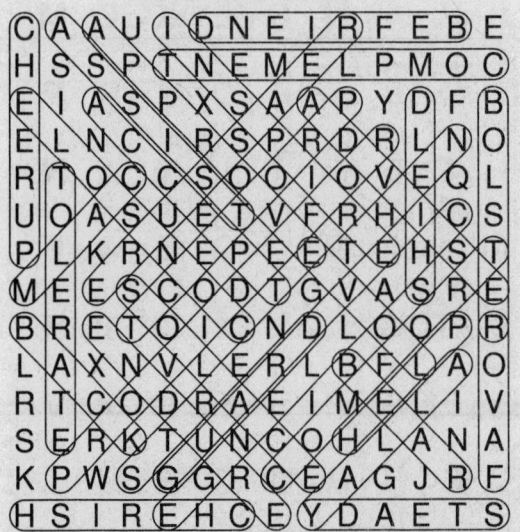

Word-Find Solver 6

Word-Find Solver 7

Word-Find Solver 8

Word-Find Solver 9

Word-Find Solver 10

Word-Find Solver 11

Word-Find Solver 12

Word-Find Solver 13

Word-Find Solver 14

Word-Find Solver 15

Word-Find Solver 16

Word-Find Solver 17

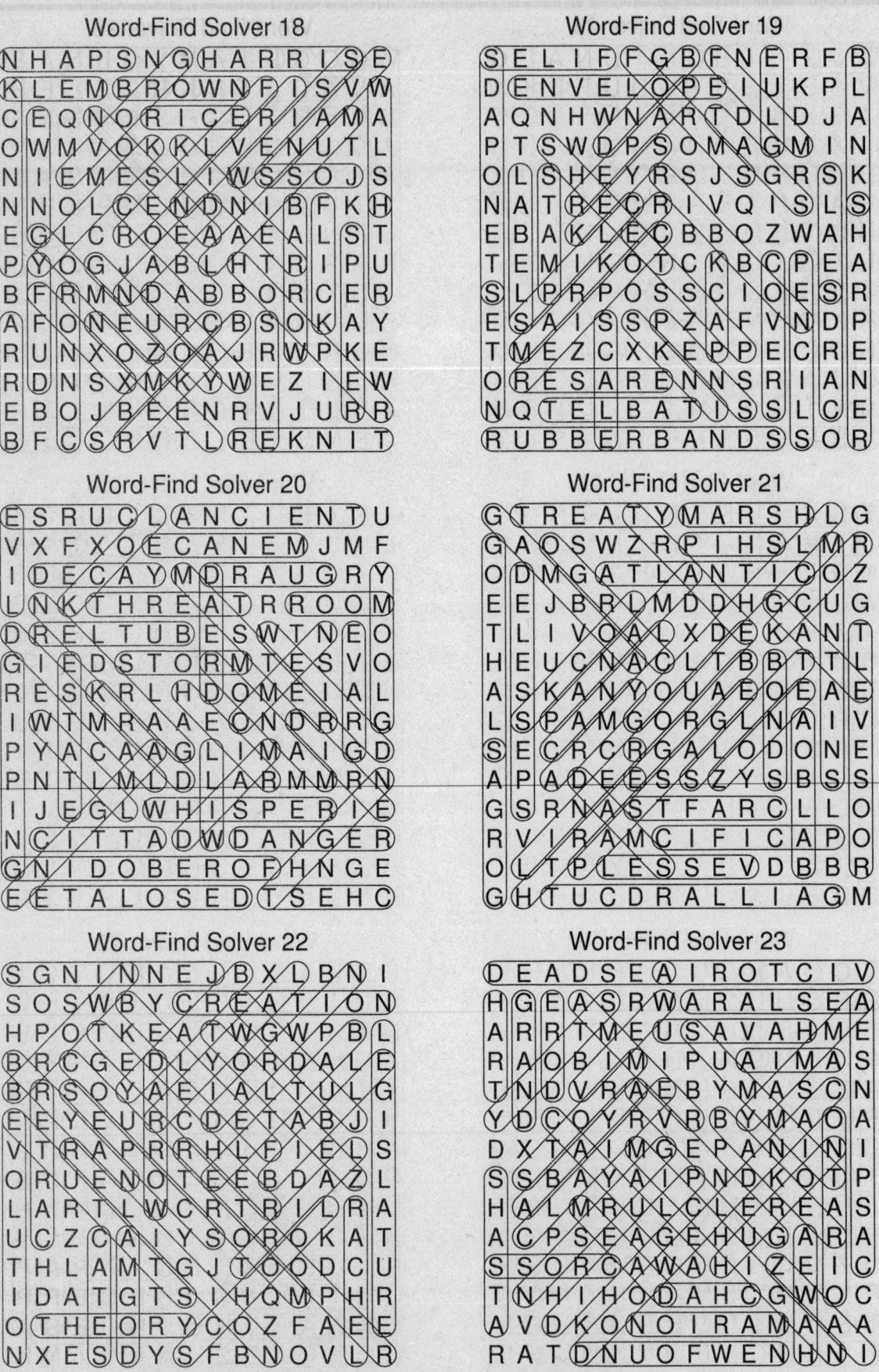

Word-Find Solver 18

```
N H A P S N G H A R R I S E
K L E M B R O W N F I S V W
C E Q N O R I C E R I A M A
O W M V O K K L V E N U T L
N I E M E S L I W S S O J S
N N O L C E N D N I B F K H
E G L C R O E A A E A L S T
P Y O G J A B L H T R I P U
B F R M N D A B B O R C E R
A F O N E U R C B S O K A Y
R U N X O Z O A J R W P K E
R D N S X M K Y W E Z I E W
E B O J B E E N R V J U R R
B F C S R V T L R E K N I T
```

Word-Find Solver 19

```
S E L I F F G B F N E R F B
D E N V E L O P E I U K P L
A Q N H W N A R T D L D J A
P T S W D P S O M A G M I N
O L S H E Y R S J S G R S K
N A T R E C R I V Q I S L S
E B A K L E C B B O Z W A H
T E M I K O T C K B C P E A
S L P R P O S S C I O E S R
E S A I S S P Z A F V N D P
T M E Z C X K E P P E C R E
O R E S A R E N N S R I A N
N Q T E L B A T I S S L C E
R U B B E R B A N D S S O R
```

Word-Find Solver 20

```
E S R U C L A N C I E N T U
V X F X O E C A N E M J M F
I I D E C A Y M D R A U G R Y
L N K T H R E A T R R O O M
O R E L T U B E S W T N E O
G I E D S T O R M T E S V O
R E S K R L H D O M E I A L
I W T M R A A E O N D R R G
P Y A C A A G L I M A I G D
P N T L M L D L A R B M M R N
I J E G L W H I S P E R I E
N C I T T A D W D A N G E R
G N I D O B E R O F H N G E
E E T A L O S E D T S E H C
```

Word-Find Solver 21

```
G T R E A T Y M A R S H L G
G A O S W Z R P I H S L M R
O D M G A T L A N T I C O Z
E E J B R L M D D H G C U G
T L I V O A L X D E K A N T
H E U C N A C L T B B T T L
A S K A N Y O U A E O E A I
L S P A M G O R G L N A I V
S E C R C R G A L O D O N E
A P A D E E S S Z Y S B S S
G S R N A S T F A R C L L O
R V I R A M C I F I C A P R
O L T P L E S S E V D B B R
G H T U C D R A L L I A G M
```

Word-Find Solver 22

```
S G N I N N E J B X L B N I
S O S W B Y C R E A T I O N
H P O T K E A T W G W P B L
B R C G E D L Y O R D A L E
B R S O Y A E I A L T U L G
E E Y E U R C D E T A B J I
V T R A P R R H L F I E L S
O R U E N O T E E B D A Z L
L A R T L W C R T R I L R A
U C Z C A I Y S O R O K A T
T H L A M T G J T O O D C U
I D A T G T S I H Q M P H R
O T H E O R Y C O Z F A E E
N X E S D Y S F B N O V L R
```

Word-Find Solver 23

```
D E A D S E A I R O T C I V
H G E A S R W A R A L S E A
A R R T M E U S A V A H M E
R A O B I M I P U A I M A S
T N D V R A E B Y M A S C N
Y D C O Y R V R B Y M A O A
D X T A I M G E P A N I N I
S S B A Y A I P N D K O T A
H A L M R U L C L E R E A A
A C P S E A G E H U G A R S
S S O R C A W A H I Z E I C
T N H I H O D A H C G W O C
A V D K O N O I R A M A A A
R A T D N U O F W E N H N I
```

Word-Find Solver 24

```
F J E T I S G N I D N A L C
M Y S T E R Y O D U F D K W
A G X C E T C A T N O C T C
E X R C E U M H N U P F Z D
B O U K H E G R B J A I Q E
F A C L T I O T M R D L H G
S O T A N E S S C U K M A S
R T L A T E Z B T Z X S A C
T V R E K H C I H H E R E C
H K M O V E G N S S G R S F
E O C V P A O I E R A I V O
O J A A Q E R F L L D L L L
R X I X S A R T F F I Y F C
Y S E S S E N T I W M S J Z
```

Word-Find Solver 25

```
W G O C L I A M Y B K N A B
A V A U L T R K R D E L E R
R R V P I L S E S P L F N E
D S T A Q Y H C O I A A G V
H E E N L C C N T S R B I E
T T F X U U R S I M P L E N
I A N O A O E D R A W E R U
W R V U R T M L M D P L O E
W D F B O M A A B E E T F W
Q O E A I C S T N A E B O S
W W R B C L C A K T Y D T N
M K Q R I P L A O N N A E F
R T U I O T G N H I T I P R
W E N M Y B L L W E L L J G
```

Word-Find Solver 26

```
T B A N K S T R E A M S D O
L I R D N E T B I N S Z S F
I R L N N W S X L O F T F N
W C O M P O S T I I U Z S I
A Z Y B T D R L A O M L G T
C D I S E E N O R K A I H R
I S E N S E K P B G I G N O
D R L S C S S S N H I N Y G
O E D V E S T I A L C S G E
O R S P W R N U B B T L T N
W O E A P N T I R U F L U S
G B M T I O R K M F V C D M
O P J H A D N P H Y B R I D
D B T K S W O D A E M Z L G
```

Word-Find Solver 27

```
Z S I N R E P O R T E R V J
Z L R U O B T I F T U O S W
D E S C R I P T I O N T V D
M G O I B G T B M C Y D A Y
E N R R N C H A O L J F R T
G I C E I N L L E D O M I E
N S R O D G O O E R S M A I
A I I N U R I V T B C E T I
H T E R G T O N A H A T I O
C R C V A I U E A T I L O S
T E A B O P S R T L I N N T
V V R V T G Y E I S I O G Z
O D G R E Y U B D E A T N Q
F A B R I C H E J F R T Y R
```

Word-Find Solver 28

```
Y C Q W E G C D G N L L Y L
E E C N U O N N A L V D R I
L S S E L B I M E U G A T N
Y Q S B B R T B B J I N S I
T T S N E S H O H H F C I T
S V R T E C R D S M T I G A
R R A B R R R A E N S N E T
I C E U O E S R T R I G R I
A H H W S M A J O S K E D O
H C O S O T O M N M D I D N
Q Z Q L H H R O E I A O S N
R X I M Y X S A R R W N G S
T S G N I R O B E G S S C H
T S E H C E P O H H M X W E
```

Word-Find Solver 29

```
E H E A R T H W O R M Y Z I
K C A N S S T E L G N I K R
O R S I S K I N S L M Y L S
N E M R E W O L F F A S B O
I P V U N S I P P E R C I H
B B U C K W H E A T F L N O
O R B I R D B A T H V W O U
R A E L J O E R I V A X C S
T A N A G E R N O L X O U E
J G O L D F I N C H A T L P
R O O S T S N E C T A R A P
Q S T F I W S O S B C E R P
I K W A H T H G I N U E S A
W O R R A P S M A R T I N K
```

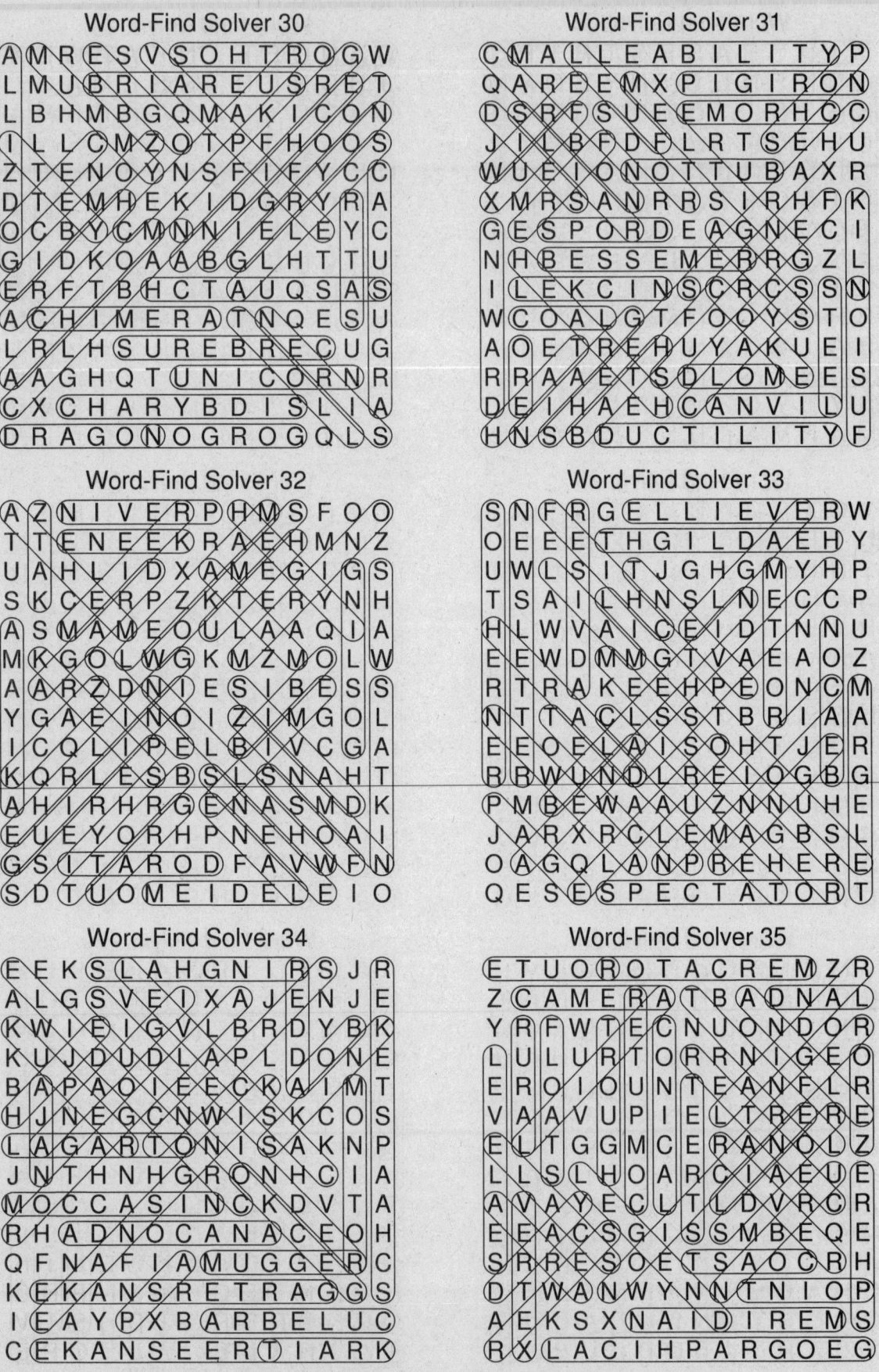

Word-Find Solver 30

```
A M R E S V S O H T R O G W
L M U B R I A R E U S R E T
L B H M B G Q M A K I C O N
I L L C M Z O T P F H O O S
Z T E N O Y N S F I F Y C C
D T E M H E K I D G R Y R A
O C B Y C M N N I E L E Y C
G I D K O A A B G L H T T U
E R F T B H C T A U Q S A S
A C H I M E R A T N Q E S U
L R L H S U R E B R E C U G
A A G H Q T U N I C O R N R
C X C H A R Y B D I S L I A
D R A G O N O G R O G O L S
```

Word-Find Solver 31

```
C M A L L E A B I L I T Y P
Q A R E E M X P I G I R O N
D S R F S U E E M O R H C C
J I L B F D E L R T S E H U
W U E I O N O T T U B A X R
X M R S A N R R S I R H F K
G E S P O R D E A G N E C I
N H B E S S E M E R R G Z L
I L E K C I N S C R C S N
W C O A L G T F O O Y S T O
A O E T R E H U Y A K U E I
R R A A E T S O L O M E E S
D E I H A E H C A N V I L U
H N S B D U C T I L I T Y F
```

Word-Find Solver 32

```
A Z N I V E R P H M S F O O
T T E N E E K R A E H M N Z
U A H L I D X A M E G I G S
S K C E R P Z K T E R Y N H
A S M A M E O U L A A Q I A
M K G O L W G K M Z M O L W
A A R Z D N I E S I B E S S
Y G A E I N O I Z I M G O L
I C Q L I P E L B I V C G A
K Q R L E S B S L S N A H T
A H I R H R G E N A S M D K
E U E Y O R H P N E H O A I
G S I T A R O D F A V W F N
S D T U O M E I D E L E I O
```

Word-Find Solver 33

```
S N F R G E L L I E V E R W
O E E E T H G I L D A E H Y
U W L S I T J G H G M Y H P
T S A I L H N S L N E C C P
H L W V A I C E I D T N N U
E E W D M M G T V A E A O Z
R T R A K E E H P E O N C M
N T T A C L S S T B R I A A
E E O E L A I S O H T J E R
R R W U N D L R E I O G B G
P M B E W A A U Z N N U H E
J A R X R C L E M A G B S L
O A G Q L A N P R E H E R E
Q E S E S P E C T A T O R T
```

Word-Find Solver 34

```
E E K S L A H G N I R S J R
A L G S V E I X A J E N J E
K W I E I G V L B R D Y B K
K U J D U D L A P L D O N E
B A P A O I E E C K A I M T
H J N E G C N W I S K C O S
L A G A R T O N I S A K N P
J N T H N H G R O N H C I A
M O C C A S I N C K D V T A
R H A D N O C A N A C E O H
Q F N A F I A M U G G E R C
K E K A N S R E T R A G G S
I E A Y P X B A R B E L U C
C E K A N S E E R T I A R K
```

Word-Find Solver 35

```
E T U O R O T A C R E M Z R
Z C A M E R A T B A D N A L
Y R F W T E C N U O N D O R
L U L U R T O R R N I G E O
E R O I O U N T E A N F L R
V A A V U P I E L T R E R E
E L T G G M C A R A N O L Z
L L S L H O A R C I A E U E
A V A Y E C L T L D V R C R
E E A C S G I S S M B E Q H
S R R E S O E T S A O C R H
D T W A N W Y N N T N I O P
A E K S X N A I D I R E M S
R X L A C I H P A R G O E G
```

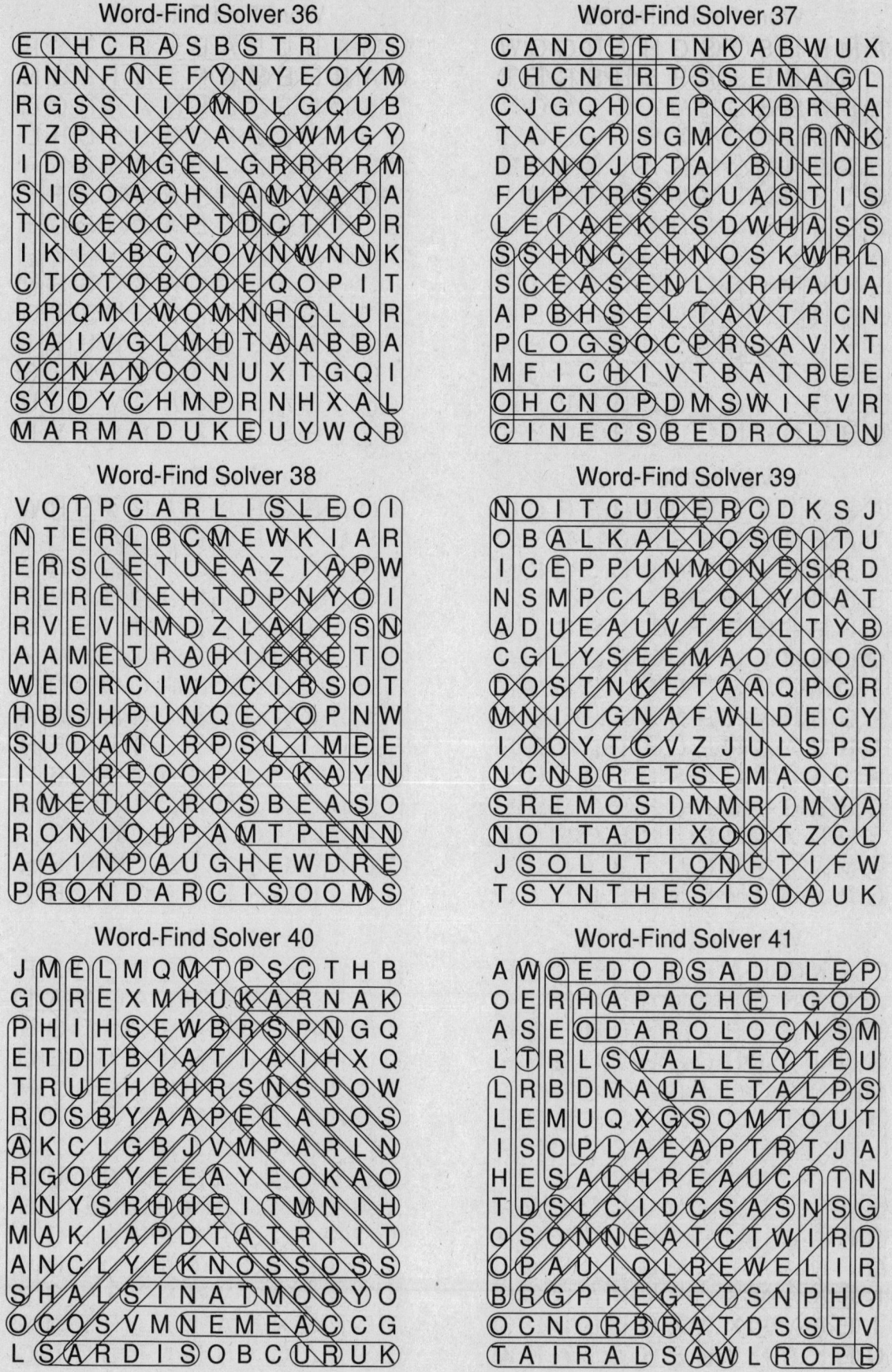

Word-Find Solver 36

Word-Find Solver 37

Word-Find Solver 38

Word-Find Solver 39

Word-Find Solver 40

Word-Find Solver 41

Word-Find Solver 48

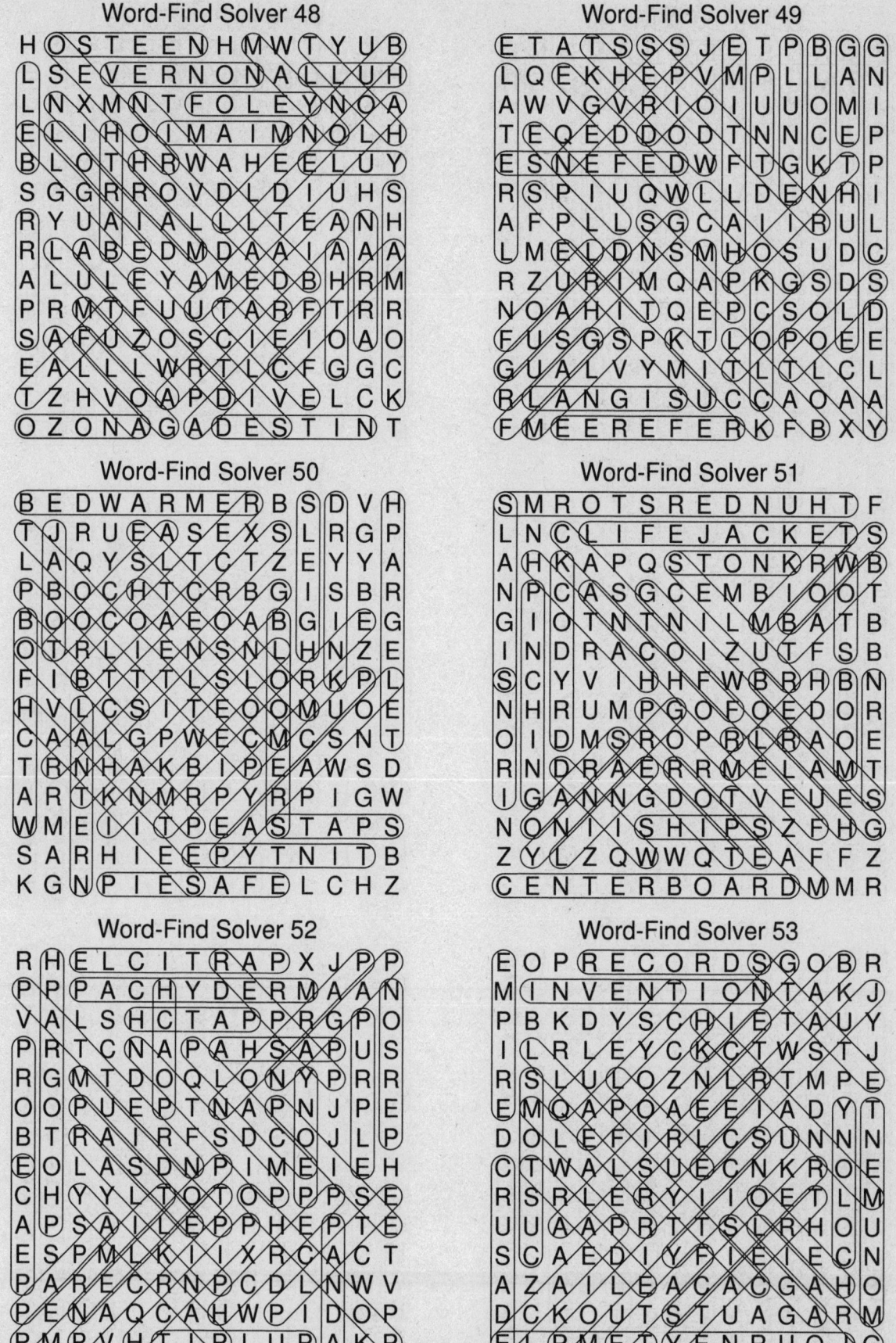

Word-Find Solver 49

Word-Find Solver 50

Word-Find Solver 51

Word-Find Solver 52

Word-Find Solver 53

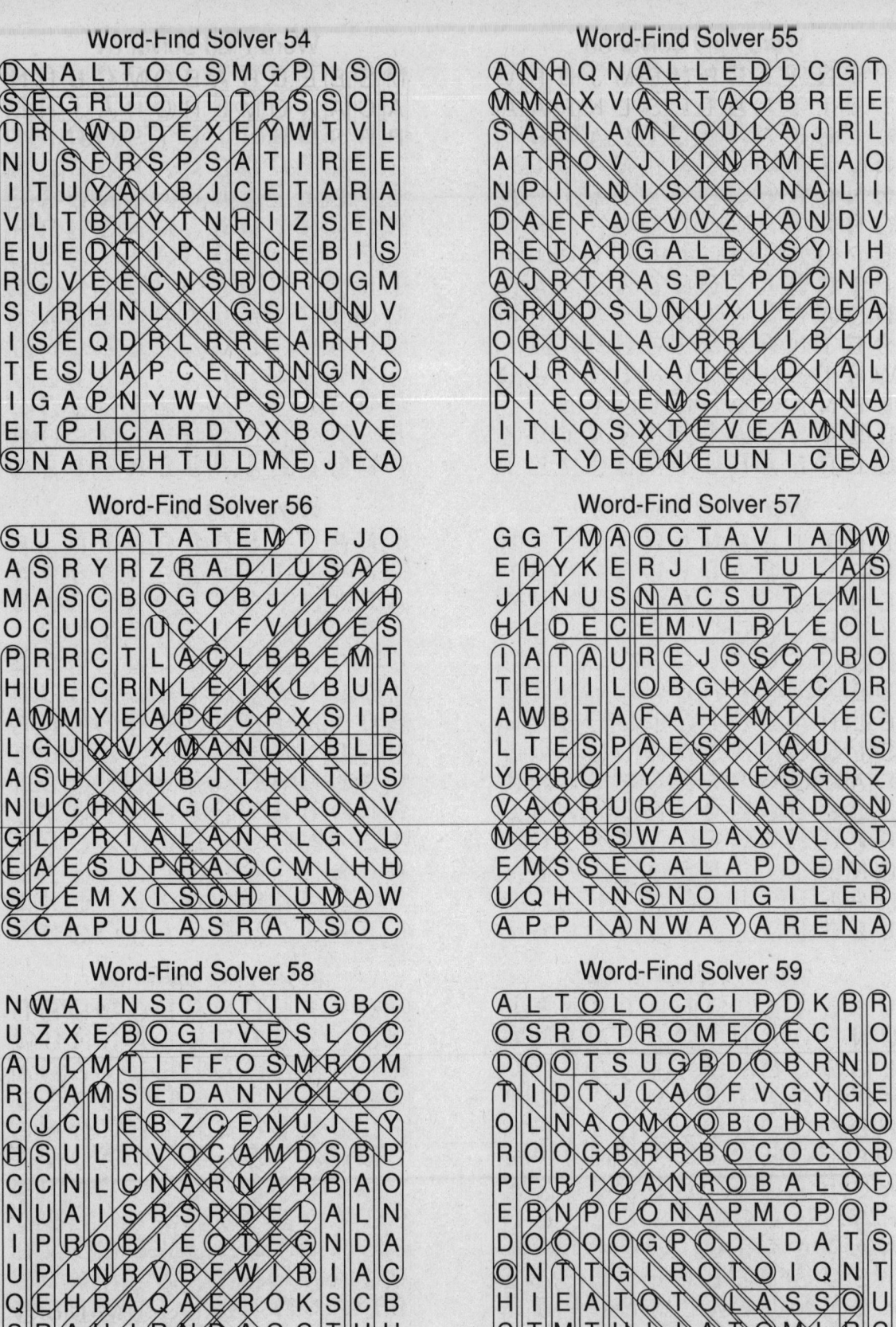

Word-Find Solver 54

Word-Find Solver 55

Word-Find Solver 56

Word-Find Solver 57

Word-Find Solver 58

Word-Find Solver 59

Word-Find Solver 60

Word-Find Solver 61

Word-Find Solver 62

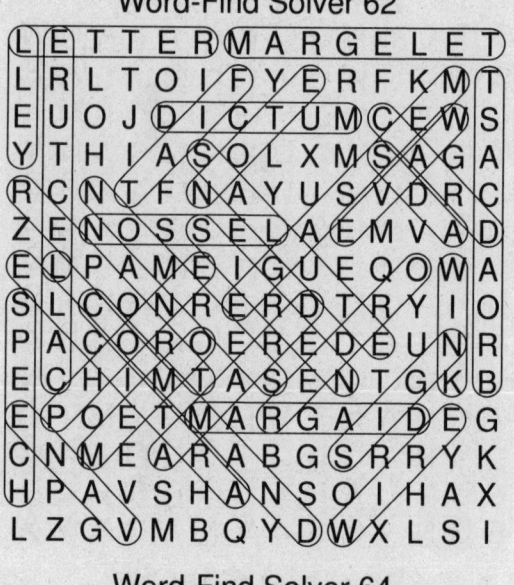

Word-Find Solver 63

Word-Find Solver 64

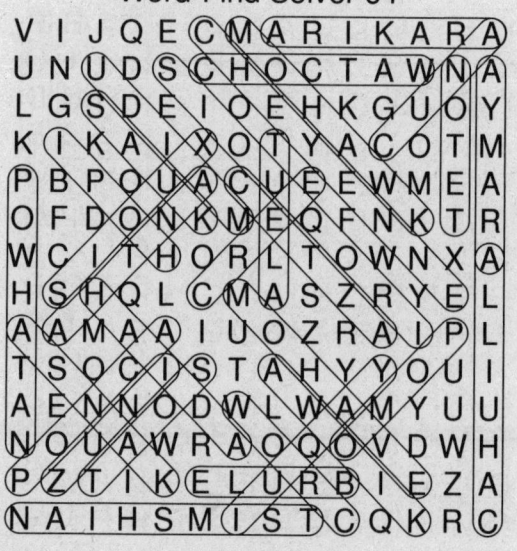

Word-Find Solver 65

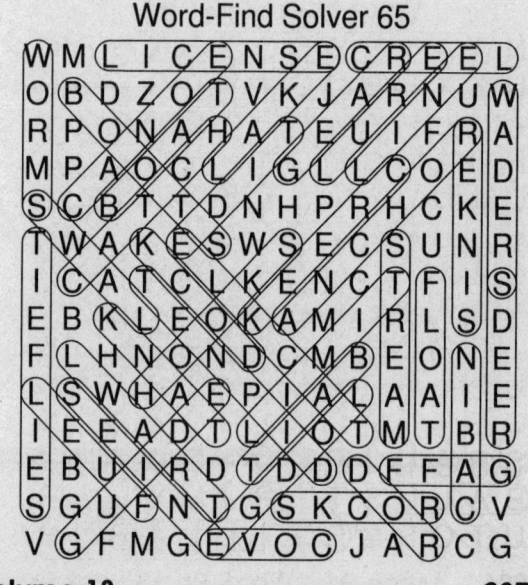

```
S P E G A S U S S O R C V L
U U S C U L P T O R H D A A
L R P H O E N I X E P C S G
G P S U I L A Y R E E N O I
S L R A L L M C R R E M I R
E I I C I G U S T M R U P U
X B O U Q L E A N E S S R A
T R Q A E U T M C O Y C O H
A A P S S C A N I D R A C O
N U J G R R A O A N O M S G
S Y R A I C X W G S I N A C
S U T E C X T A U R U S R C
S E S U E L U U Q E A H P L
R C O R O N A A C U T A T
```

```
N I L B O G B O H Y M V A G
O E I D O L O N N O G R O G
B R Y X I N E O H P G L H L
X A L D B R V D C U E A G T
J Z N E I A S Y S M R H O K
L S N S P H S D R P O S P E
G E U I H R C I Y U E Q O L
B H M S L E E O L V F M G P
D U O U A M E C L I E Z R I
L W G S R G E E H O S M E N
S A A B T E E R F A M K I M
N A M R E M S P G A U O X O
C Z A I F A P Y T H O N I N
C E N T A U R H P M Y N P G
```

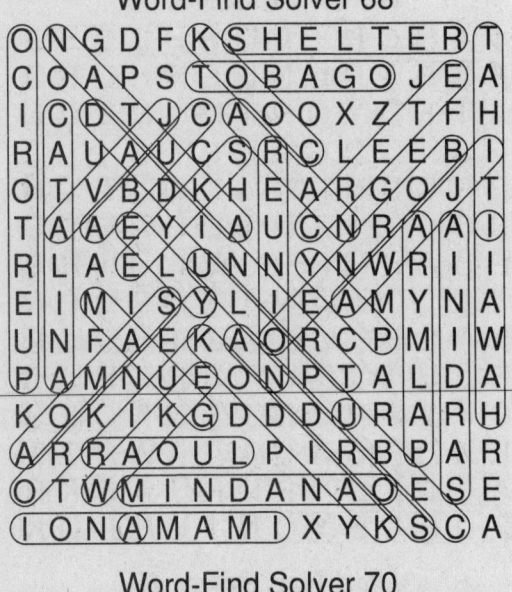

```
O N G D F K S H E L T E R T
C O A P S T O B A G O J E A
I C D T J C A O O X Z T F H
R A U A U C S R C L E E B I
O A T V B D K H E A R G O J
T A A E Y I A U C N R A A I
R L A E L U N N Y N W R I I
E I M I S Y L I E A M Y N I
U N F A E K A O R C P M I W
P A M N U E O N P T A L D A
K O K I K G D D D U R A R H
A R R A O U L P I R B P A R
O T W M I N D A N A O E S E
I O N A M A M I X Y K S C A
```

```
F I N C U M B E N T V W L D
A Y S N R U T E R G I C O L
C L T T M O Y W C N O E C A
T D S I V E D E N N S A A T
I C L O R J D E V M A K L E
O T A M R O R E M R N F S S
N C E U E A N A B A U E M Y
N I P G C T N I L A N S R M
O R E E I U S P M A T D O F
M T R O W E S Y T A V E F N
I S N A X T V E S N Y M T O
N I R A C H O I C E O Z A C
E D T D A R K H O R S E L P
E G N I S S A V N A C Y P X
```

```
D A Q T E R R I E R A S Q S
N A I T A M L A D K A B P R
U W M O N G R E L M E I B E
O B A S E N J I O A T P I X
H R S H E L T Y E Z P T K O
P I D C S F E L I Y T U U B
A O G O H D D A K O B V L M
I W O R G O F R C E Z R A I
R H Q C O G W S A O L R S B
E I E P H C Y G Z I G P O M
D P I A C O L L I E R N I B
A P N N Y E Y K S U H B I E
L E S E T T E R E T N U H D
E T U M A L A M G O D P A L
```

```
M N Q W S K F S H U F F L E
T W Q J S K K A N K F T S C
O R H T G N E R T S K U R I
I R M O E S E L C A T N E P T
R A S I R E E O A L B S K T
A A P N E L M N Y D H N F U
H I E R O P H A N T E O Z J
C V K N E R M A G M R D D K
I P T P E A W E G T F I S L
F R A W M E D D U J V W O N
E G O C G T U N V I O V O O
E T G J K J E O N R E O O U
G L T O A S D E D R M A W O
Q G L H F M R S S E R P M E
```

Word-Find Solver 72

```
K E G A E L I M T T M H K Z
C L P B E N C H U U E T C R
A N Y L Y H O R N L N S A A
R R J H A O N S P O M E J D
U R L S T T F I H S G T U A
T E X U B E E B U M P E R P
R G A T B A R G A I N P L T
U A A L G H C T L O B O L E
N N C R I D E N O H P R A R
K A M A M O T I R E S Y A B
R M I O R X C R A G S I G N
L I D O T E K C I T S P I D
T E D J N O L L A G F U E L
L S W A T E R E Z Y L A N A
```

Word-Find Solver 73

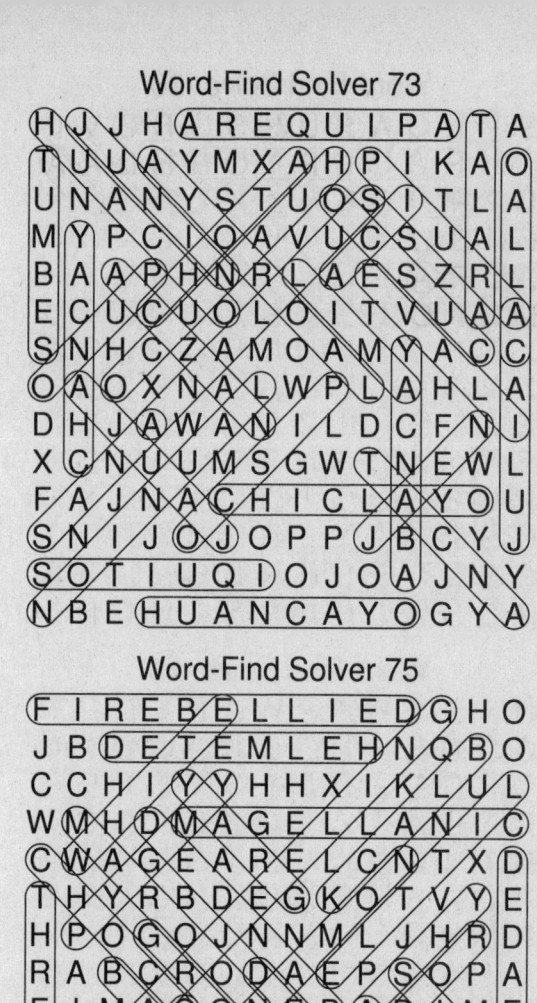

```
H J J H A R E Q U I P A T A
T U U A Y M X A H P I K A O
U N A N Y S T U O S I T L A
M Y P C I O A V U C S U A L
B E C U C U O L O I T V U A
S N H C Z A M O A M Y A C C
O A O X N A L W P L A H L A
D H J A W A N I L D C F N I
X C N U U M S G W T N E W L
F A J N A C H I C L A Y O U
S N I J O J O P P J B C Y J
S O T I U Q I O J O A J N Y
N B E H U A N C A Y O G Y A
```

Word-Find Solver 74

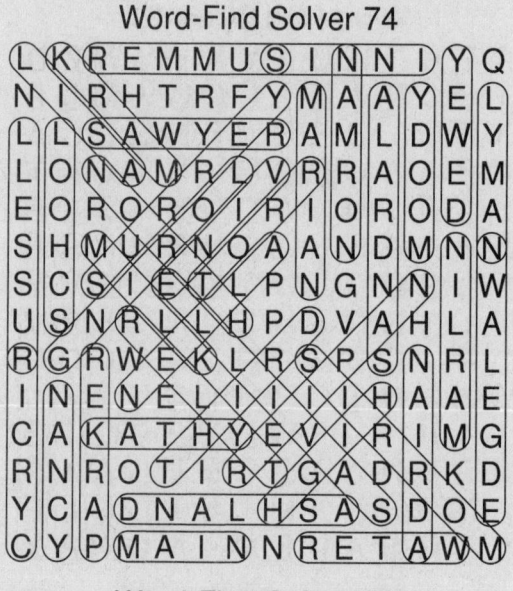

```
L K R E M M U S I N N I Y Q
N I R H T R F Y M A A Y E L
L L S A W Y E R A M L D W L
L O N A M R L V R R A O E M
E O R O R O I R I O R O D A
S H M U R N O A A N D M N N
S C S I E T L P N G N N I W
U S N R L L H P D V A H L A
R G R W E K L R S P S N R L
I N E N E L I I I I H A A M
C A K A T H Y E V I R I M G
R N R O T I R T G A D R K D
Y C A D N A L H S A S D O E
C Y P M A I N N R E T A W M
```

Word-Find Solver 75

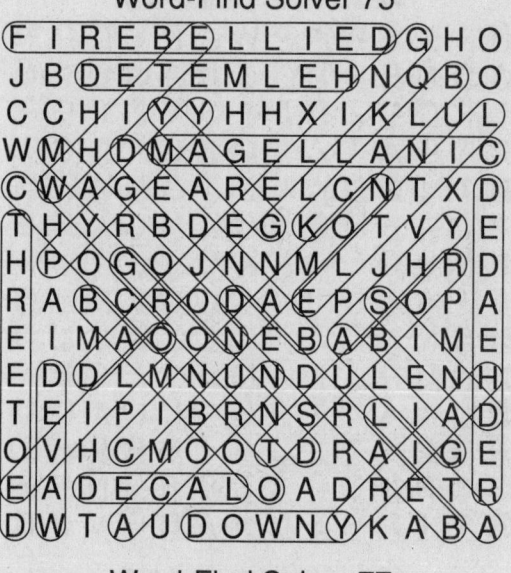

```
F I R E B E L L I E D G H O
J B D E T E M L E H N Q B O
C C H I Y Y H H X I K L U L
W M H D M A G E L L A N I C
C W A G E A R E L C N T X D
T H Y R B D E G K O T V Y E
H P O G O J N N M L J H R D
R A B C R O D A E P S O P A
E I M A O O N E B A B I M E
E D D L M N U N D U L E N H
T E I P I B R N S R L I A D
O V H C M O O T D R A I G E
E A D E C A L O A D R E T R
D W T A U D O W N Y K A B A
```

Word-Find Solver 76

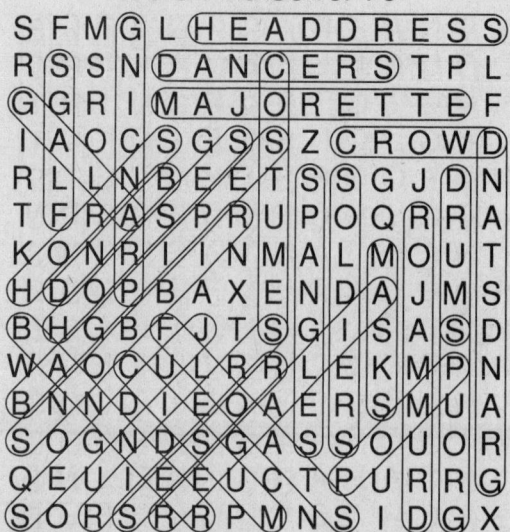

```
S F M G L H E A D D R E S S
R S S N D A N C E R S T P L
G G R I M A J O R E T T E F
I A O C S G S S Z C R O W D
R L L N B E E T S S G J D N
T F R A S P R U P O Q R R A
K O N R I I N M A L M O U T
H O O P B A X E N D A J M S
B H G B F J T S G I S A S D
W A O C U L R R L E K M P N
B N N D I E O A E R S M U A
S O G N D S G A S S O U O R
Q E U I E E U C T P U R R G
S O R S R R P M N S I D G X
```

Word-Find Solver 77

```
C F C H U B B Y C H E E K S
R E B N Q V A S B W S T C H
A E D K K L D B A A N U H V
D D L R P R U S G E T O R T
L I O L O P H N M N L H I B
E N S W O C I E L D A R S R
L G T H L R C E I G E M T E
E S Y O E N T N Y S F C E I
S S T P U S G S T Y K S N F
L H M O E C H A C W P E I C
M A N L O V H W L O I M N C
P N C D G F K F O B M N G A
A B L E S S I N G Z V B S P
D E T A G Y T E F A S R A W
```

Word-Find Solver 78

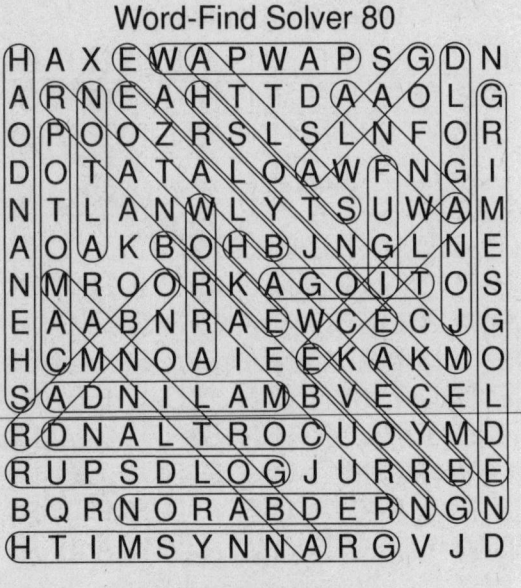

```
V D N U O R E G N I R P V J
C K R A M C A N M V N I P S
C Z E P I K E I L E E T S T
G I T V K L G H N L R C E O
A B O C K S E C K B O H I H
M O O N S T O N E Z O R G S
E N H W F C U U R L C W G A
K V S O L C O H T A W S A Y
E Z L E K I Z R T G C E T F
E T T L D R N S E G L L G W
P O E R U G E G O I A C X S
Q S P L A Y E R S N S R T I
S S E A E U E R E G M I S S
Y S S A L G O P S J H C R F
```

Word-Find Solver 79

```
T N E R T S G N I T S A H R
E U T A T S S O R E O M B O
D M D J S T O O S I S E B Y
S N D O H C U V B O V W I A
N R U T R T O S L A H H G L
S E D O H R B T N I C O B O
E T Y U P X C N G O O O E O
K S E A H R S H G A Y N N P
F R V G U A I R T O R L S R
J O S M L S E T D A R Y T E
N F P F L C O H O O B S E V
S E R A C C M L F X B M E I
T E N O S S E C N I R P L L
D D S D O R S E T S H I R E
```

Word-Find Solver 80

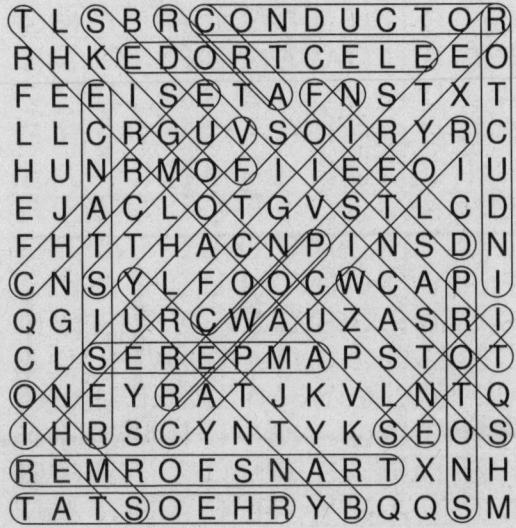

```
H A X E W A P W A P S G D N
A A R N E A H T T D A A O L G
O P O O Z R S L S L N F O R
D O T A T A L O A W F N G I
N T L A N W L Y T S U W A M
A O A K B O H B J N G L N E
N M R O O R K A G O I T O S
E A A B N R A E W C E C J G
H C M N O A I E E K A K M O
S A D N I L A M B V E C E L
R D N A L T R O C U O Y M D
R U P S D L O G J U R R E E
B Q R N O R A B D E R N G N
H T I M S Y N N A R G V J D
```

Word-Find Solver 81

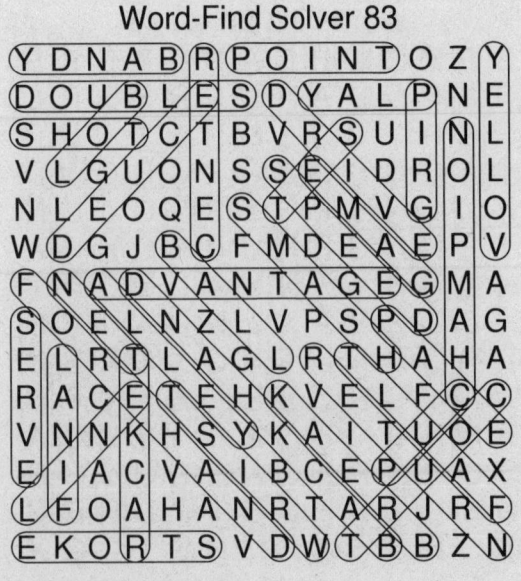

```
R E H T A C A V K U I N Z M
T Q C D A N T E O W A V L A
X W G Y R P R M B M E L C L
G B A A O O P M I R I L D V
E A R I U J A D N E A S L R
E H R A N H A E N R H N A S
F L C D D F N O K G E E R K
L L I N N B H E U N J K E T
E P Y O B E U O T A S C G O
W W M N T O R R M S N I Z L
I I H C U R W E Y E U D T S
S B F H U A S H U L B A I T
F Y Q B H A M I L T O N F O
C T G S A H E M I N G W A Y
```

Word-Find Solver 82

```
T L S B R C O N D U C T O R
R H K E D O R T C E L E E O
F E E I S E T A F N S T X T
L L C R G U V S O I R Y R C
H U N R M O F I I E E O I U
E J A C L O T G V S T L C D
F H T T H A C N P I N S D N
C N S Y L F O O C W C A P I
Q G I U R C W A U Z A S R I
C L S E R E P M A P S T O T
O N E Y R A T J K V L N T Q
I H R S C Y N T Y K S E O S
R E M R O F S N A R T X N H
T A T S O E H R Y B Q Q S M
```

Word-Find Solver 83

```
Y D N A B R P O I N T O Z Y
D O U B L E S D Y A L P N E
S H O T C T B V R S U I N L
V L G U O N S S E I D R O L
N L E O Q E S T P M V G I O
W D G J B C F M D E A E P V
F N A D V A N T A G E G M A
S O E L N Z L V P S P D A G
E L R T L A G L R T H A H A
R A C E T E H K V E L F C C
V N N K H S Y K A I T U O E
E I A C V A I B C E P U A X
L F O A H A N R T A R J R F
E K O R T S V D W T B B Z N
```

Word-Find Solver 84

W J E S T E R B U F F O O N
I J J D B U R L E S Q U E R
T H O Y R E G G A W H H T A
T S C C Y O S T O O G E N Y
Y C O A U S L J E U I G U Z
A R L K O L K L A M I R T H
R P R H R K A L T P F I S R
K Y T E I A G R E R E N E K
R A T T M L L O K I T T N A
B L I G H T B L E T O C I A
G K E A L A I E Z R C J K R
S M I D F C R Q T S K A E P
M A D C A P E R F O R M M D
R I P O S T E R E K C I N S

Word-Find Solver 85

C C C W B W N O T E L E K S
X T Y O W C H D D I H P A E
I E D D L A F I A O P U P A
D Y A A I O S H S N R A K O
H E W B L G R E A T C S L H
H S I D G N N A B S L E A M
E T W E D I M R D M L E W L
T G H L E D O T O U B E S B
A N L V N E L B M S R P G P
R I B N S E T E E C A F N S
G W R L C F I A N L I A I X
I A O R O D N T P E N D W N
M Y O H J B G N I H C T A H
U P D J U L E L B I D N A M

Word-Find Solver 86

G P A C I F I C J H S O B R
S A A T I U R F D A E R B C
F E O R S W H N M W P B C H
G R O U P S O O N A C L O V
S F E N F O A K R I G O R K
N E Y Q A N C E K I R T A A
I S J N S C U L S A V C L A
A T U A L S E I T N A A I V
T I N J T I R V T S H N J A
N V G P S O R E S O A V L L
U A L L A E L A W E N S S A
O L E M E L V L C O E G M V
M S F S A M O S G L N A A
K I S L A N D S H N T F Y L

Word-Find Solver 87

R O L E S R E C U D O R P K
S B P R O P S P U E K A M S
W L A Y E C R E W S C K V E
P T L I N E S T P I R C S N
S A J I V O D P S G C Y S E
F I R I T R I U N A L P T C
C H E T A S M T S I E I S S
O W C M L I F T A C S R C T
S I A A S N S C T C O W O S
T P D T R T O A A T O O L O
U R A U U T C I C M H L O U
M G E N T L O A T S E F R N
E C T E E S R O T C E R I D
S S E I L I A D N Z A I A D

Word-Find Solver 88

I E D E B B N S R E S I R C
P R T U M R E N O M D U O S
N U E H C P O L U V P R M X
O T M C E T T N T S E O U R
I X I T P E R I Y Z S K N E M
T I R S M M M L B E J T S C
A M E O U U E A E I O G M Y
L D L L U D V N L R N E U B
U D A C K A R R T I M L L T
S M A O L F E P T A A O L G
N V E V L P L S N D C E I A
I Z E T M D E U L K M B N T
M S L U A T A E X X R B G E
E L B A T L R E N I A R T S

Word-Find Solver 89

G V D R A O B R E H T O M Z
M A S I M U L A T I O N A K
A W M G R K T R C G T P U G
U S F E I N P U T K P L R S
T C H D S T T N P E U O O K
O E H A C C O U N T S P T S
S K M T R I H D O N U T I I
A C W A T D I E O T E O N D
V A I I R X C I D R N T O M
E B D H S F T O M U E I M Z
D D P P P C N I P R L E R X
A E E Q A A N I N Y D I X P
W E C R O A R E A O Y T N F
D F B K L K T G M M E L B G

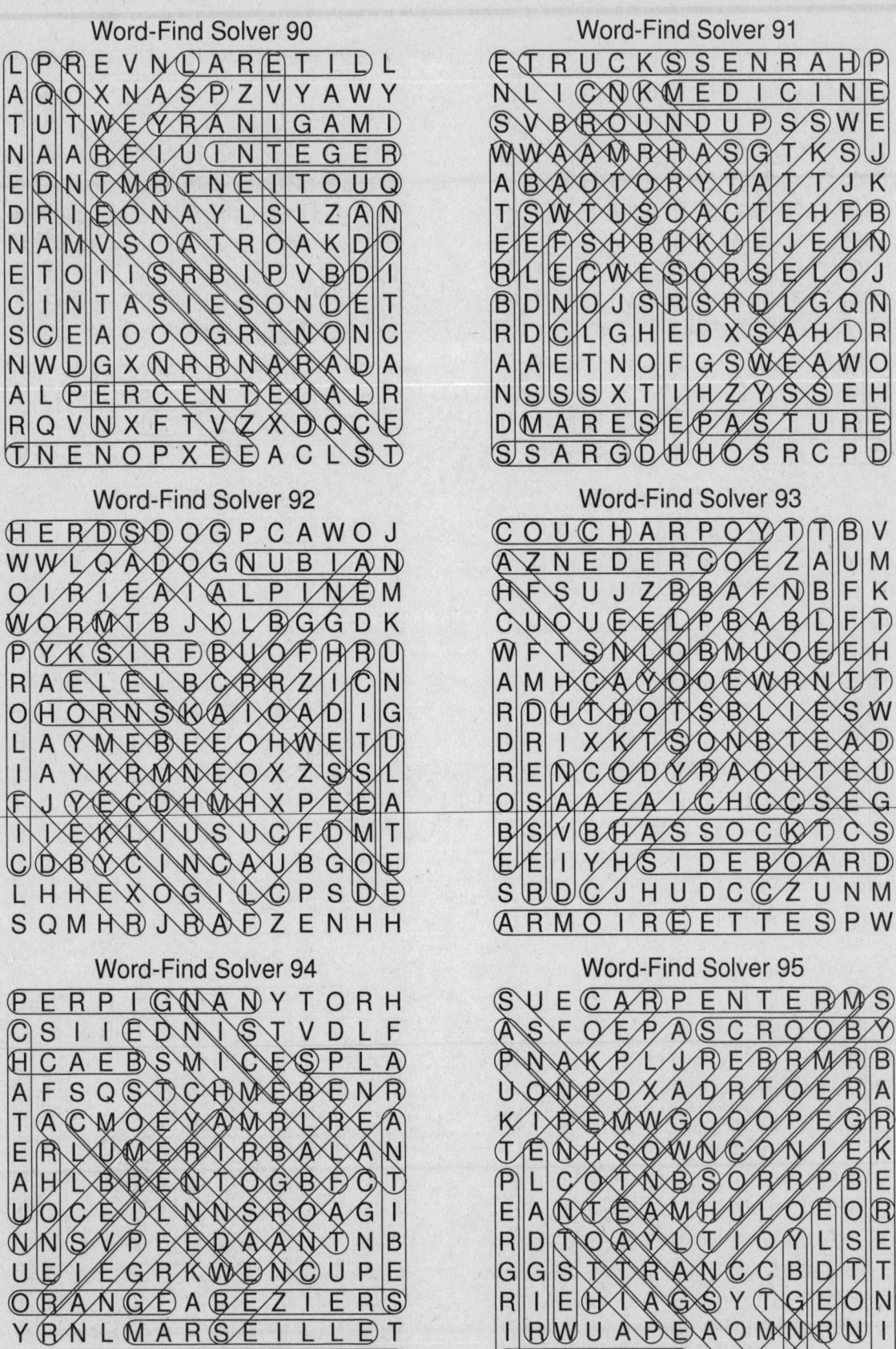

Word-Find Solver 90

```
L P R E V N L A R E T I L L
A Q O X N A S P Z V Y A W Y
T U T W E Y R A N I G A M I
N U A R E I U I N T E G E R
E D N T M R T N E I T O U Q
D R I E O N A Y L S L Z A N
N A M V S O A T R O A K D O
E T O I I S R B I P V B D I
C I N T A S I E S O N D E T
S C E A O O O G R T N O N C
N W D G X N R R N A R A D A
A L P E R C E N T E U A L R
R Q V N X F T V Z X D Q C F
T N E N O P X E E A C L S T
```

Word-Find Solver 91

```
E T R U C K S S E N R A H P
N L I C N K M E D I C I N E
S V B R O U N D U P S S W E
W W A A M R H A S G T K S J
A B A O T O R Y T A T T J K
T S W T U S O A C T E H F B
E E F S H B H K L E J E U N
R L E C W E S O R S E L O J
B D N O J S R S R D L G Q N
R D C L G H E D X S A H L R
A A E T N O F G S W E A W O
N S S S X T I H Z Y S S E H
D M A R E S E P A S T U R E
S S A R G D H H O S R C P D
```

Word-Find Solver 92

```
H E R D S D O G P C A W O J
W W L Q A D O G N U B I A N
O I R I E A I A L P I N E M
W O R M T B J K L B G G D K
P Y K S I R F B U O F H R U
R A E L E L B C R R Z I C N
O H O R N S K A I O A D I G
L A Y M E B E E O H W E T U
I A Y K R M N E O X Z S S L
F J Y E C D H M H X P E E A
I I E K L I U S U C F D M T
C D B Y C I N C A U B G O E
L H H E X O G I L C P S D E
S Q M H R J R A F Z E N H H
```

Word-Find Solver 93

```
C O U C H A R P O Y T T B V
A Z N E D E R C O E Z A U M
H F S U J Z B B A F N B F K
C U O U E E L P B A B L F T
W F T S N L O B M U O E E H
A M H C A Y O O E W R N T T
R D H T H O T S B L I E S W
D R I X K T S O N B T E A D
R E N C O D Y R A O H T E U
O S A A E A I C H C C S E G
B S V B H A S S O C K T C S
E E I Y H S I D E B O A R D
S R D C J H U D C C Z U N M
A R M O I R E E T T E S P W
```

Word-Find Solver 94

```
P E R P I G N A N Y T O R H
C S I I E D N I S T V D L F
H C A E B S M I C E S P L A
A F S Q S T C H M E B E N R
T A C M O E Y A M R L R E A
E R L U M E R I R B A L A N
A H L B R E N T O G B F C T
U O C E I L N N S R O A G I
N N S V P E E D A A N T N B
U E I E G R K W E N C U P E
O R A N G E A B E Z I E R S
Y R N L M A R S E I L L E T
Z U R E V I R E C N A R U D
C N A E N A R R E T I D E M
```

Word-Find Solver 95

```
S U E C A R P E N T E R M S
A S F O E P A S C R O O B Y
P N A K P L J R E B R M R B
U O N P D X A D R T O E R A
K I R E M W G O O O P E G R
T E N H S O W N C O N I E K
P L C O T N B S O R R P E R
E A N T E A M H U L O E O E
R D T O A Y L T I O Y L S E
G G S T T R A N C C B D T N
R I E H I A G S Y T G E O N
I R W U A P E A O M N R N I
N A M D O O G Y L C I U S M
E S T A N D I S H L D Z H C
```

Word-Find Solver 96

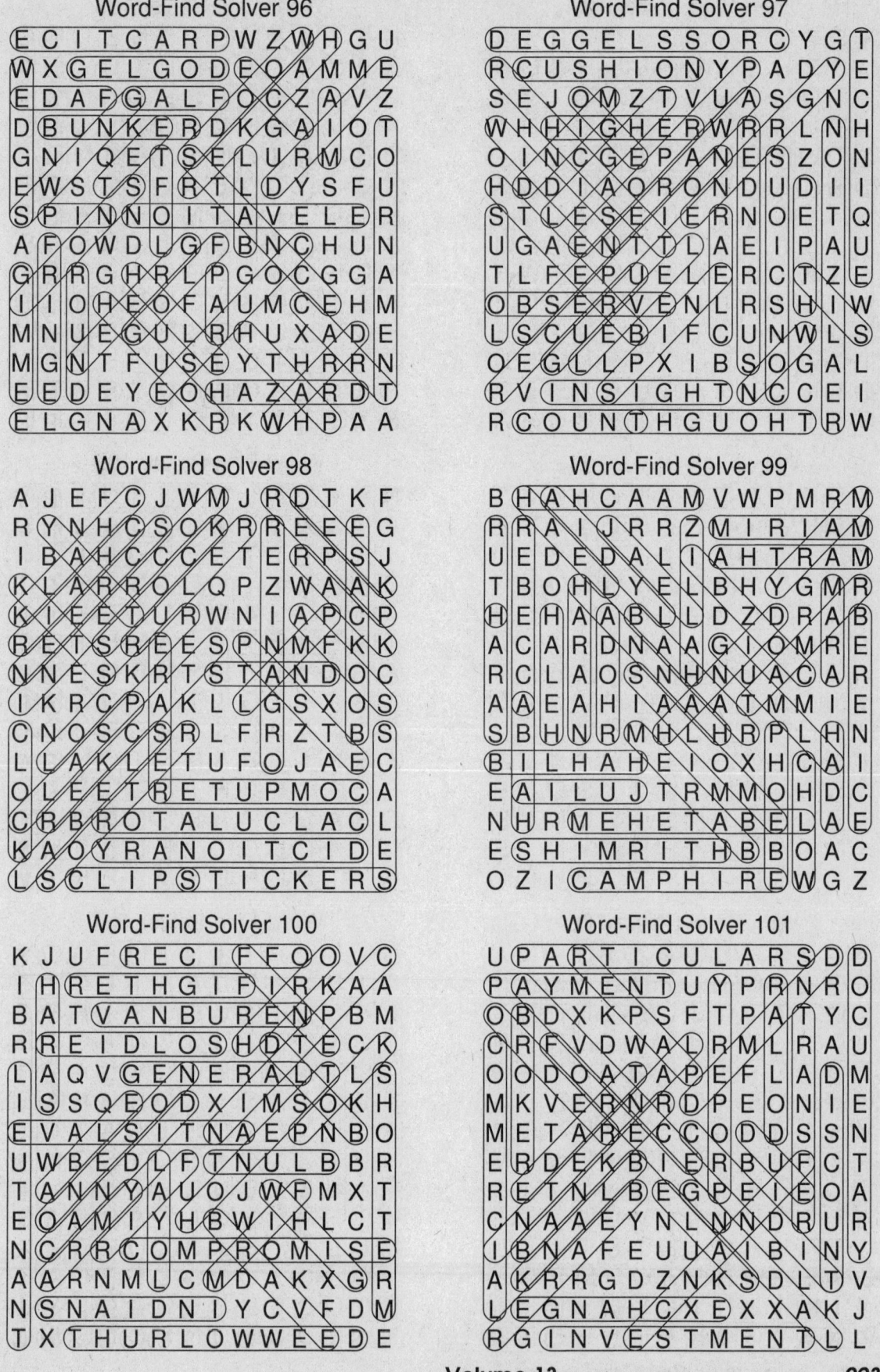

Word-Find Solver 97

Word-Find Solver 98

Word-Find Solver 99

Word-Find Solver 100

Word-Find Solver 101

Word-Find Solver 102

```
K S Q C Y A S D V C X B W K
N Q P H H E P B E S H B O N
I D O O T E U P I S H I V G
V M S A O F C L E T S I N I
E T L N F N V I O T N E J A
S P C E I E S L V V I Z R S
G H T A R K C R I R J Z S T
O D S W N E P T E M E T E U
B N A I L D A A I C S S W R
L R T B F T L N N E U I S E
E C A F I Q T E U Q N A B E
T T W O C S O G S E L H S N
S Y N K T N A R U A T S E R
S S E R V U E O D S R O H A
```

Word-Find Solver 103

```
R E K R A M L I C N E P B E
K E Y S T S E R U T C I P C
R A C P K C O L P E L O C H
K E V O M H L P R L L C A W
R R G A R E N S S E A M R T
K U I D T D E T V S S N D R
C L B T E U S N E E W A S O
A E E B J L E U I K G S R P
N R B O E E O O Q Z R A W E
S E T O N R S C H E A H B R
F O B K D P B C P R P G N W
D I C T I O N A R Y H T A D
R A L L P O P R N N S V E M
B X C E I X F O L D E R K K
```

Word-Find Solver 104

```
S S K N A B E G R E M B U S
F S P J R L E L F L J C S F
T E T I U E A I O T O P R Q
A F G Y D M S O D H L O U K
R S A N L H P T E A G A C R
K T L R U E X R S S R I R W
S O E D N O P H E R K E A R
U N T D T W L S Y M D R A E
M E H R A Y L W O T M I X V
I S E T U W K I A H A U V A
W E E L V N T N U T S O S E
S R K R G E K G U Y U N L B
W D B W G R A S S D V N I F
G A K S H O U T S D E E R F
```

Word-Find Solver 105

```
N S V C A L L S N R U T E R
F H G X D S M U T U A L R S
I A W T T T A P R O F I T E
D R R E I V F E Z N C S Z D
X E S D E A U E L B E K H Q
T S E R E T N I A V H T S C
A R A Y F Z D S N R M L H T
C G A I Z G I I J F N A N A
E G N A H C X E M S R U K N
T S N I G R A M N T O S C A
R R A G E P R I N C I P A L
G R A L W T A B S R H W A Y
U E A D E G T I F E N E B S
K Y T R E N D S M A R K E T
```

Word-Find Solver 106

```
M I D H K L G A Z J O H N A
M G Y C O E Z T R U B A H N
Z U I T R O J L S T E R A T
I D R G J N U I A J C R I H O
T J O E L A J P M O U Y M O
O W Y X P R C T U S R K E N
M H A R W D R K E H B Y R Y
A S T E V E E G L U D W E M
D L N F B L R J R A B J J A
A E F O U O G L V E A I T I
G E R K E O A E T S T I L L
J K E G W R L A O H M E G L
X I M A R K T N E B U R P I
W M E Y O C H A R L E S K W
```

Word-Find Solver 107

```
C V K I P T I N I M E G C V
G I R L A R D A A I L C V O
E R S E T A U R U S A F R Z
R G N U T I S J C N A C K E
U O E A M T U W C V U A T R
T P R A Z S I E O R H R A E
A S U N E V R R I A A T L C
N U T Z X C A O L V S O K N
P A U S I B U R E I Y I V I
W I F M L S Q L F A B P A S
M L S E I R A D L O Z R Z X
V O K C X O Q W L F R O A K
C I O D E R E E R A C C Y J
X W Y D U S O N L O Q S E G
```

Word-Find Solver 108

Word-Find Solver 109

Word-Find Solver 110

Word-Find Solver 111

Word-Find Solver 112

Word-Find Solver 113

Word-Find Solver 114

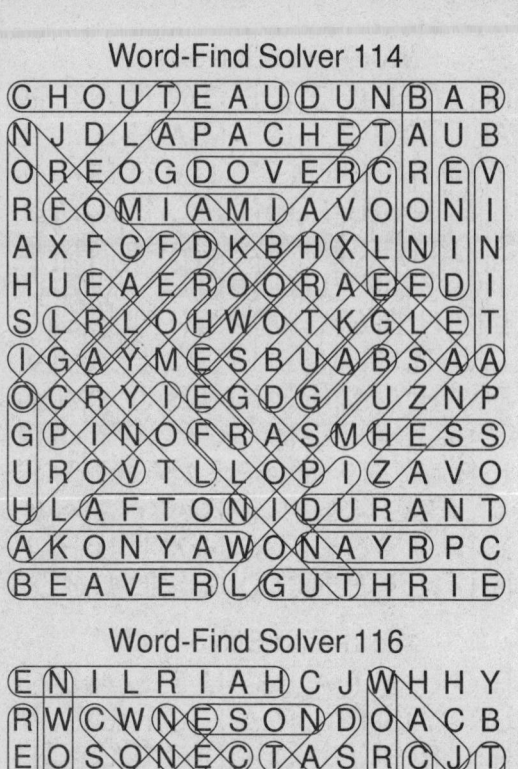

```
C H O U T E A U D U N B A R
N J D L A P A C H E T A U B
O R E O G D O V E R C R E V
R F O M I A M I A V O O N I
A X F C F D K B H X L N I N
H U E A E R O O R A E E D I
S L R L O H W O T K G L E T
I G A Y M E S B U A B S A A
O C R Y I E G D G I U Z N P
G P I N O F R A S M H E S S
U R O V T L L O P I Z A V O
H L A F T O N I D U R A N T
A K O N Y A W O N A Y R P C
B E A V E R L G U T H R I E
```

Word-Find Solver 115

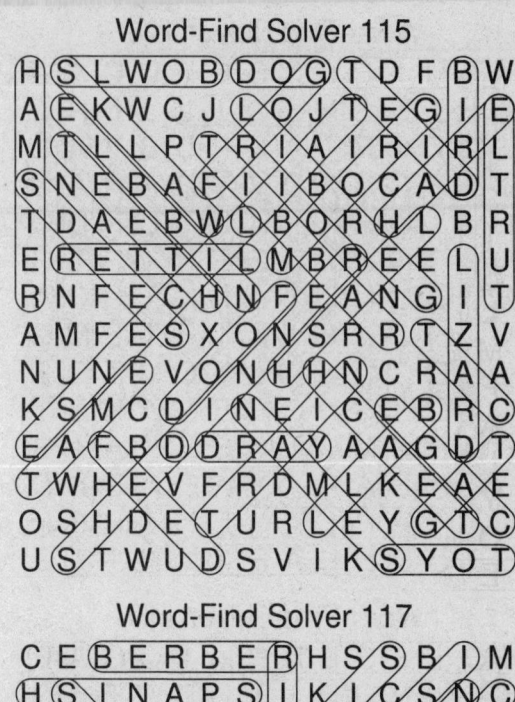

```
H S L W O B D O G T D F B W
A E K W C J L O J T E G I E
M T L L P T R I A I R I R L
S N E B A F I I B O C A D T
T D A E B W L B O R H L B R
E R E T T I L M B R E E L U
R N F E C H N F E A N G I T
A M F E S X O N S R R T Z V
N U N E V O N H H N C R A A
K S M C D I N E I C E B R C
E A F B D D R A Y A A G D T
T W H E V F R D M L K E A E
O S H D E T U R L E Y G T C
U S T W U D S V I K S Y O T
```

Word-Find Solver 116

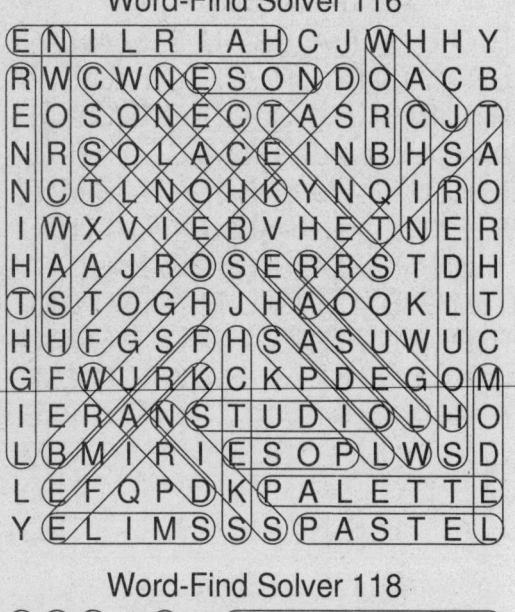

```
E N I L R I A H C J W H H Y
R W C W N E S O N D O A C B
E O S O N E C T A S R C J T
N R S O L A C E I N B H S A
N C T L N O H K Y N Q I R O
I W X V I E R V H E T N E R
H A A J R O S E R R S T D H
T S T O G H J H A O O K L T
H H F G S F H S A S U W U C
G F W U R K C K P D E G O M
I E R A N S T U D I O L H O
L B M I R I E S O P L W S O
L E F Q P D K P A L E T T E
Y E L I M S S S P A S T E L
```

Word-Find Solver 117

```
C E B E R B E R H S S B I M
H S I N A P S I K I C S N C
R Q A R Y W I D S F L A O K
E R I F C I B A R A U U I M
H C I L I A O G M O S E A E
T C A F N U M A T C H M A D
A A E S M O J E O S L Z B I
E O T K B T T U L M A O I N
L G N L A A S T O T U K L A
S O A O A R H O U J H F L R
R A B A T S R E D M E K E A
Q T R S Y R M A N Z A D J H
J T U A R E G T M N T U D A
X Y T K A B O B S Q A I I S
```

Word-Find Solver 118

```
G G C X F X C L E A N I N G
N N K R L L M O L T I N G C
I I I C O J Y A Q P X N O A
D N R M O W N E M R I O S S
N I E M A T N E R T P R N T
A A I K W T S E A S E E E H
B R R E B H F M D H P G Y G
H T R S R E N A T N A N A I
I P A C E N E A Y M E I J L
S G C D E H E R U B E S U F
K G I C D F C L E H B U T R
Y N G L I A P R S T F O L S
G F A E N B O X E S A H H B
D B T T G G Y I D P W W X T
```

Word-Find Solver 119

```
P I C T U R E L Y C A N D Y
P R I V A T E E Y E R M W T
L W A D N E E H T O O M Y N
Y E Z D R L Q T C V A C O Z
P S A I S L E P I N S O B B
I T I H E R O E A X T P W A
R E G O S P S G C R E U O L
A R Y T N C E R A H V S C C
T N A K R R L C E N E H D C
E R I E L T S A C L G E A N
S D E C H A S E I F T R R Y
S N E A K I N E F R I S K S
N I A L L I V Y A P E L U T
E S A T U R D A Y T T S M R
```

Word-Find Solver 120

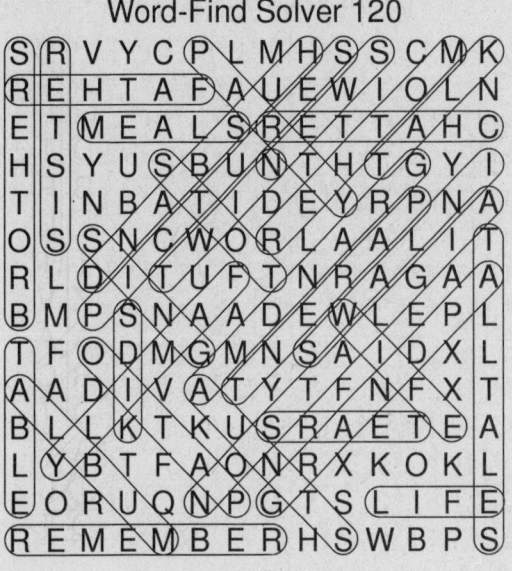

Word-Find Solver 121

Word-Find Solver 122

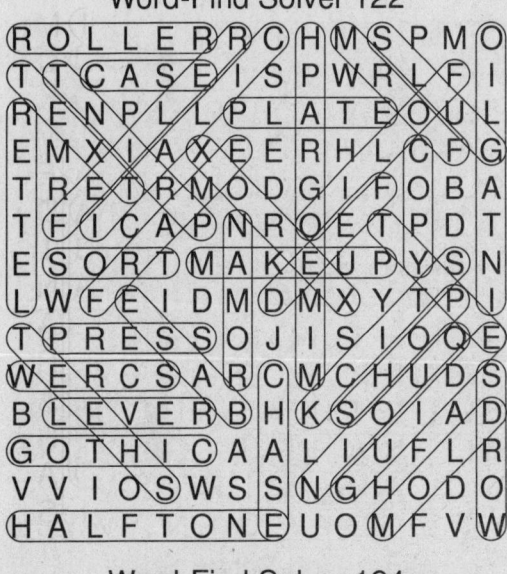

Word-Find Solver 123

Word-Find Solver 124

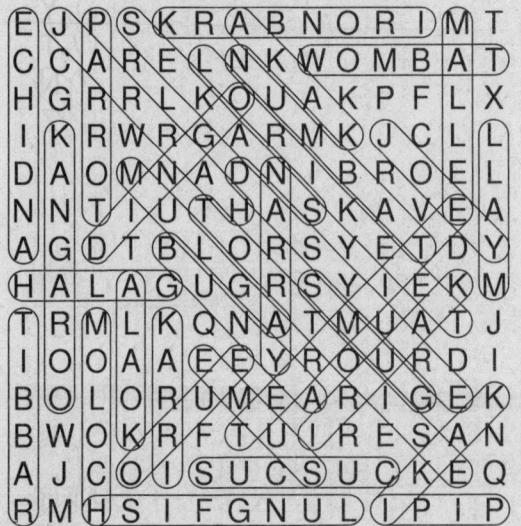

Word-Find Solver 125

Word-Find Solver 126

```
P F B A S K E T L B M C P L
N X O F Z L L A B D A E D L
G A H R B V Y E D V K G Y E
R N C B W U W I I S J T J W
Q E I N P A K D M S B U R E
B R B W U W R O M A M C Y R
D A R O E D U D R P E O S P
T R C O U R T K T N N T U S
P S G K N N L M T E N T O W
I T I I B E D E A I K F C H
P B N S Y O R L O L P C O N
P G D T S M A P U L O O U C
E M B E K A F R A O P N F B
N O W U J A L O D T F B E F
```

Word-Find Solver 127

```
A I A S V O R B T R G M Z R
S M B G M E E U O R R B C E
U P F Z P R B T O O O M W F
R O A O C S I U E S K E A E
P R R G L D P F S G U T L R
L T E A E S N I L I S A L E
U E E N I N N I G O N L O N
S D N S E G T H C N S E Y C
T E E K I R T S I K I S S E
R H X N S V G X P R E M E S
O W S A L E S Y A R I L I S
P F N B T B U I L D I N G T
X D I N S U R A N C E C G H
E M F V A C A T I O N O E C
```

Word-Find Solver 128

```
A Y T U N I V E R S I T Y Z
O H S D O O L X U T G G S I
Y T L U C A F P C R C L A F
J C G O W E M Q A R A S W M
O E R Y K A R D A N I T A A
T S C E C H E M I S T R Y T
P S N O D S Z F E D H A F R
C A S O N I O H O T E L R I
O L P A S O T R C E F A O C
U C U E P S M S A A V R M U
R D E G R E E I L M H E H L
S D E G L T R L C O Q B O A
E T A M M O O R W S E I M T
E E X A M S P O R T S L E E
```

Word-Find Solver 129

```
C U N C O C N E P A J B A O
T A L C A F M V I C U N A U
N G R N A R O E P T G T B L
C A C A W L I T L E O E V E
K U L D G I A M L I L M C N
D C P L X R A M A E N U E O
A S A N I Z E C A T R C S T
K E R S A H A V U I L O A S
H W R P T R C N C Y R A T R
U E A P N R I O I N A Y O E
A L L D T H O C O L C C N B
R L I N A R E S A G O V G M
A I V A D A V I R T S M O Y H
A T S A G A F O T N A V Y H
```

Word-Find Solver 130

```
V Q S M E L T E R S M C M L
V F L N U R S C N T H I S A
I O O M U K A E R S N K C M
R R B I L N C M I E L U J A
I E N E Y Y S A S K R L S R
R S L O P E H G T A C I A G
M T N I S U R G N T L O O F
A S H S T E E I G V L L R Z
R R A O D R U B E R D E O S
B P E L R M E R L E E I T U
L E U E V S A F N O L E A D
E O A E D K E V O F E G N X
B X F R W I E S U L F U R R
F A R M S R I O G R A N D E
```

Word-Find Solver 131

```
I B H A D A S S A H E Y X H
N Y A H A H D H H A M E R Y
N W R D E D A L E A R L J A
A Y D A L T L T U R G Y V C
H E W E L H T Y T H T A E I
H H Z D O I H I H I H H R N
X A A L D A H H E L E N A T
H H L N N E H A E D N I H H
H I E N S Z H A I T A R O H
E H E L M I N E P M E N D H
L E S N E T R O H P R P A O
G G G I W D E H O J Y E O H
A D L I H D D E L Y H E H H
E F H E L O I S E E D I A H
```

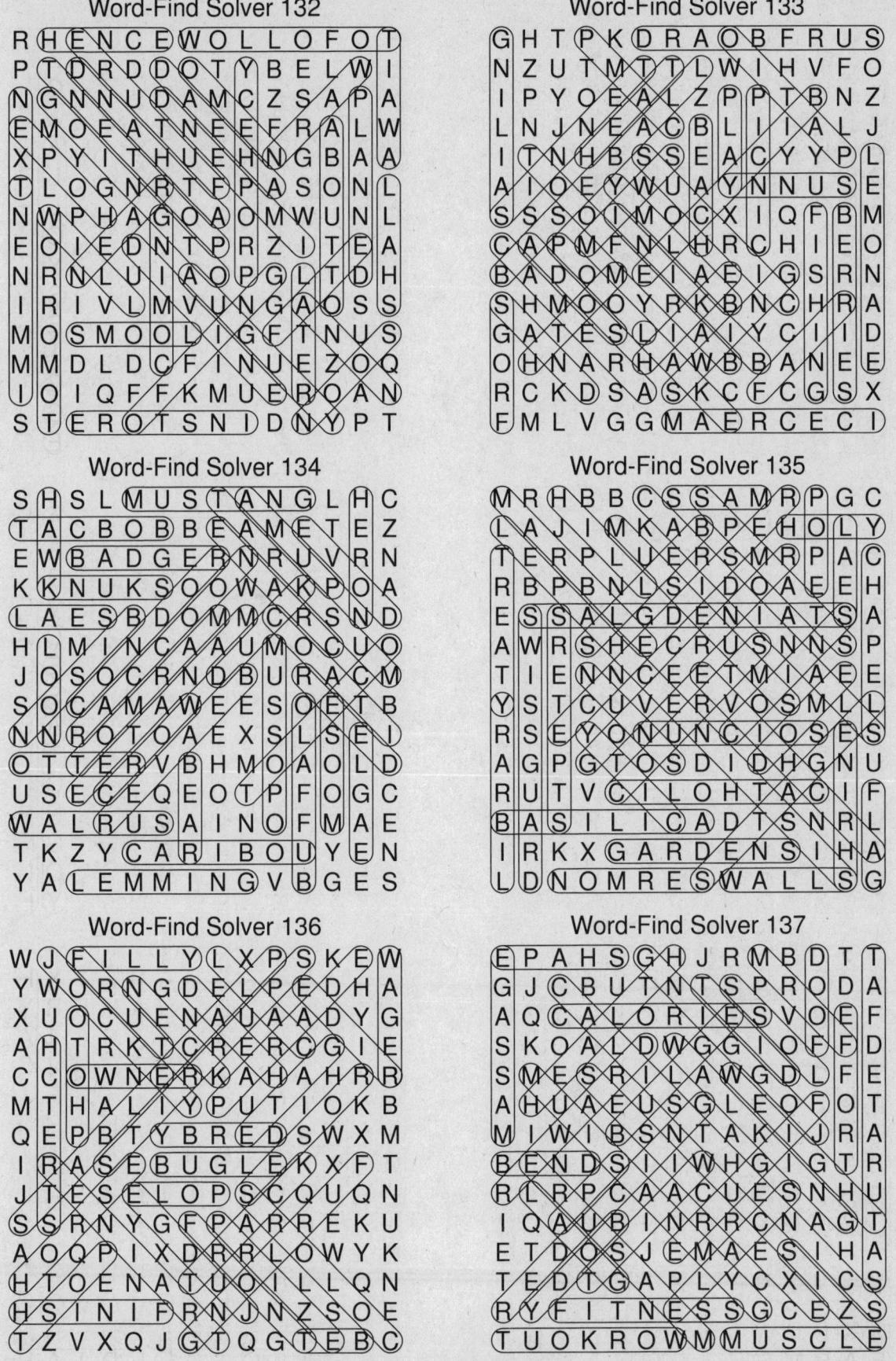

Word-Find Solver 132

Word-Find Solver 133

Word-Find Solver 134

Word-Find Solver 135

Word-Find Solver 136

Word-Find Solver 137

Word-Find Solver 138

```
A V E O Q M C O Y P D G E U
S G E A R L C H A I N R C H
G R K D U Z E R Z I I F N A
S R E B I V T E C T R S A N
E B I E P R P A H A L P L D
K L U P T R R T M W O E A L
O L A H U S N E A S C E B E
P E A D B M K J T N K D E B
S V R H E A P S F C D V R A
W A O A R P T B E E L E I R
N R U B C I I Q U A N I M S
N T U I V K B Z V H T D P V
V Y C O E S S V B A S K E T
O Y O Z T R E F L E C T O R
```

Word-Find Solver 139

```
F E G A N N O T F P R U N S
U G T S Z N R E F X X L G P
M R E R E E M A R S O R R O
E S D A O R T E D A E B T T
S O Z M R W I E D A L E H S
E G V P Q Q P T S I R F G I
O T I X X R D E L T A R I W
G H E R U O R E E E O N E H
R G S O C E S X T T X V R E
A I T K L E P R C A I I F E
C E S I I R D A O R N S T L
D W A D E D R A D U S K X S
V R F S Q T A E R A T S E R
T E S N E C I L P G V E O R
```

Word-Find Solver 140

```
S S T U D N A H G C L L A C
I I F K D C A S I N O C C A S
X Q S E E J A S I L H O C H
E E K P T O C K T T O I M E U F
S C B K A A K I T R P M S N F
S I E L T C P H U M S I N F L
A R V P U U K P C L D T E L E
P T A L N F D L M S I M V E
E C U E D E F D S U B E E S
K S V Z T A E P E I R N S P
I E N T K A N O K T W T L Q
S K O E L G H T S E K A T S
W P N E T S T S E Q Y Y R H
S O R E B M U N K I N G S D
```

Word-Find Solver 141

```
P I B F R A N C I S C O P N
A C N M S O L R A C E C I I
U L V I C E N T E U F S L U
L A G U G P C G Q R U A I Q
I N D U C M E O A I E V B V H A
N D A D A B R D L O E O P O
O I R Z R N E T T E L S I J
I O M I E R U S B A U N O R
C Y E L I J I E Z M O G N J
A L N C U R N N L T N C I H
N U O A C I O S N I Z D C M
G Q N P T G S A M M A T E O
I I G O E E R O D I S I T Y
H E R N A N D E Z T Z V O C
```

Word-Find Solver 142

```
M A N U A L G P I S T O N R
R Y T I S N E D M I D S F K
T A P T I T H V P X K R M D
H N D W F L H K E Y E W A E
T H G I E W C L C L T G G G
E Y L U O O I O S R I N N R
M Q F L C M V N E S N I E E
E R U S S E R P P X G D T E
R H D D R U O E S H I I I S
G G T N T R E B N D I U C O
E A U A T D U O L C L G R Q
N I V L P M I X T U R E H T
C N A V I G A T E D Z L I K
Y S H I F T C E P S N I U F
```

Word-Find Solver 143

```
E E C I T O N C I L B U P I
Q S Z H S S H H Y K G C R L
U C R S E E O S Z N T O U S
I I O E K G L L I U O M M E
P N A C I P C A L O F B R Z I
M A L T D M U E S E A A S L
E H O G Z A A R R F U I C P
N C T W H W R C T C G W A P
T E H S E U Q I T N A I R U
A M I P C Z U I V L N A P S
K G N F D A O N G T O G E D
L O G S O N R X U V E T T E
J C G K C O T S E V I L S H
A F B L I N D S N A O L J W
```

Word-Find Solver 144

```
T C H A R M O N Y M O P T J
S E V W O M T B E F U A K E
P C M L H E A I L O L R H L
E T O P N T D R R F D U D B
R S U R O E C G C T U C T M
F G O N E E L O E H O O A E
O C N R E Q L N N N L H M S
R L O C Z O I A D C T J H N
M H T Y H R B U N F E S I E
A S E F A O C O O I H R G M
N F S L J T R S X A F V T U
C F C A O H E D R I L L A S
E Q Z R R U B P G N I W S I
H Z M C C B K S L A B M Y C
```

Word-Find Solver 145

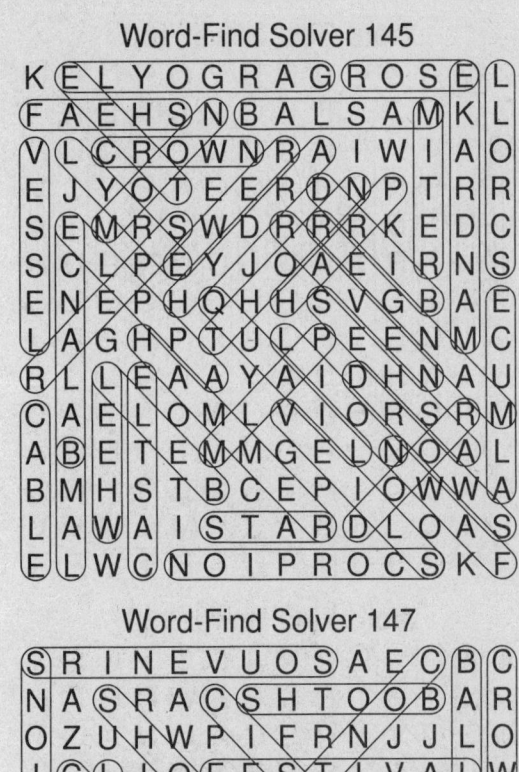

```
K E L Y O G R A G R O S E L
F A E H S N B A L S A M K L
V L C R O W N R A I W I A R
E J Y O T E E R D N P T R C
S E M R S W D R R R K E D S
S C L P E Y J O A E I R N A
E N E P H Q H H S V G B A E
L A G H P T U L P E E N M C
R L L E A A Y A I D H N A U
C A E L O M L V I O R S R M
A B E T E M M G E L N O A L
B M H S T B C E P I O W W A
L A W A I S T A R D L O A S
E L W C N O I P R O C S K F
```

Word-Find Solver 146

```
F S S E L T H G I E W R M G
P R Q G A I S M G I O A E N
L H A O R C F H L T V D T I
A A L D R O M U I U C I S D
N F U A A O U G E P R O Y N
E H T N D R A N U L A C S A
S E T U C L C E D R F P M L
R H L R A H F N L F T O N S
E E P X A L E S R U O C R U
V L Y R I E E A T N S S U R
I M T G C C L F R V P P T F
N E H R A O H H D E A Y A A
U T O P S U F U E C E U S C
R F S G N W O D T N U O C E
```

Word-Find Solver 147

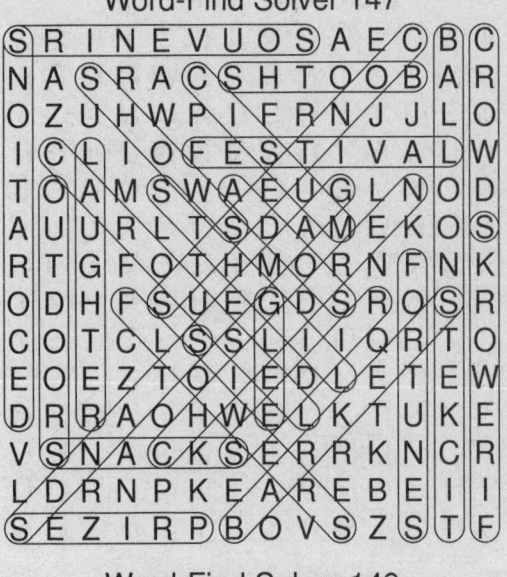

```
S R I N E V U O S A E C B C
N A S R A C S H T O O B A R
O Z U H W P I F R N J J L O
I C L I O F E S T I V A L W
T O A M S W A E U G L N O D
A U U R L T S D A M E K O S
R T G F O T H M O R N F N K
O D H F S U E G D S R O S R
C O T C L S S L I I Q R T O
E O E Z T O I E D L E T E W
D R R A O H W E L K T U K E
V S N A C K S E R R K N C I
L D R N P K E A R E B E I T
S E Z I R P B O V S Z S T T
```

Word-Find Solver 148

```
W H M M T N E M E T I C X E
H G U E S L T N E C S E D K
X R S E X M I N O I W E A P
Y G P X P P A G E T E R P I
T O Y Q W M L P H C S I O L
R N G R I E A O P T S M D L
O G O L L V B S R I S A I A
P C R B I B A L A A N T P R
K A R O Y N S V E F T G A P
D A E L U Y T Q A N E I I B
M A R A P P E L S D N T O L
S H E L T E R S X Y O U Y N
Z C H I M N E Y I N G S T C
P R E C A U T I O N S Y E W
```

Word-Find Solver 149

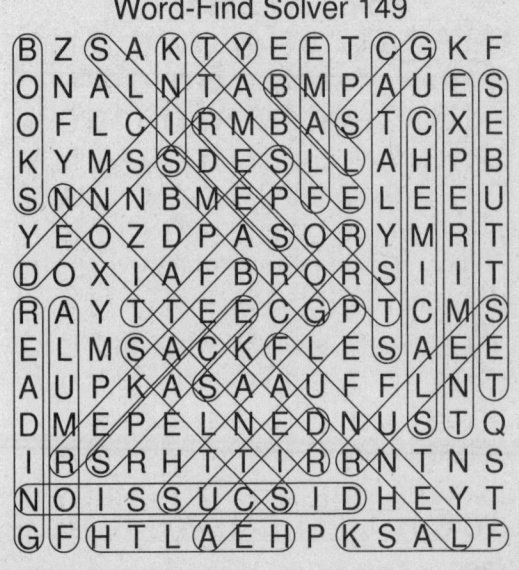

```
B Z S A K T Y E E T C G K F
O N A L N T A B M P A U E S
O F L C I R M B A S T C X E
K Y M S S D E S L L A H E B
S N N N B M E P F E L E U T
Y E O Z D P A S O R Y M R T
D O X I A F B R O R S I I T
R A Y T T E E C G P T C M S
E L M S A C K F L E S A E E
A U P K A S A A U F F L N T
D M E P E L N E D N U S T Q
I R S R H T T I R R N T N S
N O I S S U C S I D H E Y T
G F H T L A E H P K S A L F
```

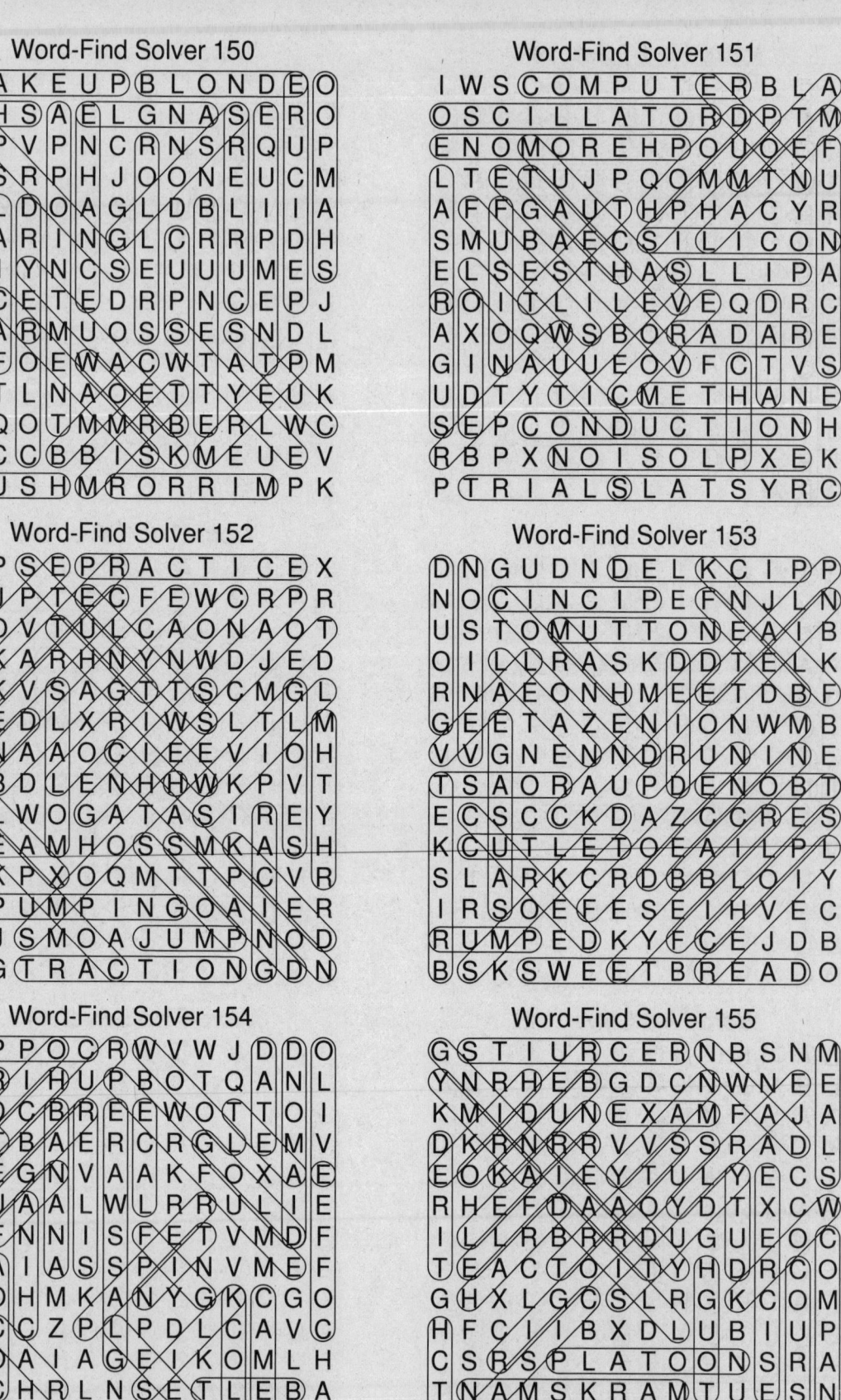

Word-Find Solver 150

```
Z M A K E U P B L O N D E O
G A H S A E L G N A S E R U O
M S P V P N C R N S R Q U P M
A C S R P H J O O N E U C A A
N O L D O A G L D B L I I M H
I N A I R I N G L C R R P D S
C D I Y N C S E U U U M E S J
U I C E T E D R P N C E P J
R T A R M U O S S E S N D L
E I F O E W A C W T A T P M
Y O T L N A O E T T Y E U K
A N Q O T M M R B E R L W C
L E C C B B I S K M E U E V
B R U S H M R O R R I M P K
```

Word-Find Solver 151

```
I W S C O M P U T E R B L A
O S C I L L A T O R D P T M
E N O M O R E H P O U O E F
L T E T U J P Q O M M T N U
A F F G A U T H P H A C Y R
S M U B A E C S I L I C O N
E L S E S T H A S L L I P A
R O I T L I L E V E Q D R C
A X O Q W S B O R A D A R E
G I N A U U E O V F C T V S
U D T Y T I C M E T H A N E
S E P C O N D U C T I O N H
R B P X N O I S O L P X E K
P T R I A L S L A T S Y R C
```

Word-Find Solver 152

```
A A P S E P R A C T I C E X
N N J P T E C F E W C R P R
M G O V T U L C A O N A O T
I L K A R H N Y N W D J E D
S E K V S A G T T S C M G L
X S E D L X R I W S L T L M
R S N A A O C I E E V I O H
E E B D L E N H H W K P V T
B T L W O G A T A S I R E Y
L I E A M H O S S M K A S H
O M K P X O Q M T T P C V R
O O P U M P I N G O A I E R
P H J S M O A J U M P N O D
S H G T R A C T I O N G D N
```

Word-Find Solver 153

```
D N G U D N D E L K C I P P
N O C I N C I P E F N J L N
U S T O M U T T O N E A I B
O I L L R A S K D D T E L K
R N A E O N H M E E T D B F
G E E T A Z E N I O N W M B
V V G N E N N D R U N I N E
T S A O R A U P D E N O B T
E C S C C K D A Z C C R E S
K C U T L E T O E A I L P L
S L A R K C R O D B B L O I Y
I R S O E F E S E I H V E C
R U M P E D K Y F C E J D B
B S K S W E E T B R E A D O
```

Word-Find Solver 154

```
R E P P O C R W V W J D D O
N B R I H U P B O T Q A N L
E U D C B R E E W O T T O I
G A T B A E R C R G L E M V
R A E G N V A A K F O X A E
W R U A A L W L R R U L I E
C S F N N I S F E T V M D F
R L A I A S S P I N V M E F
Y U O H M K A N Y G K C G O
S G C C Z P L P D L C A V
T G O A I A G E I K O M L H
A A C H R L N S E T L E B A
L G J E S E E H C T C R W P
P E T R O L E U M M S A E J
```

Word-Find Solver 155

```
G S T I U R C E R N B S N M
Y N R H E B G D C N W N E A
K M I D U N E X A M F A J A
D K R N R R V V S S R A D L
E O K A I E Y T U L Y E C S
R H E F D A A O Y D T X C W
I L L R B R R D U G U E O C
T E A C T O I T Y H D R C
G H X L G C S L R G K C O M
H F C I I B X D L U B I U P A
C S R S P L A T O O N S R A
T N A M S K R A M T U E S N
A B T O Y I Y L I S S U E Y
W P I N S T R U C T H G I F
```

Word-Find Solver 156

```
L B L O O M I S P I R I N E
L E I I Q H N O T T A P H D
A W H W T Y U S E U O L I R
R W O T O R B E C C A L I S
R R D T R T N I W M L T I Y
A H A E T A T N E A O V S E
B S K C J L B R R L A M O L
E O E S O F E D A D A S L W
E P W N C D R V H D Y A J A
K O G E I H N E A T R Z O C
T R N T N H O H N V I V N P
U T H V A S A L A K P M E H
R E M I G I N O Z H E M S P
B R A S H E R T T O I L L E
```

Word-Find Solver 157

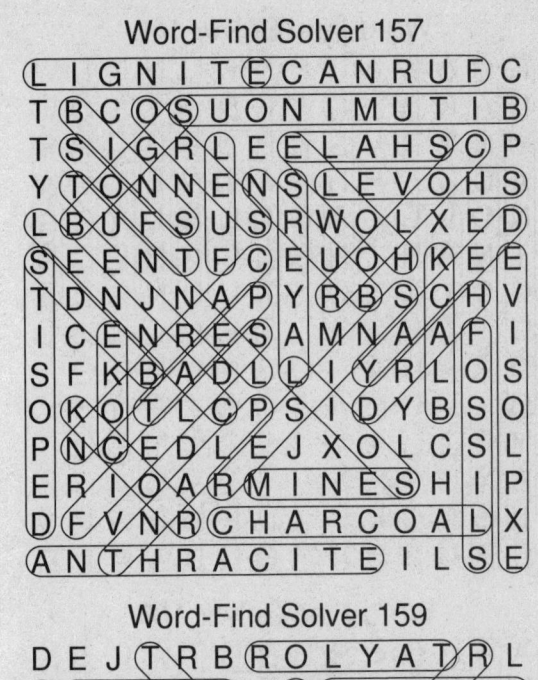

```
L I G N I T E C A N R U F C
T B C O S U O N I M U T I B
T S I G R L E E L A H S C P
Y T O N N E N S L E V O H S
L B U F S U S R W O L X E D
S E E N T F C E U O H K E E
T D N J N A P Y R B S C H V
I C E N R E S A M N A A F I
S F K B A D L L I Y R L O S
O K O T L C P S I D Y B S O
P N C E D L E J X O L C S L
E R I O A R M I N E S H I P
D F V N R C H A R C O A L X
A N T H R A C I T E I L S
```

Word-Find Solver 158

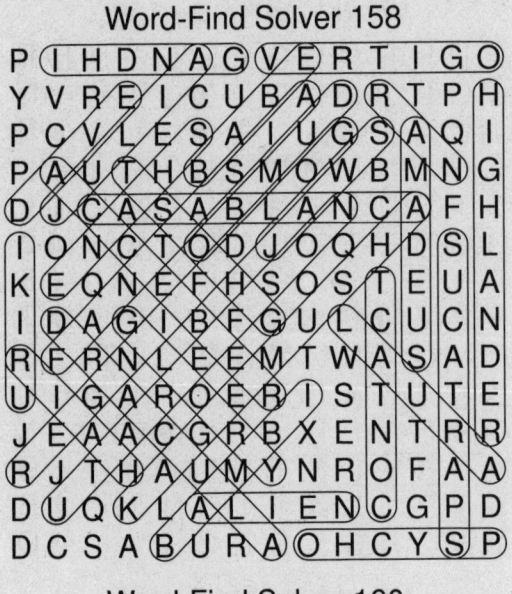

```
P I H D N A G V E R T I G O
Y V R E I C U B A D R T P H
P C V L E S A I U G S A Q I
P A U T H B S M O W B M N G
D J C A S A B L A N C A F H
I O N C T O D J O Q H D S L
K E Q N E F H S O S T E U A
I D A G I B F G U L C U C N
R F R N L E E M T W A S A D
U I G A R O E R I S T U T E
J E A A C G R B X E N T R R
R J T H A U M Y N R O F A A
D U Q K L A L I E N C G P D
D C S A B U R A O H C Y S P
```

Word-Find Solver 159

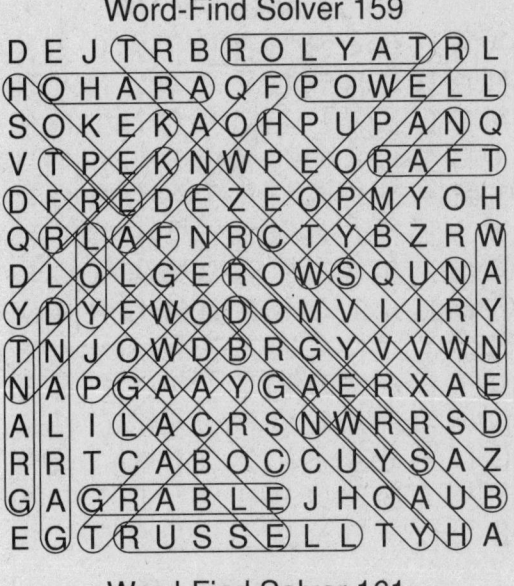

```
D E J T R B R O L Y A T R L
H O H A R A Q F P O W E L L
S O K E K A O H P U P A N Q
V T P E K N W P E O R A F T
D F R E D E Z E O P M Y O H
Q R L A F N R C T Y B Z R W
D L O L G E R O W S Q U N A
Y D Y F W O D O M V I I R Y
T N J O W D B R G Y V V W N
N A P G A A Y G A E R X A E
A L I L A C R S N W R R S D
R R A T C A B O C C U Y S A Z
G A G R A B L E J H O A U B
E G T R U S S E L L T Y H A
```

Word-Find Solver 160

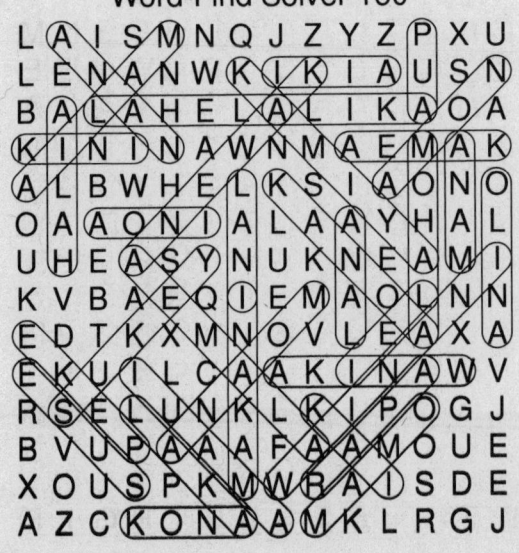

```
L A I S M N Q J Z Y Z P X U
L E N A N W K I K I A U S N
B A L A H E L A L I K A O A
K I N I N A W N M A E M A K
A L B W H E L K S I A O N O
O A A O N I A L A A Y H A L
U H E A S Y N U K N E A M I
K V B A E Q I E M A O L N N
E D T K X M N O V L E A X A
E K U I L C A A K I N A W V
R S E L U N K L K I P O G J
B V U P A A A F A A M O U E
X O U S P K M W R A I S D E
A Z C K O N A A M K L R G J
```

Word-Find Solver 161

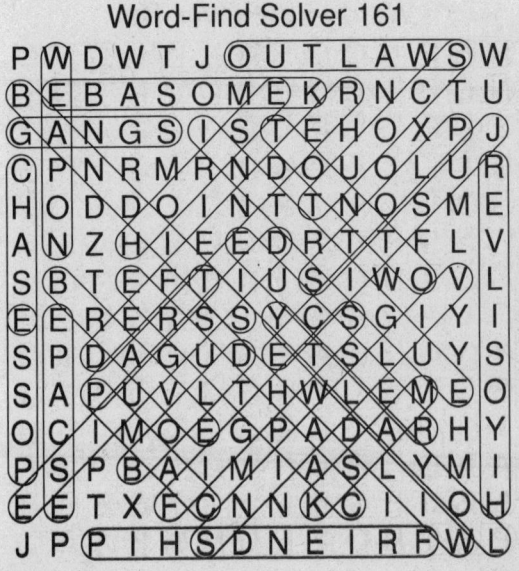

```
P W D W T J O U T L A W S W
B E B A S O M E K R N C T U
G A N G S I S T E H O X P J
C P N R M R N D O U O L U R
H O D D O I N T T N O S M E
A N Z H I E E D R T T F L V
S B T E F T I U S I W O V L
E E R E R S S Y C S G I Y I
S P D A G U D E T S L U Y S
S A P U V L T H W L E M E O
O C I M O E G P A D A R H Y
P S P B A I M I A S L Y M I
E E T X F C N N K C I I O H
J P P I H S D N E I R F W L
```

Word-Find Solver 162

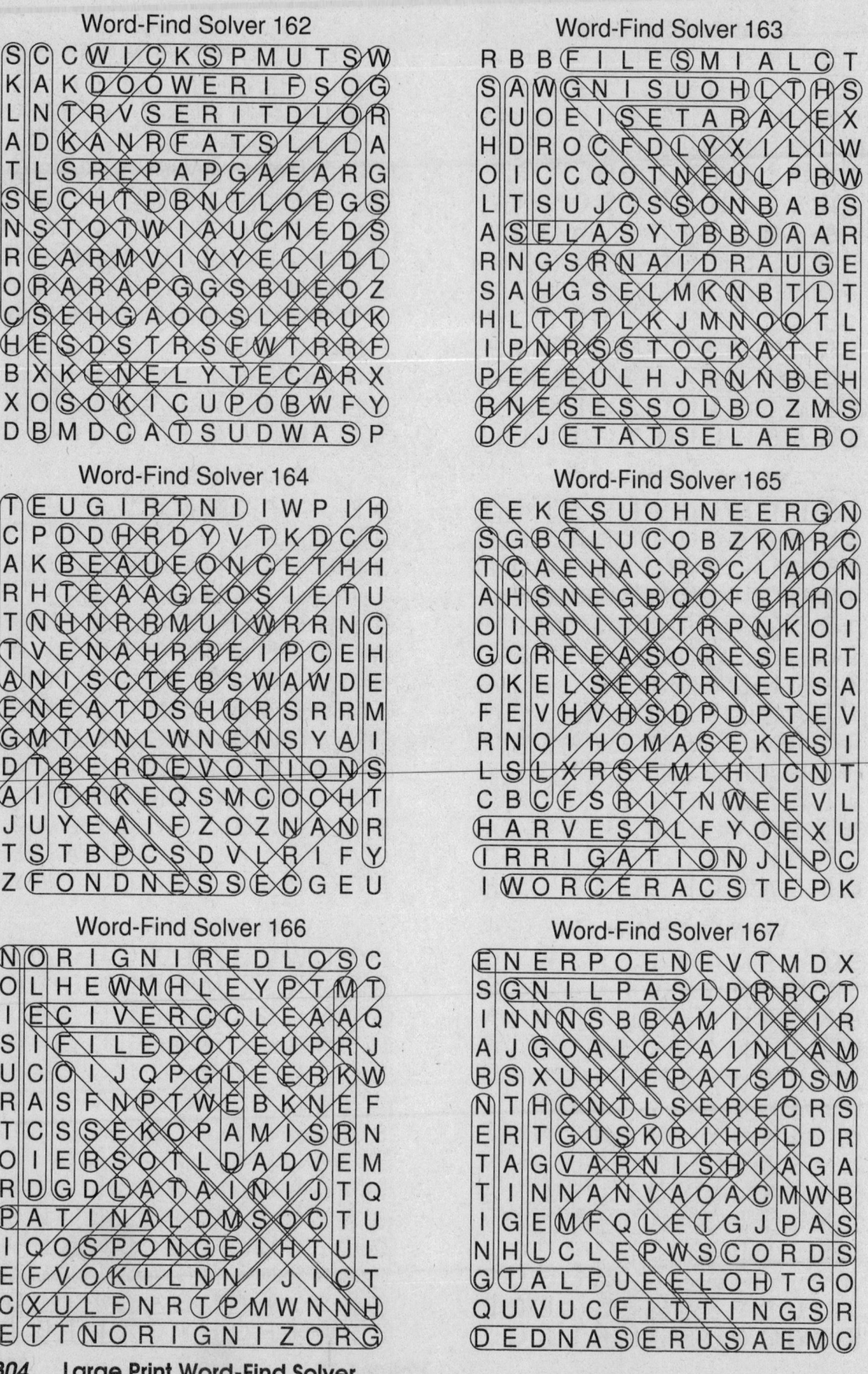

Word-Find Solver 163

Word-Find Solver 164

Word-Find Solver 165

Word-Find Solver 166

Word-Find Solver 167

Word-Find Solver 168

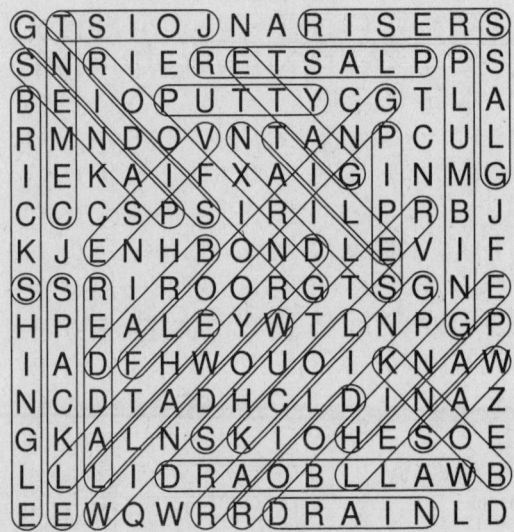

```
M F H A N D L E R E T N A C
T I M E T F E E D B A G W B
N L S C I R C L E H K G Y R
P L W T N N O I L L A T S I
O Y O Z E J K T A L O T G D
L M H I U K B W L S O N N L
E A S D P P N O H O E B I E
S R G C R Q P A B A R A R S
U E P L A S E L L U B S T N
G R I A N N C S B F I C O B
A A U R C I A H A E P R T B
R D E N E E M O N R O E D B
G A I T S R B C I P G Q R I
R S T A B L E S E O H S B R
```

Word-Find Solver 169

```
Q S V T O D T M H C N U P I
T T L N O O P S F L J S K E
S A R O S P I D M I B G S Z
S R S E N D R C E Q L O E O
H C T T Y I U V A U T L E A
B H S D E A O C S E U L D M
P E A R S M L N U U O Y I B
N I E I G S F I R R B N A R
R S Y E O X S S E R C D N A O
U T K D Z C B O D E E H A S
T I A P H I L I G N K T N I
P R B A R R E T T U B A A
I W O T M E S S U O M O B D
R S B E A T S A L A D Z R Q
```

Word-Find Solver 170

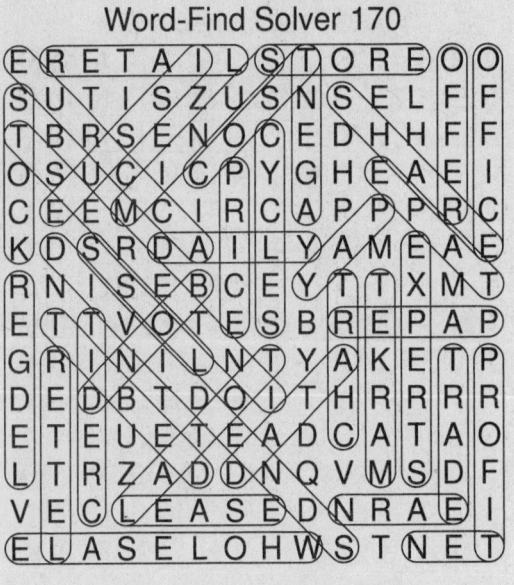

```
E R E T A I L S T O R E O O
S U T I S Z U S N S E L F F
T B R S E N O C E D H H F I
O S U C I C P Y G H E A E I
C E E M C I R C A P P P R C
K D S R D A I L Y A M E A E
R N I S E B C E Y T T X M T
E T T V O T E S B R E P A P
G R I N I L N T Y A K E T P
D E D B T D O I T H R R R O
E T E U E T E A D C A T A O
L T R Z A D D N Q V M S D F
V E C L E A S E D N R A E I
E L A S E L O H W S T N E T
```

Word-Find Solver 171

```
E V Q D I S K Y L I G H T S
B D S I L L G T T E S M V H
U A B B N L O E E M A R F A
J S Y M A L K P T L S D B D
X T D S A C E S E A H I O E
L A S Y A J N T L N L R Y S
S I K R X E S A K E I P D H
E N B E E E T P W F I N K U
C E I R N T I R I N I R G T
I D C A I C E C A L I G O T
N S P C T M E Z B N W N A E
R H E U R R Z N A B S E G R
O Q R O P Z U S M L S O I S
C E D O C H R C L Z G E M V
```

Word-Find Solver 172

```
G T S I O J N A R I S E R S
S N R I E R E T S A L P P S
B E I O P U T T Y C G T L A
R M N D O V N T A N P C U L
I E K A I F X A I G I N M G
C C C S P S I R I L P R B J
K J E N H B O N D L E V I
S S R I R O O R G T S G N E
H P E A L E Y W T L N P G P
I A D F H W O U O I K N A W
N C D T A D H C L D I N A Z
G K A L N S K I O H E S O E
L L L I D R A O B L L A W B
E E W Q W R R D R A I N L D
```

Word-Find Solver 173

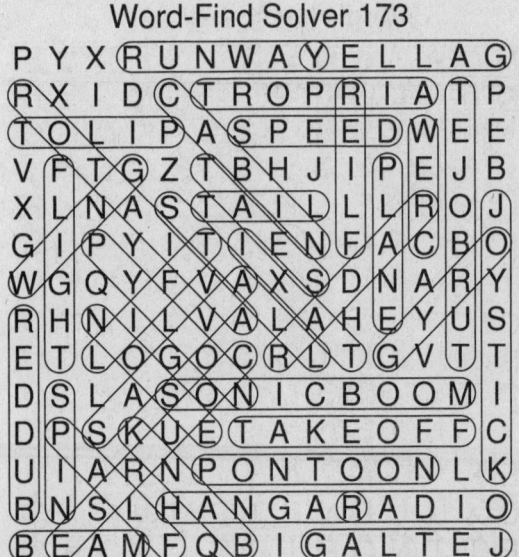

```
P Y X R U N W A Y E L L A G
R X I D C T R O P R I A T P
T O L I P A S P E E D W E E
V F T G Z T B H J I P E J B
X L N A S T A I L L L R O J
G I P Y I T I E N F A C B O
W G Q Y F V A X S D N A R Y
R H N I L V A L A H E Y U S
R E T L O G O C R L T G V T
D S L A S O N I C B O O M I
D P S K U E T A K E O F F C
U I A R N P O N T O O N L K
R N S L H A N G A R A D I O
B E A M F Q B I G A L T E J
```

Word-Find Solver 174

```
A B Y N S O N U O P A R Z E
S C A A O O L D P O S S U M
T U D A W B R I T I S H C A
E H S Y N P E B O G F W I R
T R N E M W O L L O H E H T I
R A N W D E I E P N P V I N A
A C D A A M S R O R N S R R
U I E U M S H I U X I E C F
Q L W H A A T F T O F Z G M
R G H Y R N R E K Z S O E T
U N S V O O O D L T V S R P
O A A R C P U S Y A L P I D
F R E K F R S W E E N Y J M
D G N A V A N T G A R D E F
```

Word-Find Solver 175

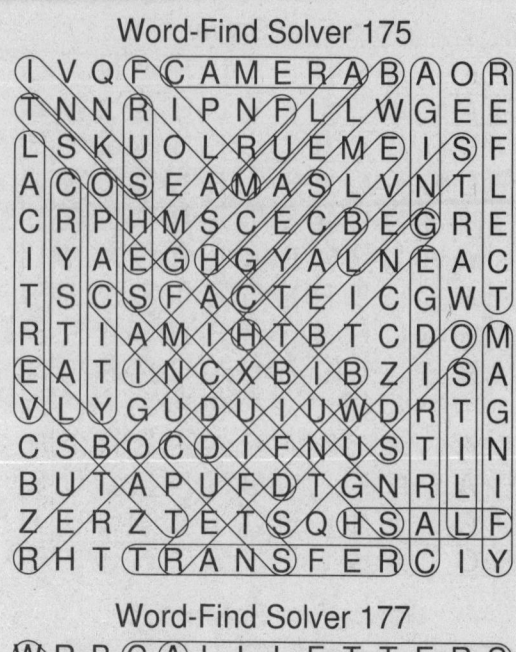

```
I V Q F C A M E R A B A O R
T N N R I P N F L L W G E E
L S K U O L R U E M E I S F
A C O S E A M A S L V N T L
C R P H M S C E C B E G R E
I Y A E G H G Y A L N E A C
T S C S F A C T E I C G W T
R T I A M I H T B T C D O M
E A T I N C X B I B Z I S A
V L Y G U D U I U W D R T I G
C S B O C D I F N U S T I N
B U T A P U F D T G N R L I
Z E R Z T E T S Q H S A L F
R H T T R A N S F E R C I Y
```

Word-Find Solver 176

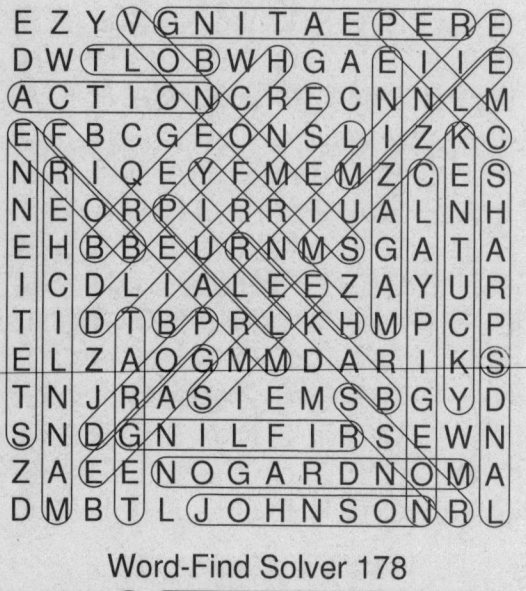

```
E Z Y V G N I T A E P E R E
D W T L O B W H G A E I I E
A C T I O N C R E C N N L M
E F B C G E O N S L I Z K C
N R I Q E Y F M E M Z C E S
N N E O R P I R R I U A L N H
E H B B E U R N M S G A T A
I C D L I A L E E Z A Y U P
T I D T B P R L K H M P C P
E L Z A O G M M D A R I K S
T N J R A S I E M S B G Y D
S N D G N I L F I R S E W N A
Z A E E N O G A R D N O M A
D M B T L J O H N S O N R L
```

Word-Find Solver 177

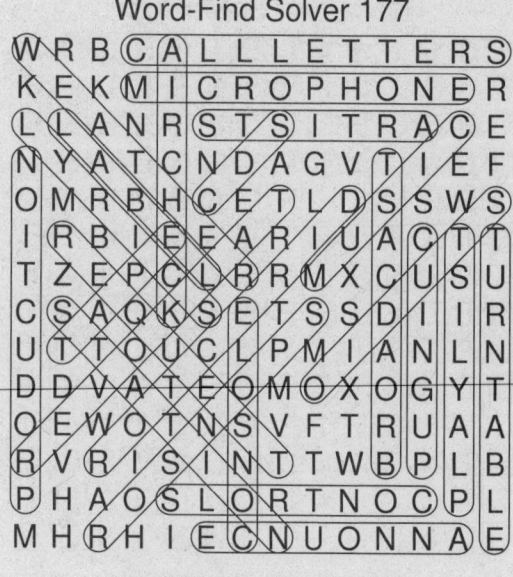

```
W R B C A L L L E T T E R S
K E K M I C R O P H O N E R
L L A N R S T S I T R A C E
N Y A T C N D A G V T I E F
O M R B H C E T L D S S W S
I R B I E E A R I U A C T T
T Z E P C L R R M X C U S U
C S A Q K S E T S S D I R N
U T T O U C L P M I A N L N
D D V A T E O M O X O G Y T
O E W O T N S V F T R U A B
R V R I S I N T T W B P L B
P H A O S L O R T N O C P L
M H R H I E C N U O N N A E
```

Word-Find Solver 178

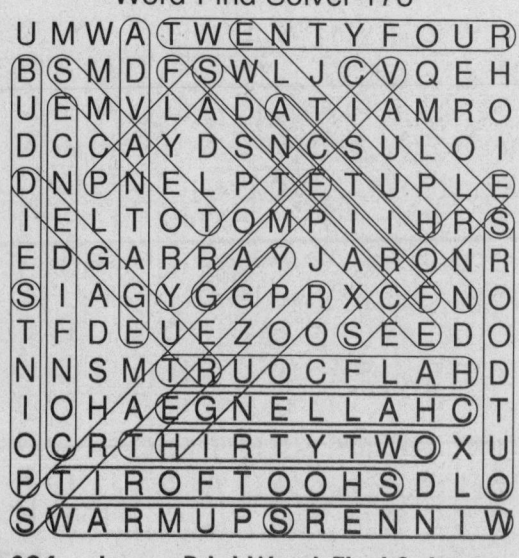

```
U M W A T W E N T Y F O U R
B S M D F S W L J C V Q E H
U E M V L A D A T I A M R O
D C C A Y D S N C S U L O I
D N P N E L P T E T U P L E
I E L T O T O M P I I H R S
E D G A R R A Y J A R O N R
S I A G Y G G P R X C F N O
T F D E U E Z O O S E E D O
N N S M T R U O C F L A H D
I O H A E G N E L L A H C T
O C R T H I R T Y T W O X U
P T I R O F T O O H S D L O
S W A R M U P S R E N N I W
```

Word-Find Solver 179

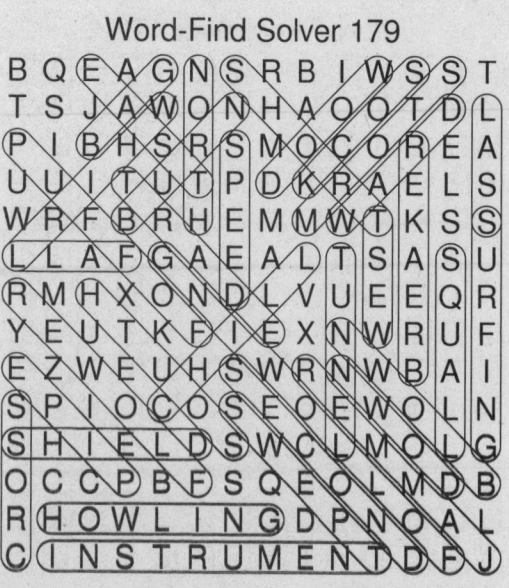

```
B Q E A G N S R B I W S S T
T S J A W O N H A O O T D L
P I B H S R S M O C O R E A
U U I T U T P D K R A E L S
W R F B R H E M M W T K S S
L L A F G A E A L T S A E U
R M H X O N D L V U E E Q R
Y E U T K F I E X N W R U A F
E Z W E U H S W R N W B A I
S P I O C O S E O E W O L N
S H I E L D S W C L M O L G
O C C P B F S Q E O L M D B
R H O W L I N G D P N O A L
C I N S T R U M E N T D F J
```

Word-Find Solver 180

```
E K R U D D E R O H C N A U
D A E L R I A F C O S T M S
I T S W E L L T T C T N O K T
T D R H L A E L E A O I W I
S R Y N C K E R T R P N F L
S A E K Y A N X I P O A K L
A F L N T H E N E T S H E E
P T L U O S G R R H S A L R
M M U U S O B N E S C P W G
O I P T C T H E I H F T A G
C R S Y X N T C A D B F Y M
C A P T A I N S S M F O U T
M D R A O B R A T S T J O L
C O U R S E L I A S N I A M
```

Word-Find Solver 181

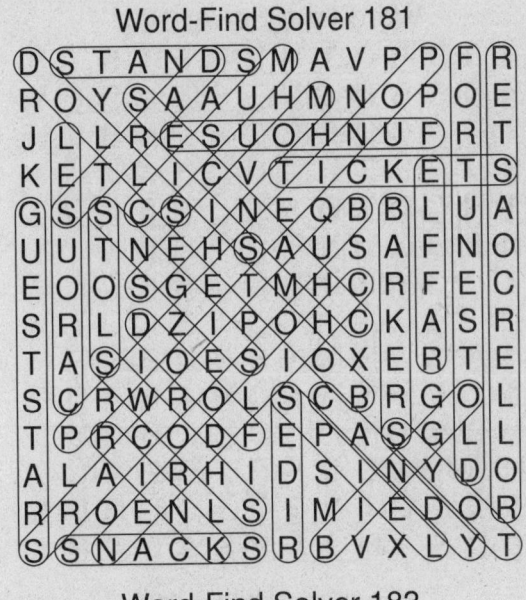

```
D S T A N D S M A V P P F R
R O Y S A A U H M N O P O E
J L L R E S U O H N U F R T
K E T L I C V T I C K E T S
G S S C S I N E Q B B L U A
U U T N E H S A U S A F N O
E O O S G E T M H C R F A C
S R L D Z I P O H C K A R E
T A S I O E S I O X E R T L
S C R W R O L S C B R G O L
T P R C O D F E P A S G L O
A L A I R H I D S I N Y D O
R R O E N L S I M I E D O R
S S N A C K S R B V X L Y T
```

Word-Find Solver 182

```
S O H U B C A P N G E A R T
P N C B A T T E R Y G O J H
H F O T X P T Q H A O O E H
N O I T I N G I U D T V A K
I R R L S S I G N A L N E N
E F G N T I E A E A D Y F U
L P M U P E P S V L S R N R
R R U S L B R Z E L A M K T
H E E N R P Q R P M O N M I
W D P A L O K H E T A C C H
I N K M A E R R O T F L K L
P E K X U L E R A S A I A Y
E F L X F B M H I P E E H M
R E L F F U M E W M S M H S
```

Word-Find Solver 183

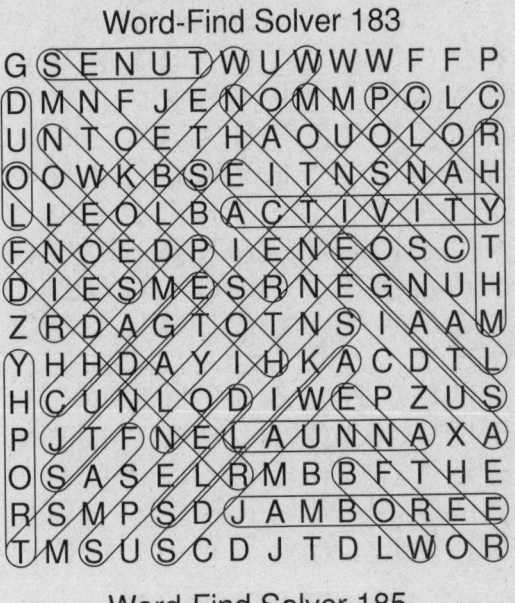

```
G S E N U T W U W W W F F P
D M N F J E N O M M P C L C
U N T O E T H A O U O L O R
O O W K B S E I T N S N A H
L L E O L B A C T I V I T Y
F N O E D P I E N E O S C T
D I E S M E S R N E G N U H
Z R D A G T O T N S I A A M
Y H H D A Y I H K A C D T L
H C U N L O D I W E P Z U S
P J T F N E L A U N N A X A
O S A S E L R M B B F T H E
R S M P S D J A M B O R E E
T M S U S C D J T D L W O R
```

Word-Find Solver 184

```
C E K G B A F A V A B E A N
K H A E R M H E C R Q W M X
M M E K L V T S O H Y N Z T
E F O R E O F T A T A G U C
C D G A R C H R V K A R S H
T R L R S Y I N U R N B D E
N L A T Q Q O R L I R K M E
O C A B A I B I P E T N U S
O O P S N A C P H O L S S E
D T J O R R R M C F I S H U
L P A L R B E I H R V D R Q
E U E M M K O R T E E B O S
S Y S A O W L H O A B A Q I
V B L L S T E S K E E L M B
```

Word-Find Solver 185

```
P A H Q P Y E L N A T S X O
A A C O R N E S D N U M A P
L R L A V O T K G H G L T O
I O E M B N D N Z U W E U N
V P Y B E O I A B M J W W C
I A C R M R T U N B J I N E
N O A O E A R H D O L S C D
G B E B L T R E U L R O I E
S L C L O U S Q I D R O B L
T A C N L O M S U T S Y C E
O B K O T A C B E E R O Z O
N P T O O Y S S U D T A N N
E I Z N E K C A M S C T C R
O C P C H A M P L A I N E H
```

Word-Find Solver 186

```
R D B R O T H E R E T S I S
E N O B H J N T S E I R P V
T A P C U E F O W V N B J H
S M R D T E C U C H K V C I
I R G L I O A N L A B B O T
N E O H M N R A I R E N U Y
I D C Y D B D O J R E D N P
M L R R A Y I S I E P O T V
H A O Z E M N S U R R L R P
J L T M K U A Q H A E A D D
N S A I N F L D B O B P U L
H D N A E Q F P X B P K U L
W G E L T N E D I S E R P S
L D S A M B A S S A D O R V
```

Word-Find Solver 187

```
P Y J N B O W S U J P P R N
I C O V E R D R A W M L Y Z
N F L N T O O H S T N U L B
S S A U W S Y T E L K C A T
I V I C B R A H Z J A K E S
G D F M E B I C G J X N D S
H V I H S U G S T F I R D P
T L C S T M A E T P A L R L
O R M S H W A W S U O V U I
A R E C T I E E G H D R L N
A R N F M I S E V O L G E T
E I A I G O H R E L E A S E
P H N H O L X A Q U I V E R
S G T L M E Y E S T L I T R
```

Word-Find Solver 188

```
F B G Y E K C O H D L E I F
H A Y R I D E S S E Z R S V
R S E E R T E R A B C Z C U
K E V D Q L E V W C S J H Y
J F A N P T E X R T O F O E
T O X P S S C A R E F O O S
R P A A P X K O G A G O L U
R S S K S I L E L R H T S O
N E V I N L L L A O A B T H
I U D G R L Z I Z A R A A T
P R U I O C N I R W V L R N
P P N C C W H O Z Q E L T I
Y N O C A T M F R O S T S A
N F O L I A G E V F T E F P
```

Word-Find Solver 189

```
U Q S T A G E K A T S H Y Q
C O U N T R Y X F W W T K B
T O E A R T H X I A O T W S
N B S O U T H N V C L Q H T
E E O T S J G A R D S L O A
C N D A S E T I R W C W P I
R U C D M R T T Y N N U D R
E S N T O D I A W R T Y T S
P I P D U R E F T T X T C M
W Y P L E R T T H S R U A P
V N L O A R N G R A D E L T
I I L P U Y I K C A R Y L T
H R T F A R D K C T E S D G
J C C J M E D I S P U H N S
```

Word-Find Solver 190

```
J Z E U C E B R A B I Z E S
A T O A S T M O N X C V L E
M P U N A E L C P O I P B R
Y L F H A F L R M T A R A V
G P I L Z F O B C T H E I U
S R P C B M O A I C A D C E
S I O A E B P O N T V R O O
D T N U H C L U D J E I S D
N D F H P E R A P H F N E S
E A N I L B C E S U U K M A
I Z P B G H C A A T N S A R
R Z B O U L B A J M K C G H
F I O M U S I C K D E E H I
N P S H V R C A T E R E R S
```

Word-Find Solver 191

```
R E V I R N A H Y E S U D J
Z H S A V I S J O A N A D A
M O S Q U E S U K I R A P Y
N D E T O K A T Z D R N K N
V M O U N T A R A R A T A O
P E E N N S N N H N T I R K
A E B R I A E E G S B Q S A
I U T R Z L V L O T J U D Y
L Z G N L U E E B E S I L S
O I M E A D R U K R Y T B E
T T S I A I R U A A V I N R
A K Q T R S Z T M N L E H U
N A D I Y A R B A K I R S U S
A C A R A K N A G M P D I D
```

Word-Find Solver 192

```
A S K F O L D I N E T T E P
N X T N M X D J D L B W U H
S R L O I L T X R L L K S B
B Y E E R S F E C A O W E E
B E S T U A R D T O E H B C
S O D A N A G C H L P R O A
H H H S B A H E O U D A R N
R X O L H U L U M E C S D R
E O L W W C N P C H E L R U
D O O A E G T K T A L E A F
R T T F E R B A T H E V W D
S E L I B O M Z H S D A Y Q
R Y T I N A V D E C O R E A
W H E E L S E R I T M T X D
```

Word-Find Solver 193

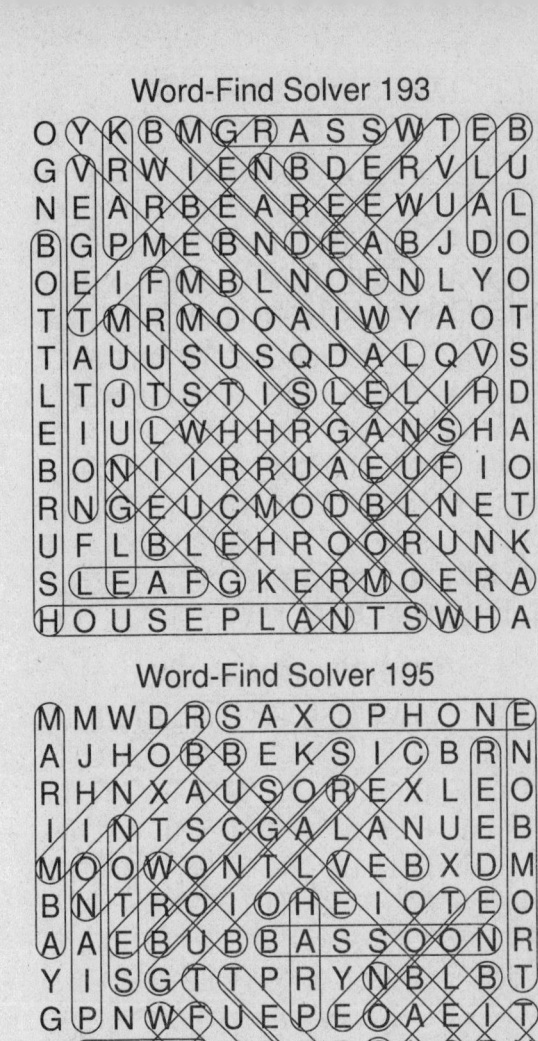

```
O Y K B M G R A S S W T E B
G V R W I E N B D E R V L U
N E A R B E A R E E W U A L
B G P M E B N D E A B J D O
O E I F M B L N O F N L Y O
T T M R M O O A I W Y A O T
T A U U S U S Q D A L Q V S
L T I J T S T I S L E L I H
E I U L W H H R G A N S H A
B O N I I R R U A E U F I O
R N G E U C M O O D B L N E
U F L B L E H R O O R U N K
S L E A F G K E R M O E R A
H O U S E P L A N T S W H A
```

Word-Find Solver 194

```
V N W O D K A E R B K J Z S
T O W F L E E T P A M R P R
O U T O F G A S O G C E I T
P E T U N N E L T V E D A Q
W H M D L T E H H D E L T A
S E O I I F Z B O L F U O V
S T M N T T U E L R Y O L S
T I R L E S C A E A N H L S
T R A E I I T H W D S B E R
A N I R E S T H N D V S O P
E U B P G T G I I S A O P
H E B O V I W K R I A P T X
D M W T H X S Q G E D R H E
R W B S O E E N T R A N C E
```

Word-Find Solver 195

```
M M W D R S A X O P H O N E
A J H O B B E K S I C B R N
R H N X A U S O R E X L E O
I I N T S C G A L A N U E B
M O O W O N T L V E B X D M
B N T R O I O H E I O T E O
A A E B U B B A S S O O N R
Y I S G T T P R Y N B L B T
G P N W F U E P E O A E I T
T S O L O X B P B O L G E N
S M U R D L D A M L P N R G
P T C Y M B A L S U R M O O
E W F R E N C H H O R N E L
Y N O H P M Y S C Y G T A T
```

Word-Find Solver 196

```
K W M H E T I K N O R C P H
G H L H M N R H P L L Q T K
H C S O W O W Y A A A Q S N
M I O N B O L O B Y G D L I
G R J B G E Y E R C E E I E
E E I H N R L D N B H S C V
D N T N K L N L Y I B A K E
S I O A E O N I I T L K S L
L N J T M G L P V E T K E E
H A O S S A C I P A N A W Q
S A O U N E O B T J L O E E
D T L D V F H L F B Q S T B
A V O L I T A R V A N E B C
Y N D C Y S H T R O W Y A H
```

Word-Find Solver 197

```
A C L T Q E M W P Z H W Z C
P B R R E C R E P T I U L L
P H S E A S A U Y A O B A A
L O S N P C T C S L C N S M
E T S U H P K O C A L T G P
S B J E R N I L P O E E U S
P A S O L B F D C A O M J F
M T L A O M J P M A A K R P
A H B T H C N A L B N U E A
R E E C E S X C O L I N V R
L L I F E U T K E T T L E E
W N G N I S S E C O R P O R
Q P R E S S U R E L D A L P
G L A S S J A R S B X F H X
```

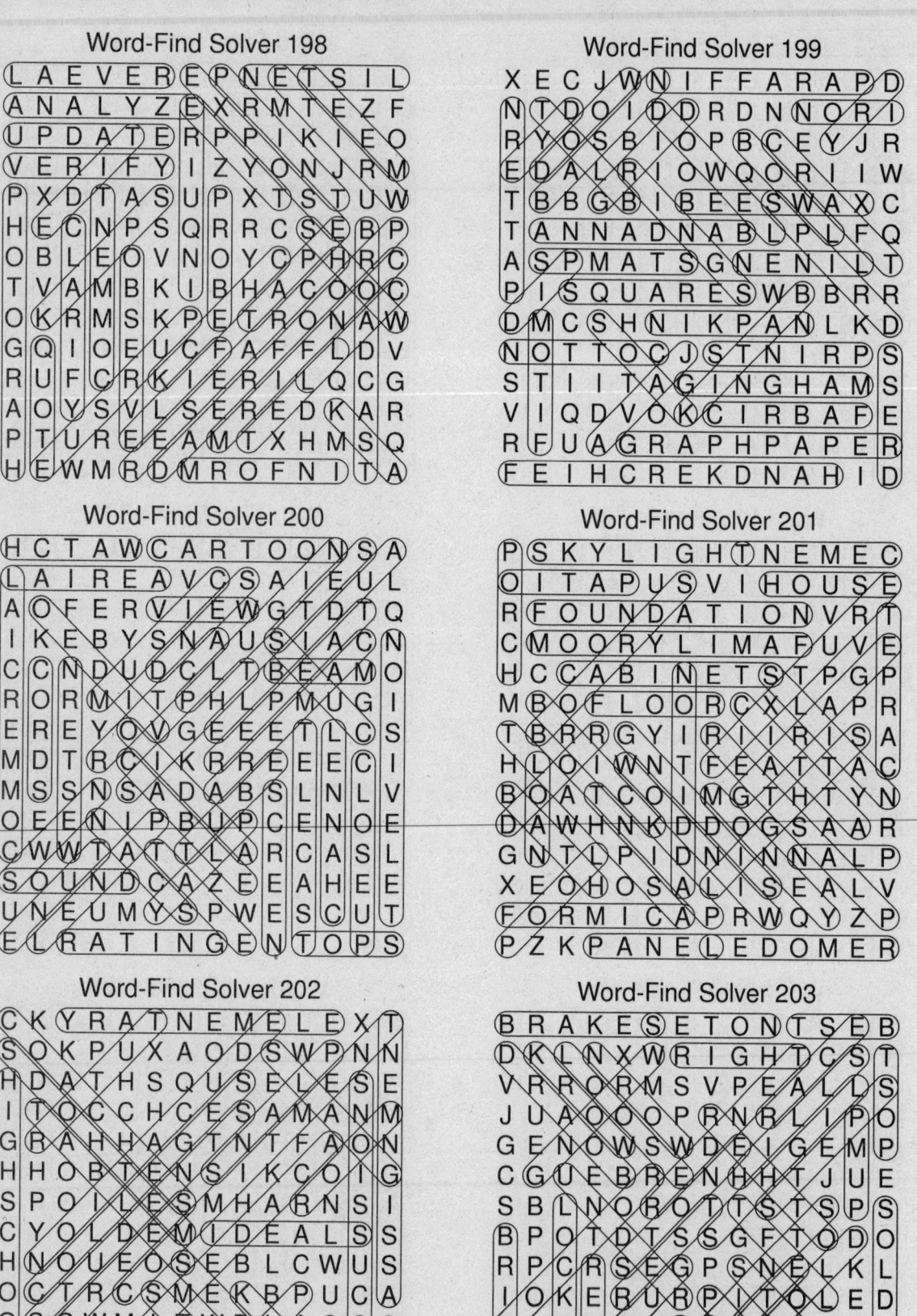

Word-Find Solver 198

```
L A E V E R E P N E T S I L
A N A L Y Z E X R M T E Z F
U P D A T E R P P I K I E O
V E R I F Y I Z Y O N J R M
P X D T A S U P X T S T U W
H E C N P S Q R R C S E B P
O B L E O V N O Y C P H R C
T V A M B K I B H A C O O C
O K R M S K P E T R O N A W
G Q I O E U C F A F F L D V
R U F C R K I E R I L Q C G
A O Y S V L S E R E D K A R
P T U R E E A M T X H M S Q
H E W M R O M R O F N I T A
```

Word-Find Solver 199

```
X E C J W N I F F A R A P D
N T D O I D D R D N N O R I
R Y O S B I O P B C E Y J R
E D A L R I O W Q O R I I W
T B B G B I B E E S W A X C
T A N N A D N A B L P L F Q
A S P M A T S G N E N I L T
P I S Q U A R E S W B B R R
D M C S H N I K P A N L K D
N O T T O C J S T N I R P S
S T I I T A G I N G H A M S
V I Q D V O K C I R B A F E
R F U A G R A P H P A P E R
F E I H C R E K D N A H I D
```

Word-Find Solver 200

```
H C T A W C A R T O O N S A
L A I R E A V C S A I E U L
A O F E R V I E W G T D T Q
I K E B Y S N A U S I A C N
C C N D U D C L T B E A M O
R O R M I T P H L P M U G I
E R E Y O V G E E E T L C S
M D S T R C I K R R E E C I
M S S N S A D A B S L N L V
O E E N I P B U P C E N O E
C W W T A T T L A R C A S L
S O U N D C A Z E E A H E T
U N E U M Y S P W E S C U T
E L R A T I N G E N T O P S
```

Word-Find Solver 201

```
P S K Y L I G H T N E M E C
O I T A P U S V I H O U S E
R F O U N D A T I O N V R T
C M O O R Y L I M A F U V E
H C C A B I N E T S T P G P
M B O F L O O R C X L A P R
T B R R G Y I R I I R I S A
H L O I W N T F E A T T A C
B O A T C O I M G T H T Y N
D A W H N K D D O G S A A R
G N T L P I D N I N N A L P
X E O H O S A L I S E A L V
F O R M I C A P R W Q Y Z P
P Z K P A N E L E D O M E R
```

Word-Find Solver 202

```
C K Y R A T N E M E L E X T
S O K P U X A O D S W P N N
H D A T H S Q U S E L E S E
I T O C C H C E S A M A N M
G R A H H A G T N T F A O N
H H O B T E N S I K C O I G
S P O I L E S M H A R N S I
C Y O L D E M I D E A L S S
H N O U E O S E B L C W U S A
O O C T R C S M E K B P U C A
O S G W M I T W D L A O S G G
L E B X C K C U E A A U I G
D J I S A N W H D X R H D T
P H I L O S O P H Y Q G C Y
```

Word-Find Solver 203

```
B R A K E S E T O N T S E B
D K L N X W R I G H T C S T
V R R O R M S V P E A L L S
J U A O O O P R N R L I P O
G E N O W S W D E I G E M P
C G U E B R E N H H T J U E
S B L N O R O T T S T S P S
B P O T D T S S G F T O D O
R P C R S E G P S N E L K L
I O K E R U R P I T O L E D
D U E M A J L R A H O P R I
G P R R W G P L A T T O P E
E L D A W M P T A E H A L R
P F L W Q C X C G B W A B R
```

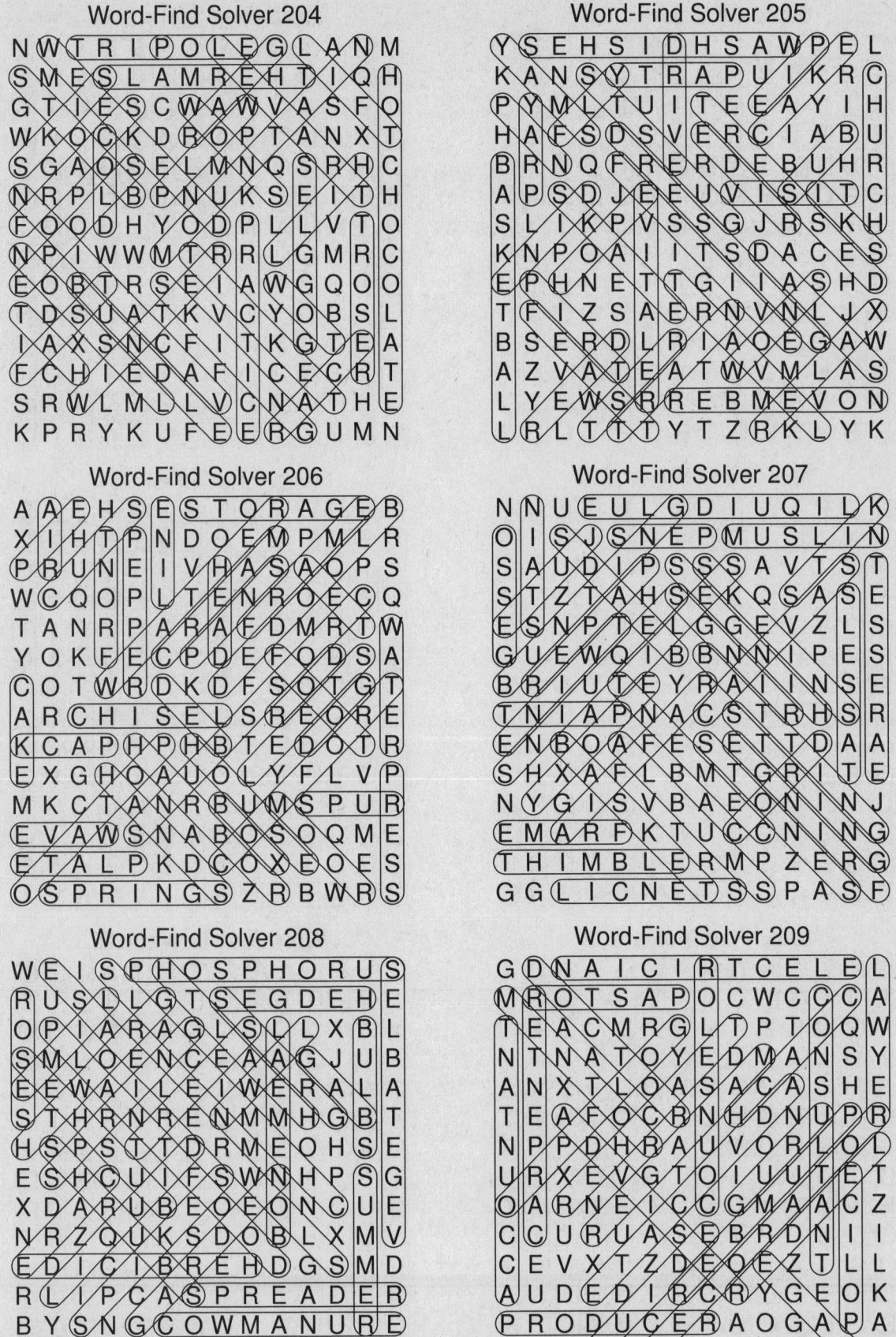

Word-Find Solver 204

```
N W T R I P O L E G L A N M
S M E S L A M R E H T I Q H
G T I E S C W A W V A S F O
W K O C K D R O P T A N X T
S G A O S E L M N Q S R H C
N R P L B P N U K S E I T H
F O O D H Y O D P L L V T O
N P I W W M T R R L G M R C
E O B T R S E I A W G Q O O
T D S U A T K V C Y O B S L
I A X S N C F I T K G T E A
F C H I E D A F I C E C R T
S R W L M L L V C N A T H E
K P R Y K U F E E R G U M N
```

Word-Find Solver 205

```
Y S E H S I D H S A W P E L
K A N S Y T R A P U I K R C
P Y M L T U I T E E A Y I H
H A F S D S V E R C I A B U
B R N Q F R E R D E B U H R
A P S D J E E U V I S I T C
S L I K P V S S G J R S K H
K N P O A I I T S D A C E S
E P H N E T T G I I A S H D
T F I Z S A E R N V N L J X
B S E R D L R I A O E G A W
A Z V A T E A T W V M L A S
L Y E W S R R E B M E V O N
L R L T T T Y T Z R K L Y K
```

Word-Find Solver 206

```
A A E H S E S T O R A G E B
X I H T P N D O E M P M L R
P R U N E I V H A S A O P S
W C Q O P L T E N R O E C Q
T A N R P A R A F D M R T W
Y O K F E C P D E F O D S A
C O T W R D K D F S O T G T
A R C H I S E L S R E O R E
K C A P H P H B T E D O T R
E X G H O A U O L Y F L V P
M K C T A N R B U M S P U R
E V A W S N A B O S O Q M E
E T A L P K D C O X E O E S
O S P R I N G S Z R B W R S
```

Word-Find Solver 207

```
N N U E U L G D I U Q I L K
O I S J S N E P M U S L I N
S A U D I P S S S A V T S T
S T Z T A H S E K Q S A S E
E S N P T E L G G E V Z L S
G U E W Q I B B N N I P E S
B R I U T E Y R A I N S E E
T N I A P N A C S T R H S R
E N B O A F E S E T T D A A
S H X A F L B M T G R I T E
N Y G I S V B A E O N I N J
E M A R F K T U C C N I N G
T H I M B L E R M P Z E R G
G G L I C N E T S S P A S F
```

Word-Find Solver 208

```
W E I S P H O S P H O R U S
R U S L L G T S E G D E H E
O P I A R A G L S L L X B L
S M L O E N C E A A G J U B
E E W A I L E I W E R A L A
S T H R N R E N M M H G B T
H S P S T T D R M E O H S E
E S H C U I F S W N H P S G
X D A R U B E O E O N C U E
N R Z Q U K S D O B L X M D
E D I C I B R E H D G S M D
R L I P C A S P R E A D E R
B Y S N G C O W M A N U R E
A P P L I C A T I O N U J G
```

Word-Find Solver 209

```
G D N A I C I R T C E L E L
M R O T S A P O C W C C C A
T E A C M R G L T P T O Q W
N T N A T O Y E D M A N S Y
A N X T L O A S A C A S H E
T E A F O C R N H D N U P R
N P P D H R A U V O R L O L
U R X E V G T O I U U T E T
O A R N E I C C G M A A C Z
C C U R U A S E B R D N I I
C E V X T Z D E O E Z T L L
A U D E D I R C R Y G E O K
P R O D U C E R A O G A P A
Y M F G J D I L L S A F S C
```

Word-Find Solver 216

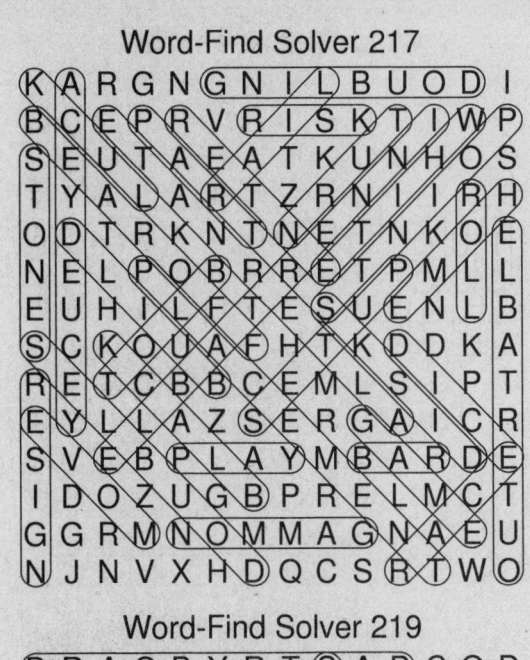

```
C A S L O O K O U T P O S T
E S I U R C T F F O T F I L
E V L A U N C H U P P L C P
G T A S P E E D G U A O V N
N U U W E S N E C I L C W O
I R S H T E K S A B L K K I
W E D S C L P I L O T F H S
S W G F E A W S P O R T R E
S O L N K T R P S C R Q P G
E P A L U N D A H O T A I R
A X I S U L P N P F C S C X
M S O F U H P E I S U Q U E
S L A B I P L L E W E E J D
O D E S I G N S S Y O L L A
```

Word-Find Solver 217

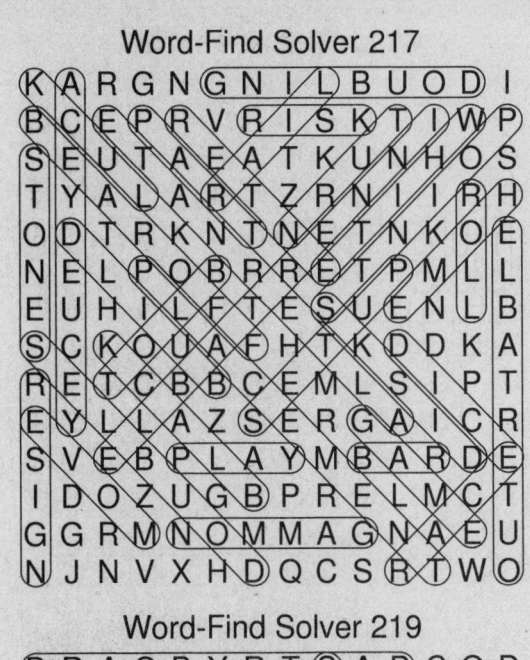

```
K A R G N G N I L B U O D I
B C E P R V R I S K T I W P
S E U T A E A T K U N H O S
T Y A L A R T Z R N I I R H
O D T R K N T N E T N K O E
N E L P O B R R E T P M L L
E U H I L F T E S U E N L B
S C K O U A F H T K D D K A
R E T C B B C E M L S I P T
E Y L L A Z S E R G A I C R
S V E B P L A Y M B A R D E
I D O Z U G B P R E L M C T
G G R M N O M M A G N A E U
N J N V X H D Q C S R T W O
```

Word-Find Solver 218

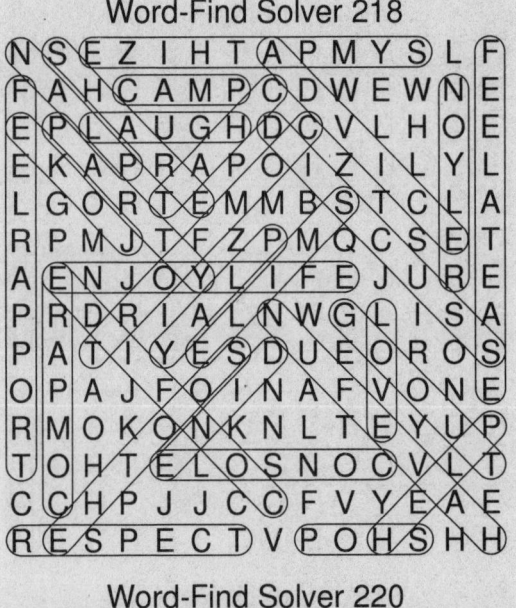

```
N S E Z I H T A P M Y S L F
F A H C A M P C D W E W N E
E P L A U G H D C V L H O E
E K A P R A P O I Z I L Y L
L G O R T E M M B S T C L A
R P M J T F Z P M Q C S E T
A E N J O Y L I F E J U R E
P R D R I A L N W G L I S A
P A T I Y E S D U E O R O S
O A J F O I N A F V O N E F
R M O K O N K N L T E Y U P
T O H T E L O S N O C V L T
C C H P J J C C F V Y E A E
R E S P E C T V P O H S H H
```

Word-Find Solver 219

```
D R A O B Y R T S A P C O D
S H A P E S N S U G A R C W
F G L U T E N O F O G O W B
U M L T R A I S I N R E H A
S R I E O Y T H R N R P I K
S F T X H Z C S M I O Y T I
O L R T E N T E E E S W E N
G W O U E R A A S P H I T G
G J T R I L S E M E I S N N
Y F F E T T E S A H A C U G
V L W O B H D T G E G T E M
A O R Q C E L G Y L S U I R
E U B R E A D P A N S L O P
H R L S S E V A O L K M S D
```

Word-Find Solver 220

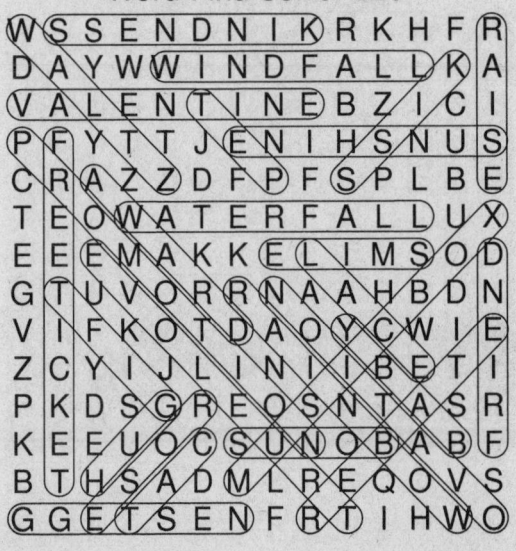

```
W S S E N D N I K R K H F R
D A Y W W I N D F A L L K A
V A L E N T I N E B Z I C I
P F Y T T J E N I H S N U S
C R A Z Z D F P F S P L B E
T E O W A T E R F A L L U X
E E E M A K K E L I M S O D
G T U V O R R N A A H B D N
V I F K O T D A O Y C W I E
Z C Y I J L I N I B E T I
P K D S G R E O S N T A S R
K E E U O C S U N O B A B F
B T H S A D M L R E Q O V S
G G E T S E N F R T I H W O
```

Word-Find Solver 221

```
D R D E S M S G T X I R S U
E O I V A Q T E O R O W S V
U T P R C I N F N R H P E C
C S L E U S Y A S A F O M O
E E O S L L G T N D T N A D
S N M E S N O D E R Q E G I
I E A R E C F A P N A C E S
U E T S K I L L O R E L O C
O M Q A M P A I R V A V J A
L P K A G I P T E Y E H A R
S E N I N R N N O R O G E D
O R A E O K U U L L F L O G
W O B C K P T A S Z P P G X
T R S S I M P L I C I T Y A
```

Word-Find Solver 222

```
B F A M I L Y F R N F B B N
A C I R F A B A O S U U O G
B C T B G C N I F O S F R S
O L T R H G L A X H D O O V
O U E K E E C K W U O C S W
N W R Z R E R E O M I A U O
C H A C M A O D L A C C B O
C L H R B N G P L R L U A D
H I G K N R F S E E D G R L
E Z D R O R T D Y N N T R A
E A Q U U O D L E A V E S N
T R N I O N R L E O P A R D
A D T H O S T R U C T U R E
H S S B W S N O I P R O C S
```

Word-Find Solver 223

```
O L I V I N E R I H P P A S
A Y B U R G D N A B Y S D C
A L R F L O M E N E G N A W I
A E O L A P I N O M A L D N
B B D R H P T D U M P T A N
A G L R E O O I O E A Q E N
S R I E N T R I T C U I S B
T T A I M U I I I A R A D A
E E T P L E N M M C N A D R
R E N L S A R A O E Q I S G
P E E R L D R A L L D S T E
V T T E A I L A L A O A W E
T Y M I N G G E E D B D J H
V K N E N O O L F Q X B M Z
```

Word-Find Solver 224

```
A Y B X P D R U G S T O R E
A K R P D M R W M X B P E E
N X D O U A A E P M R W N H
I H T S T X I C T C E W I L
R L E A W C L R X A W I D I
A U A O V A A T Y R E K A B
M I R B U E A F C N R H Q R
G K R N O M R A F I Y Z T A
S A D E O R S N T V R U D R
B R R T T I A H L A B R H Y
Y P U A N E C T E L B A T S
Z A A O G N F B O U I L N D
M O O R A E T A L R R R I K
U Q Q R K N X C C D Y V G E
```

Word-Find Solver 225

```
W A T E R C R E S S V J Z O
N J N L O B S T E R E H I T
O T N E I M I P F I I L E A
I E G R E B M U C U C Q B M
N S L E N E K C I H C T Q O
O H K O L D R E S S I N G T
C C C E R A Y T E D S E L M
N A R A E A T C U L Q O A A
B T P O N L C I I N K C T K
A O O E U I L S N L A C C I
Q R L L R T P W E R R R I R
G R E L O S O S O C A A G P
R A I S I N S N M B X C G C
F C M U U D I C H E E S E P
```

Word-Find Solver 226

```
C C R O U P I E R E B M U N
E L B M A G N U V D C P O B
S K S H O O T E R I H S V G
T B A C S I F I V C I X P C
E H C H H A V O M E P A A S
B S R U S A C O J I S L D S
E P U O B A N K R S L D E D
N L G O W E P C K Y O E D L
A A B H H G S O E A L S A E
T Y M A B A H N I E E T O I
U E E O T M F E V N O R L F
R R Q A N E N E O T T U T E
A S T N L E N B F L T X L S
L P O T S E Y E E K A N S X
```

Word-Find Solver 227

```
W A W A R B L E L K C A C E
A B R A O R L P H K C I L C
H A L F T Z A W N T E E W T
E R R M R Y Z I O L E P J B
E K E L O R O U O R A W A C
H W T E N I H W B N G A Y A
G O T P S T W I T T E R O P
I W A K B O W O O F H O W L
E W H K R L T I O W W M L E
N O C C C O E Y M H O C F Y
Y B C O O A A A I G H E R A
M C W H G R U N T I N C M B
H I S S B O N O R T R I L L
C L U C K Y C P L A E U Q S
```

Word-Find Solver 228

```
P O P P Y P S A A D B B B Q
B Y W S S U E N N O F T D C
A E N K C I E T U N L B A A
B A N O C B R Q U U A O I R
P I R H R E U I A N G C S N
P C W E P E S D D L I L Y A
G Y V I T A V O N E L A C T
B L O O M S D J R A Y A F I
B E G O N I A U D I L E C O
Y E S W R E A T H I R R X N
N A I T N E G U L N H B A O
O O M A G N O L I A U C T G
E G A R D E N I A D S B R X
P V I O L E T P S U T O L O
```

Word-Find Solver 229

```
Y E K N O D R Q L D X Y W B
L I Q S L D I N R Y R R A C
L F U L S N H A U U W C L O
A P O R E A F A W A K L T L
R P R I L T P I R B O L J B
E E U V E S N D U R O R R S
E C V M A P S O C N B I O E B
I R T L H L I E S D O N T Y
F E O E A A N G E L A O B H
F S L A N T U R F T T B B I
O P L D T E R M E E O X I S
F G A V E L N U V L S V L S
L A B O R D E B A T E O L U
E E N D O R S E U Z Y E L E
```

Word-Find Solver 230

```
D A L F A L F A C O M B E B
E X E R C I S E M S E X W A
S L I A R T H J N D W G A R
T N A E L C A G D C H E T J
A C L P V O P I U K E Z E J
O O V O G I N P O O C S R P
P E M R C G R M D D R A K A
T F O D C K P D M T M T T S
I O O A E A E A W A R B T C
M G R R D E N R N E R A R L
C E B D K G F A S U L I I U
S H O V E L G O S L D O N N
L C K R E E H H S E O H S G
K N I A R G H A N D L E R E
```

Word-Find Solver 231

```
V A T O X I C O O M S A H P
C P A E L U R O R N I T H O
L O H E D Y Z U D E O V D N
P P C O T O S B N M A E N O
H O J L T E E S A N R Y H M
A T I N A O L T O M C A A E
R B A R N U O E A T G L M D
M P A P E P S T O I G E X O
A B Y T A T O T O O L E B R
C R I G R S C O R I N I N H
O C O B O A M A S O C T O T
M R M N L E C S B P H N R N
A L O J H I O H W E Y N C A
N C A R D I O R O C J H A B
```

Word-Find Solver 232

```
G E T T E Y A F A L I J D C
A R C A R T I E R L H U M H
U E E A F D Y R F Y M V W E
G I R S Z S E R I A T L O V
U L T E S L L G S O U O H A
I O T U P I A A A A N R C L
N M B O S M T B S U L E E I
I E A F N A A A P A L O R E
D Z B O Y E R A M F L L Z R
O I G C O U S T E A U L E N
R U O Z D C F X R B I N E T
H C Q R A M I T T E R A N D
E E L L I A R B T P Y B T B
L L E S S E P S U F Y E R D
```

Word-Find Solver 233

```
E T O N E R X D L O H F S S
X N P R O X A I T T S T R H
C O I S W I S B N U R E E A
I B B P O T S E S I N T S R
S E E P E U M S N S A I O P
U P L N T U N G E C A S N F
M A L D R O S D I R I B A G
Y H Y T T E R L C N P N C N L
T S S T Y O E P M S C X C E
M N U D N D E Y T A O U E S
I B R I D G E U S M J L P S
H Q M A B V C E T Q N O O O
G Q Q O E H S I N R A V R N
W T X M F L R F I N G E R S
```

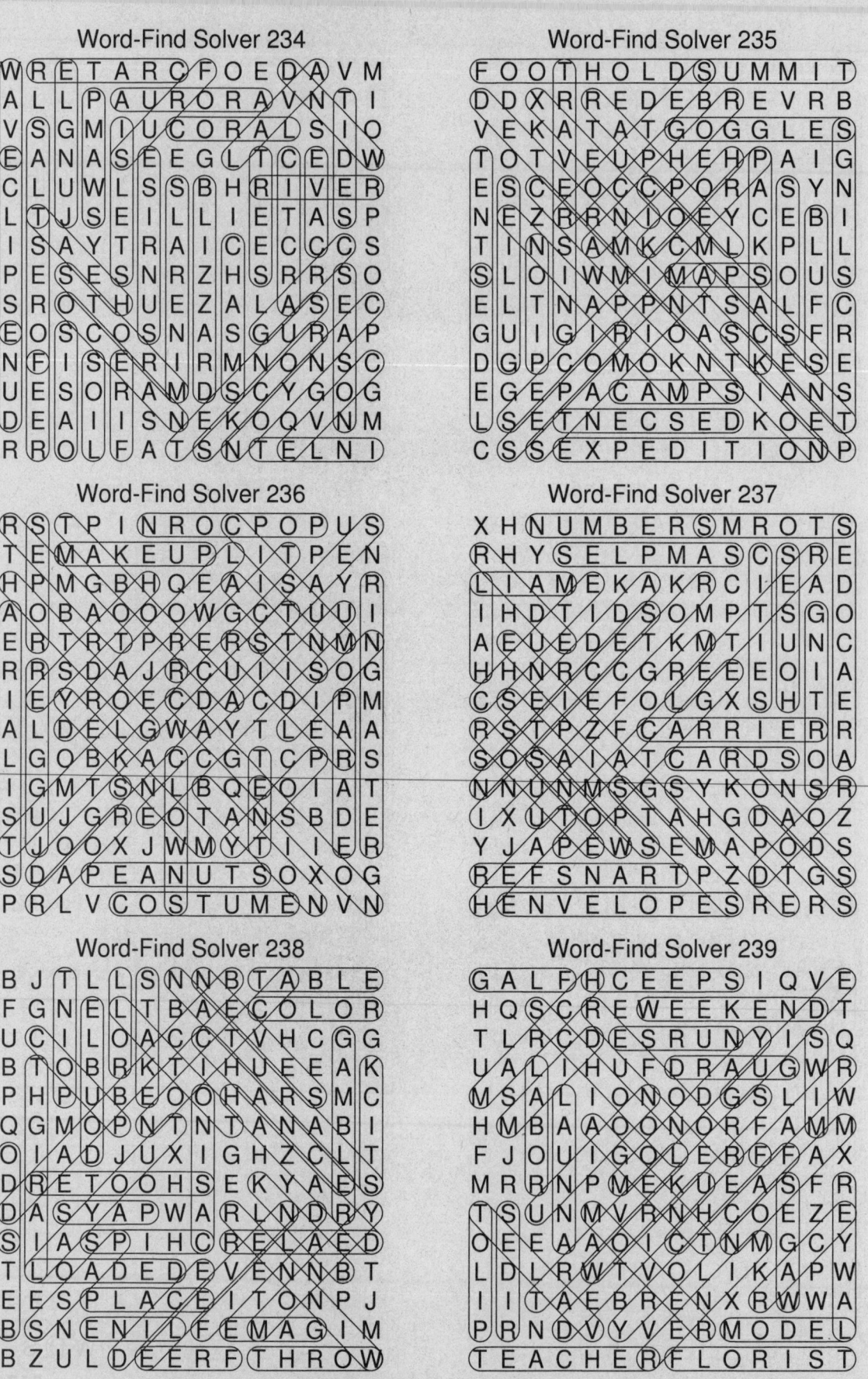

Word-Find Solver 234

Word-Find Solver 235

Word-Find Solver 236

Word-Find Solver 237

Word-Find Solver 238

Word-Find Solver 239

Word-Find Solver 240

```
L A C Q U E R E G D E P O D
T G F H S I N R A V Y O R I
S L I N S E E D O S T A I N
Z T A L F H Z P E L U W B T
H F I N I S H I A G O P H E
T M U R A L O V S T A C S R
S T N I L O A K V N I D U I
O G E I C O G T E C A R R O
L L K M E C L L N P A L B R
V O H C P S H E U E D N W Z
E S A A D E A A M E M A I S
N S L I R S R C R A V G E A
T M L E L D N A H T N A I L
E X T E R I O R O L L E R P
```

Word-Find Solver 241

```
S T R O P S E L I B R A R Y
T N O S T U D Y K L S E R T
N A I A A A L S A O T G S I
E M N T R E E B S S O F C N
D H E G C D O R E A O B O R
U S S T E R C M O O L X L E
T E U O A O E S T J T C L T
S R C T U S J B Y E A R E A
E F O R D U A D X O R M G R
X R S O N L E T E W P M I F
Y E R I L X H X N G N F A L
A M O L P I D G A H R A T T
W R C S T A D I U M R E E E
H O U R S O P H O M O R E D
```

Word-Find Solver 242

```
L R D R E V U E N A M S S T
H H E S B T I E K J P Y S R
N C T D T R A V C R G R A I
U A T W I A E D E N U C L K
M E I A E R T A F B A L C S
B R W S W R D I K O Y L R L
E W L P Y P A S O I E E A R
R C E A N R U T N N D S U B
D T N N N S X G S L T N G S
S E U A I D H E E E N N P T
H D N O T L E I D I I O R P
O I U N D S F R N O K A Y O
L O S G O A N I G G E M N G S
T H G I R M A D N S R O O T
```

Word-Find Solver 243

```
K G P K P R E S I D E N T E
C E H S L W K A D N W G H T
O A F J S R A H O S N I C A
N S L U G O M S E I S E R T
S G U I D E B A K D K R A N
M H T L P R Y P A T I E R E
N O O O T H O C M A P V T T
M O N G L A N L I R P O E O
A M O A U I N I K C E S T P
N D X C R N P Z A O R C S I
A S R A Y C L Q D T H V M X
G G Z A K T H A O U P A C L
E C R A S E A C M A M A H M
R E L U R T T Y R A N T C S
```

Word-Find Solver 244

```
U F N O L U S O N S T F I G
S A E D I C S E H C E E P S
E U R A E M J R S U X I H G
C N D E S C E O E S Y Q U N
A O I T M T O M K E I T S I
R I I D S A W R O E H K B T
B T H N L L C C A R S C A E
M C C E L E B R A T I O N E
E E J I E E S L O R I E D R
F F J R B P O R L S D O S G
I F U F A V I C G A G S N E
W A P R E E A U S C H N A S
A F T A S K H N S T S A O T
K Y S R E T H G U A D X L S
```

Word-Find Solver 245

```
V R E T T I L G D R U M S S
J U I G Z B F E A T H E R S
R S E P I P G A B K G E E K
E S I O N W L P F D D M C U
G E H C R A M E U I E G N V
A L F O G Z J R H R L A C O
L G L F R T T M T O B C D O
I N O Z T N N D U A Z S J S
A A W P I H S P N S T M N T
Q P E M O K S N C A I O C U
V S R R S M E G O R B C C M
Z I S A B R P L A B O S C E
P E M J Y F F Z I L S W Z S
S X U N I F O R M S F W D S
```

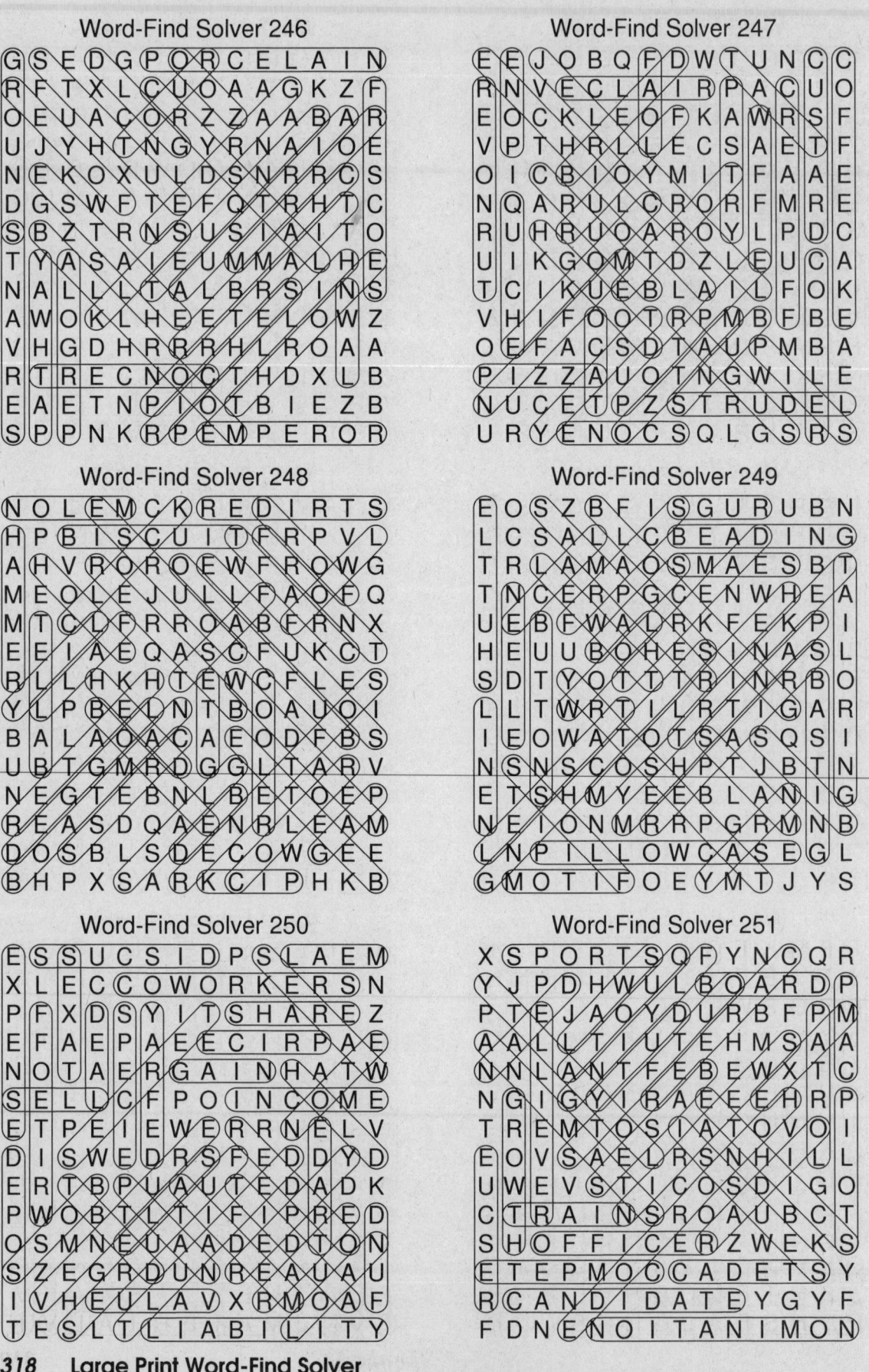

Word-Find Solver 246

```
G S E D G P O R C E L A I N
R F T X L C U O A A G K Z F
O E U A C O R Z Z A A B A R
U J Y H T N G Y R N A I O E
N E K O X U L D S N R R C S
D G S W F T E F Q T R H T C
S B Z T R N S U S I A I T O
T Y A S A I E U M M A L H E
N A L L L T A L B R S I N S
A W O K L H E E T E L O W Z
V H G D H R B R H L R O A A
R T R E C N O C T H D X L B
E A E T N P I O T B I E Z B
S P P N K R P E M P E R O R
```

Word-Find Solver 247

```
E E J O B Q F D W T U N C C
R N V E C L A I R P A C U O
E O C K L E O F K A W R S F
V P T H R L L E C S A E T F
O I C B I O Y M I T F A A E
N Q A R U L C R O R F M R E
R U H R U O A R O Y L P D C
U I K G O M T D Z L E U C A
T C I K U E B L A I L F O K
V H I F O O T R P M B F B E
O E F A C S D T A U P M B A
P I Z Z A U O T N G W I L E
N U C E T P Z S T R U D E L
U R Y E N O C S Q L G S R S
```

Word-Find Solver 248

```
N O L E M C K R E D I R T S
H P B I S C U I T F R P V L
A H V R O R O E W F R O W G
M E O L E J U L L F A O F Q
M T C L F R R O A B F R N X
E E I A E Q A S C F U K C T
R L L H K H T E W C F L E S
Y L P B E I N T B O A U O I
B A L A O A C A E O D F B S
U B T G M R D G G L T A R V
N E G T E B N L B E T O E P
R E A S D Q A E N R L E A M
D O S B L S D E C O W G E E
B H P X S A R K C I P H K B
```

Word-Find Solver 249

```
E O S Z B F I S G U R U B N
L C S A L L C B E A D I N G
T R L A M A O S M A E S B T
T N C E R P G C E N W H E A
U E B F W A L R K F E K P I
H E U U B O H E S I N A S L
S D T Y O T T T R I N R B O
L L T W R T I L R T I G A R
I E O W A T O T S A S Q S I
N S N S C O S H P T J B T N
E T S H M Y E E B L A N I G
N E I O N M R R P G R M N B
L N P I L L O W C A S E G L
G M O T I F O E Y M T J Y S
```

Word-Find Solver 250

```
E S S U C S I D P S L A E M
X L E C C O W O R K E R S N
P F X D S Y I T S H A R E Z
E F A E P A E E C I R P A E
N O T A E R G A I N H A T W
S E L L C F P O I N C O M E
E T P E I E W E R R N E L V
D I S W E D R S F E D D Y D
E R T B P U A U T E D A D K
P W O B T L T I F I P R E D
O S M N E U A A D E D T O N
S Z E G R D U N R E A U A U
I V H E U L A V X R M O A F
T E S L T L I A B I L I T Y
```

Word-Find Solver 251

```
X S P O R T S O F Y N C Q R
Y J P D H W U L B O A R D P
P T E J A O Y D U R B F P M
A A L L T I U T E H M S A A
N N L A N T F E B E W X T C
N G I G Y I R A E E E H R P
T R E M T O S I A T O V O I
E O V S A E L R S N H I L L
U W E V S T I C O S D I G O
C T R A I N S R O A U B C T
S H O F F I C E R Z W E K S
E T E P M O C C A D E T S Y
R C A N D I D A T E Y G Y F
F D N E N O I T A N I M O N
```

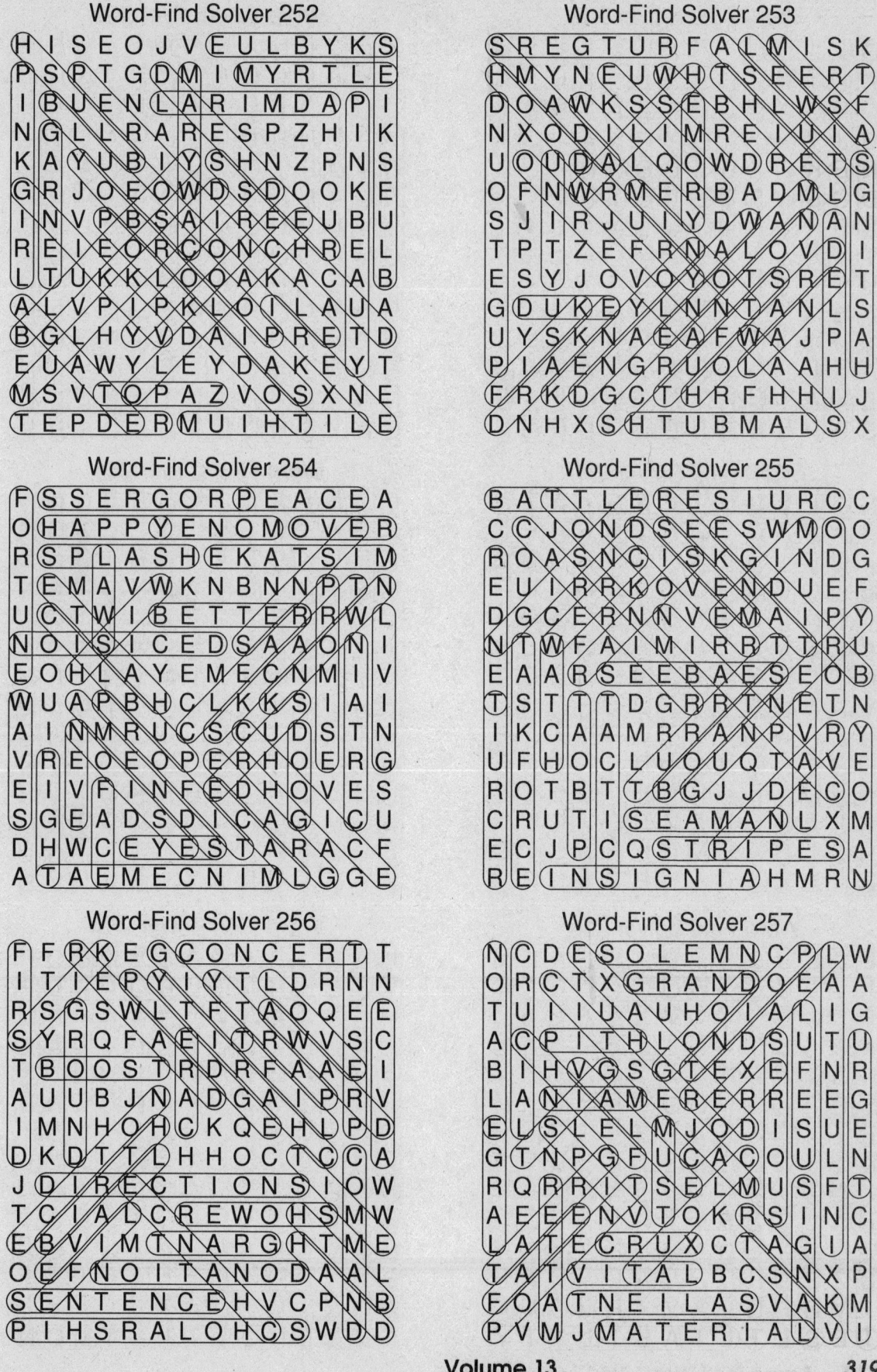

Word-Find Solver 252

```
H I S E O J V E U L B Y K S
P S P T G D M I M Y R T L E
I B U E N L A R I M D A P I
N G L L R A R E S P Z H I K
K A Y U B I Y S H N Z P N S
G R J O E O W D S D O O K E
I N V P B S A I R E E U B L
R E I E O R C O N C H R E L
L T U K K L O O A K A C A B
A L V P I P K L O I L A U A
B G L H Y V D A I P R E T D
E U A W Y L E Y D A K E Y T
M S V T O P A Z V O S X N E
T E P D E R M U I H T I L E
```

Word-Find Solver 253

```
S R E G T U R F A L M I S K
H M Y N E U W H T S E E R T
D O A W K S S E B H L W S F
N X O D I L I M R E I U I A
U O U D A L Q O W D R E T S
O F N W R M E R B A D M L G
S J I R J U I Y D W A N A I
T P T Z E F R N A L O V D I
E S Y J O V O Y O T S R E T
G O D U K E Y L N N T A N L
U Y S K N A E A F W A J P H
P I A E N G R U O L A A H A
F R K D G C T H R F H H I J
D N H X S H T U B M A L S X
```

Word-Find Solver 254

```
F S S E R G O R P E A C E A
O H A P P Y E N O M O V E R
R S P L A S H E K A T S I M
T E M A V W K N B N N P T N
U C T W I B E T T E R R W L
N O I S I C E D S A A O N I
E O H L A Y E M E C N M I V
W U A P B H C L K K S I A I
A I N M R U C S C U D S T N
V R E O E O P E R H O E R G
E I V F I N F E D H O V E S
S G E A D S D I C A G I C U
D H W C E Y E S T A R A C F
A T A E M E C N I M L G G E
```

Word-Find Solver 255

```
B A T T L E R E S I U R C C
C C J O N D S E E S W M O O
R O A S N C I S K G I N D G
E U I R R K O V E N D U E F
D G C E R N N V E M A I P Y
N T W F A I M I R R T T R U
E A A R S E E B A E S E O B
T S T T T D G R R T N E T N
I K C A A M R R A N P V R Y
U F H O C L U O U Q T A V E
R O T B T T B G J J D E C O M
C R U T I S E A M A N L X M
E C J P C Q S T R I P E S A N
R E I N S I G N I A H M R N
```

Word-Find Solver 256

```
F F R K E G C O N C E R T T
I T I E P Y I Y T L D R N N
R S G S W L T F T A O Q E E
S Y R Q F A E I T R W V S C I
T B O O S T R D R F A A E I
A U U B J N A D G A I P R V
I M N H O H C K Q E H L P D
D K D T T L H H O C T C C A
J D I R E C T I O N S I O W
T C I A L C R E W O H S M W
E B V I M T N A R G H T M E
O E F N O I T A N O D A A L
S E N T E N C E H V C P N B
P I H S R A L O H C S W D D
```

Word-Find Solver 257

```
N C D E S O L E M N C P L W
O R C T X G R A N D O E A A
T U I I U A U H O I A L I G
A B C P I T H L O N D S U F U
B I H V G S G T E X E F T N R
L A N I A M E R E R R E U G
E L S L E L M J O D I S U E
G T N P G F U C A C O U L N
R Q R R I T S E L M U S I T
A E E N V I O K R S I N C A
L A T E C R U X C T A G I P
T A T V I T A L B C S N X P
F O A T N E I L A S V A K M
P V M J M A T E R I A L V I
```

Word-Find Solver 258

```
S L I N E V K F W S L L E B
K E E S T M A E R C E C I R
C G L V S E G N A H C C J R
I T R A L A T F V L X S D I K
I T A S I T W A A M I F P N T
S H U E Y N M R S R S O G D
G C P B I O I E O M P T L I
O L P L N D L Z V O U S E X
Q O L E E C E C P I Y S W I
V A Y V I N T B C U R I I E
S D I S T C M R B R N R Y C
Y R P I W O O X U D A G A U
D O A W B W Z N O C G E I P
P W U B D X H W E R K D H S
```

Word-Find Solver 259

```
K C O R M A H S F I V W E P
C H A R C O A L E T V S H O
R O S E B C A A R L O O L P
N N M N J E S R N O F P R P
W C S I T A A O G A U I A Y
A O V P C S N C F P T G R Z
D C P E H E D T L R H R E A
Y O D E N I S C A I B V W U
A A S I H U A K M C O A Y B
R B R C R R S C E O R Z E U
G A R M M X M A Q T T E C R
M O W I U Y I L S O T H X N
M L N U R S N B T E S S U R
Y E L L O W K S C E R I S E
```

Word-Find Solver 260

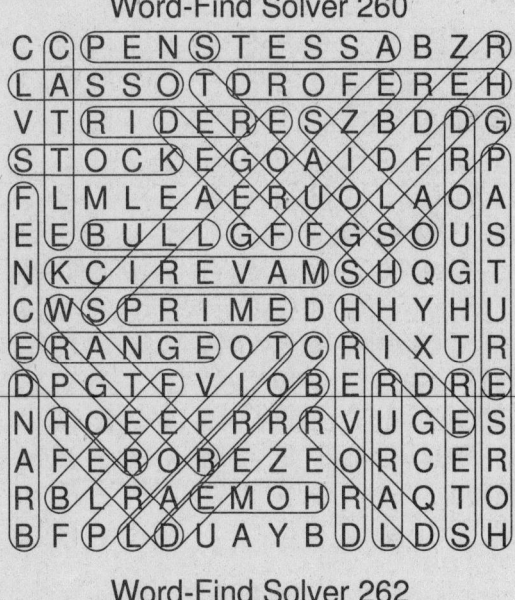

```
C C P E N S T E S S A B Z R
L A S S O T D R O F E R E H
V T R I D E R E S Z B D D G
S T O C K E G O A I D F R P
F L M L E A E R U O L A O A
E E B U L L G F F G S O U S
N K C I R E V A M S H Q G T
C W S P R I M E D H H Y H U
E R A N G E O T C R I X T R
D P G T F V I O B E R D R E
N H O E E F R R R V U G E S
A F E B O R E Z E O R C E R
R B L R A E M O H R A Q T O
B F P L D U A Y B D L D S H
```

Word-Find Solver 261

```
O Z N F E D I L S E D O O W
K O R I W L E T A G L S Q N
H P E N B E A U R R T B G C
M M T G H E L A H Y U I A N
L E T E B B C P L A S T O T
B T A R D E E E A B M I A E
M P P S N A C L M M T M N N
E H I O U A M U L I S C E H
C T T C F R H P S T H B A R
U E H Y K T E O I O O R I D
R J L E H I P R R N M N Q R
P E M O O R N D Y O G W E L
S N S B W R S G N I R T S G
Z W S T U D Y Y L E S S O N
```

Word-Find Solver 262

```
H S P R I N G N I D I A R B
C O A F M S W H T R O N Y Q
D R L A I O O S S T A G E D
L A K D T L S T E S D N A L
I E E R S R D C O U N T R Y
U R A T I Q T U R N E D K G
B T E A L L E W S K I P R A
S R T R L T F I L E E B O A
S S N I O R O U S E K S S D
U I H Z R A E B W P A T E E
T H G I R H R S H M E R G N
S T A N D I N G N O R E R R
T H R U S T L I T S B A U S
T I G H T E K O R T S M S B
```

Word-Find Solver 263

```
H W A I R A M A T N A S R R
E T F I R D T O B D D E I I
M R S Z B N E L H E E I E V
I S Y A I D T H E R T D C E
S P L P O G N D W I H N K R
P C A I G C E A E D G I U S
H H T N A S I D L E I N P F
E N I B K S R X S D N B M O
R K R I T E O A I P K A A R
E I L Z V Z G D O T I Q C T
G L B E C A L M E D I H S R
V H P N N A M E R I C A S E
A A V I G I L I X U C F H S
C C N Q M F C O L U M B U S
```

Word-Find Solver 264

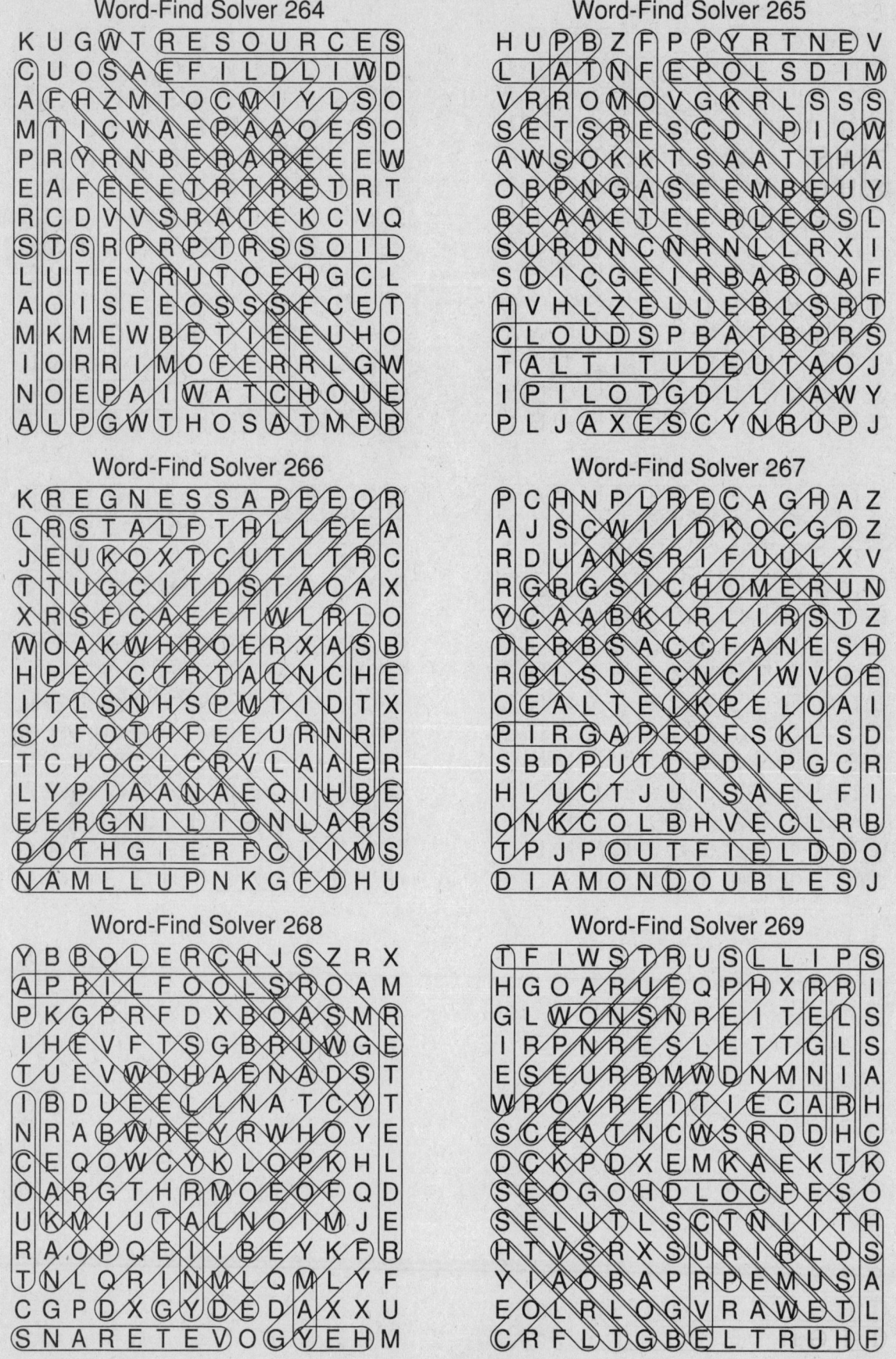

K U G W T R E S O U R C E S
C U O S A E F I L D L I W D
A F H Z M T O C M I Y L S O
M T I C W A E P A A O E S O
P R Y R N B E R A R E E E W
E A F E E E T R T R E T R T
R C D V V S R A T E K C V Q
S T S R P R P T R S S O I L
L U T E V R U T O E H G C L
A O I I S E E O S S S F C E T
M K M E W B E T I E E U H O
I O R R I M O F E R R L G W
N E P A I W A T C H O U E
A L P G W T H O S A T M F R

Word-Find Solver 265

H U P B Z F P P Y R T N E V
L I A T N F E P O L S D I M
V R R O M O V G K R L S S S
S E T S R E S C D I P I Q W
A W S O K K T S A A T T H A
O B P N G A S E E M B E U Y
B E A A E T E E R L E C S L
S U R D N C N R N L L R X I
S D I C G E I R B A B O A F
H V H L Z E L L E B L S R T
T C L O U D S P B A T B P R S
I A L T I T U D E U T A O J
P I L O T G D L L I A W Y
P L J A X E S C Y N R U P J

Word-Find Solver 266

K R E G N E S S A P E E O R
L R S T A L F T H L L E E A
J E U K O X T C U T L T R C
T T U G C I T D S T A O A X
X R S F C A E E T W L R L O
W O A K W H R O E R X A S B
H P E I C T R T A L N C H E
I T L S N H S P M T I D T X
S J F O T H F E E U R N R P
T C H O C L C R V L A A E R
L Y P I A A N A E Q I H B E
E E R G N I L I O N L A R S
D O T H G I E R F C I I M S
N A M L L U P N K G F D H U

Word-Find Solver 267

P C H N P L R E C A G H A Z
A J S C W I I D K O C G D Z
R D U A N S R I F U U L X V
R G R G S I C H O M E R U N
Y C A A B K L R L I R S T Z
D E R B S A C C F A N E S H
R B L S D E C N C I W V O E
O E A L T E I K P E L O A I
P I R G A P E D F S K L S D
S B D P U T D P D I P G C R
H L U C T J U I S A E L F I
O N K C O L B H V E C L R B
T P J P O U T F I E L D D O
D I A M O N D O U B L E S J

Word-Find Solver 268

Y B B O L E R C H J S Z R X
A P R I L F O O L S R O A M
P K G P R F D X B O A S M R
I H E V F T S G B R U W G E
T U E V W D H A E N A D S T
I B D U E E L L N A T C Y T
N R A B W R E Y R W H O Y E
C E Q O W C Y K L O P K H L
O A R G T H R M O E O F Q A
U K M I U T A L N O I M J E
R A O P Q E I I B E Y K F R
T N L Q R I N M L Q M L Y F
C G P D X G Y D E D A X X U
S N A R E T E V O G Y E H M

Word-Find Solver 269

T F I W S T R U S L L I P S
H G O A R U E Q P H X R R I
G L W O N S N R E I T E L S
I R P N R E S L E T T G L S A
E S E U R B M W D N M N I A
W R O V R E I T I E C A R H
S C E A T N C W S R D D H C
D C K P D X E M K A E K T K
S E O G O H D L O C F E S O
S E L U T L S C T N I I T H
H T V S R X S U R I B L D S
Y I A O B A P R P E M U S A
E O L R L O G V R A W E T L
C R F L T G B E L T R U H F

Word-Find Solver 270

```
V E L Q A P S C A L E S Y Q
S N N Y U G I T T X J D B E
T O E U R A K T E O O Y G X
U D I C V N I L R C L N N K P
D Y I S I N O C C C I E H A E P R
Y I C N A I P I I M T R Y H F E
T I C E N C S M U A L Y R C Y S
I R E O E T L E O T A H R E S
R A R S C O R R T S I H T P I
A L P E V B T I I U Y O Q O O
L C W R A N V N L T N I N W N
C C S O N G S H L M E T E R
P X C C T I M I N G C Q R H
Q V A J E C I T C A R P B L
```

Word-Find Solver 271

```
T F C O O P E R A T I O N S
C V R O Y T R A N S I T U H
O E M I T E V A S U P F L O
N L G E E Z N E S H M Z H P P
S X E N V N J O P H P B U P Y
I M I T I V D S M L A Y E E
D W N C T V E S A P A R K R
E R S R C R A N O G U U E S
R U U K E W W S I S S P S D
A L R F L O N G A L A S D U
T E A T L I T E R E O N E O
I S N S O P L I H O F S B L
O R C J C P Y C S E U L A V
N C E B Y T U R N S D P V G
```

Word-Find Solver 272

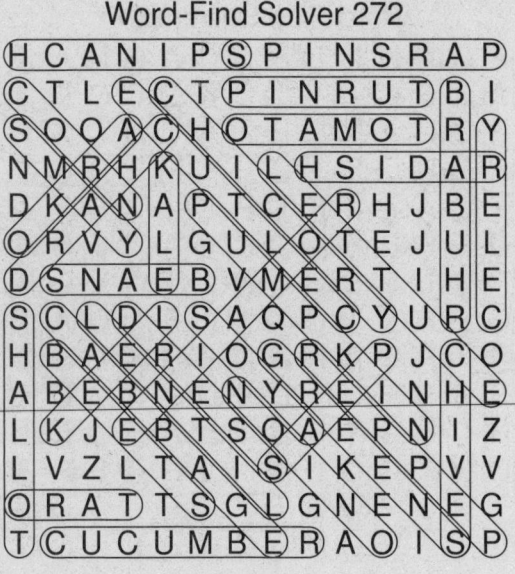

```
H C A N I P S P I N S R A P
C T L E C T P I N R U T B I
S O O A C H O T A M O T R Y
N M R H K U I L H S I D A R
D K A N A P T C E R H J B E
O R V Y L G U L O T E J U L
D S N A E B V M E R T I H E
S C L D L S A Q P C Y U R C
H B A E R I O G R K P J C O
A B E B N E N Y R E I N H E
L K J E B T S O A E P N I Z
L V Z L T A I S I K E P V V
O R A T T S G L G N E N E G
T C U C U M B E R A O I S P
```

Word-Find Solver 273

```
C R Y S T A L S T E P S Y G
I I E N O R H T Y R O V I Q
S U P M Y L O A N F N N V L
B N E W E A I J S E A I C I
T E O O R Y N A Z C R A F O
O E N S H O C A L H M R T N
G U T T A R L U E I V E H J
J Q I H E J V A N C L K E M
C L I D Y E D E T B O A R P
I R C R E S R E N R L M A N
W O O L I V N A P O O R W F
W S F N A S G R U L I M I H
H E R C U L E S P S E V M V
H H B O S S E D D O G H M I
```